LE POUVOIR CONFISQUÉ

GOUVERNANTS ET GOUVERNÉS EN U.R.S.S.

DU MÊME AUTEUR

Chez le même éditeur :

L'Empire éclaté, 1978.
Lénine, la révolution et pouvoir (coll. Champs, 1979).
Staline, l'ordre par la terreur (coll. Champs, 1979).

Chez d'autres éditeurs :

Réforme et révolution chez les musulmans de l'Empire russe, Paris, Armand Colin,
1966, 312 p.
History of Central Asia, in Central Asia. — *A Century of Russian rule, 1867-1976,*
Ed. Allworth ed. Columbia University Press 1967, p. 131-266.
L'Union soviétique de Lénine à Staline — 1917-1953, Paris, éd. Richelieu-Bordas,
1972, 446 p.
La Politique soviétique au Moyen-Orient, Paris, Presses de la F.N.S.P., 1975,
328 p.
*Bolchevisme et Nation. Des débats théoriques à la consolidation d'un Etat
multinational,* thèse multigraphiée — à paraître.

Ouvrages en collaboration :

Le Marxisme et l'Asie, Paris, A. Colin, 1965, 492 p. (en collaboration avec S.R.
Schram).
Collaboration au vol. XVI de la *Fischer Weltgeschichte : Zentralasien.*

HÉLÈNE CARRÈRE D'ENCAUSSE

LE POUVOIR CONFISQUÉ

GOUVERNANTS ET GOUVERNÉS EN U.R.S.S.

FLAMMARION

© Flammarion, 1980.
Printed in France
ISBN : 2-08-064300-2

« Les peuples en insurrection ne travaillent que pour quelques tyrans et pour leur propre ruine, avec un instinct aussi aveugle que les vers à soie qui meurent en tissant des habits magnifiques pour des élus d'une nature supérieure à la leur. »

Jonathan SWIFT

INTRODUCTION

« Ceux qui dirigent la Russie ne doivent de comptes à personne. Ils peuvent, à leur gré, récompenser ou châtier leurs sujets [1]. »

Cette définition du pouvoir en Russie, on la doit à Pierre le Grand. Mais elle rend un son étrangement contemporain. Ne résume-t-elle pas en quelques mots la nature du pouvoir soviétique et l'histoire tourmentée de ses rapports avec la société?

Le Parti bolchevik s'est en octobre 1917 emparé du pouvoir que les masses révolutionnaires avaient pris et tentaient d'organiser. Il a transformé le pouvoir populaire en *dictature du prolétariat*, c'est-à-dire en dictature du Parti sur le prolétariat, comme sur le reste de la société. Le système politique né de cette substitution du Parti aux masses est fondé sur plusieurs principes. Le Parti revendique le monopole du pouvoir et le monopole de l'idéologie. Il légitime cette prétention en identifiant les intérêts de la société à son projet, en invoquant la *nécessité historique*, les impératifs de la lutte de classes, la caution de la « science marxiste ». Cette légitimité ne doit rien à la société. Le Parti *est* la conscience sociale, il ne peut donc trouver de limites à son pouvoir dans la société.

L'état de la Russie en 1917 explique en partie comment le Parti communiste a pu imposer cette autorité illimitée. Son champ d'action est un pays ravagé par la guerre et les défaites, dont l'unité impériale a explosé, dont toutes les structures sociales se sont effondrées. La société est peu éduquée, sans

9

expérience politique, désemparée par une modernisation commencée à la fin du XIX° siècle, conduite rapidement et qui a ébranlé les fondements du mode de vie traditionnel et les valeurs du passé sans encore les avoir remplacés. La Russie a de surcroît une vieille tradition de pouvoir autoritaire. Si cette situation ne suffit pas à expliquer la dictature qui va s'instaurer, elle facilite cependant la tâche des bolcheviks et paralyse toute possibilité de résistance sociale efficace.

Au demeurant, la dictature communiste n'est pas un phénomène isolé dans l'Europe de l'entre-deux-guerres. Les régimes de parti unique vont y fleurir, en Allemagne, en Italie et ailleurs. Même si la légitimité invoquée diffère d'un régime dictatorial à l'autre, tous ont des traits communs. Un groupe y détient un pouvoir considérable et ne laisse place à aucune contestation légale de la société. Il dirige la société par l'intermédiaire d'un parti unique et légitime son autorité par une idéologie officielle largement propagée. Il contrôle complètement les moyens d'information. Enfin les forces armées et policières sont à son entière disposition. Nées en Europe, pour la plupart de la Première Guerre mondiale, les dictatures de parti unique vont connaître leur déclin avec la seconde. Les défaites, la disparition du dictateur sonnent partout le glas des tyrannies et permettent aux peuples de reprendre le chemin de la démocratie. C'est ici que l'Union soviétique devient une exception. Ni la guerre ni la mort de Staline ne mettent fin à la dictature de parti unique. Les seuls pays où celle-ci se maintient, sur le continent européen, sont les pays qui couvrent la dictature du drapeau communiste. L'extraordinaire capacité de survie du pouvoir autoritaire communiste, alors que les autres dictatures ont vécu, pose plusieurs questions.

Premièrement : ce système qui semble immuable est-il bien identique à celui que Lénine et Staline ont légué à leurs successeurs? Ses formes n'ont pas changé, cela est clair. Le Parti communiste, parti unique, domine toujours la société et justifie son pouvoir en répétant la vulgate marxiste-léniniste. Mais ce Parti est-il de même nature que le Parti des décennies passées? Les dirigeants actuels sont-ils bien accordés au Parti? Aux élites? Et la manière dont s'organise désormais ce système, ses règles de fonctionnement, sont-elles celles que le passé a forgées?

Une seconde question se rapporte aux relations du pouvoir avec la société. Si le pouvoir est inchangé, la société n'a cessé de se transformer. Par l'éducation, dont le pouvoir soviétique se glorifie, à juste titre. Par ses exigences nouvelles. Surtout, parce que la terreur généralisée a disparu. Entre cette société, sortie de l'inertie où l'avaient plongé une misère effroyable et une peur constante, et le pouvoir les relations peuvent-elles rester intangibles? Sans doute le groupe dirigeant conserve-t-il un pouvoir de décision intact. Mais dans quelle mesure peut-il ignorer totalement les besoins et les volontés de la société, échapper aux pressions sociales?

Une troisième question est celle du degré et de la nature des changements qui ont eu lieu et ont lieu en U.R.S.S. depuis plus d'un quart de siècle. Sans doute les changements apportés au système politique ont-ils été, dans l'ensemble, mineurs, dispersés et parfois sans lendemain. Mais à trop peser la valeur, la portée de chacun des changements survenus, on évacue la possibilité que des changements mineurs, peu significatifs lorsqu'ils sont pris isolément, acquièrent par leur accumulation une portée différente et représentent un facteur qualitativement nouveau de la vie politique, capable de la modifier en profondeur. Ceci conduit à prendre en considération les conflits qui existent en U.R.S.S. comme dans toute autre société. Il est couramment admis que dans le système soviétique ces conflits inévitables — au sein du pouvoir ou à l'extérieur de la sphère du pouvoir — restent complètement contrôlés par un Parti communiste qui n'a rien cédé de son autorité. Peut-on tenir pour certain que tous les conflits existant en U.R.S.S. rentrent dans ce système de contrôle parfait et parfaitement efficace? Que certains mouvements profonds de la société ne sortent pas de la catégorie des conflits ordinaires pour devenir des forces de déstabilisation qui pourraient à un moment donné peser sur l'avenir du système tout entier? S'il est périlleux de prévoir en ce domaine, on peut du moins examiner le système politique et la société, leurs rapports, et tenter de comprendre ce qui contribue à perpétuer un mode de pouvoir anachronique, ce qui peut le conduire à changer. Car, si l'on refuse d'accepter, les yeux fermés, l'idée que le système soviétique survit parce qu'il n'est pas un système autoritaire mais la manifestation du *progrès de l'histoire,* il n'est pas plus de raisons d'accepter, sans examen, l'idée contraire que ce système seul peut échapper aux contraintes qui pèsent sur tous les autres, à la nécessité de s'adapter au changement de la société et du monde environnant. Créditer le pouvoir soviétique d'une survie exceptionnelle en raison de son accord avec les lois et le « sens de l'histoire » ou le créditer de cette survie en raison d'une aptitude exceptionnelle à dominer les contraintes et les pesanteurs de l'histoire relèvent d'une même démarche qui nie la place de l'homme, de la volonté humaine dans l'élaboration de son destin. C'est pourquoi on cherchera ici à comprendre l'U.R.S.S. et son système politique à travers les institutions et leur fonctionnement, certes, mais surtout à travers les hommes qui incarnent les institutions, s'y plient ou les contestent.

CHAPITRE PREMIER

LE POUVOIR DU PEUPLE : MYTHE ET RÉALITÉ

« Tout le pouvoir en U.R.S.S. appartient au peuple », affirme l'article 2 de la Constitution soviétique de 1977. Ce postulat domine plus de soixante ans d'histoire soviétique et est au cœur des quatre constitutions qui ont jalonné cette histoire : 1918, 1924, 1936 et enfin 1977. Par-delà les textes qui donnent vie à l'État soviétique, l'idée du pouvoir populaire plonge ses racines dans la révolution qui fut, les textes fondamentaux l'assurent aussi, l'œuvre des travailleurs et, plus loin encore, dans le vieux rêve russe de justice sociale et dans l'utopie marxiste. Mais, du rêve, de l'utopie au réel, le chemin parcouru par ceux qui ont forgé le pouvoir soviétique n'est pas aussi droit qu'il y paraît; et avant d'examiner la réalité présente du pouvoir soviétique, il importe d'en voir l'évolution dans les faits et non seulement au miroir des textes.

L'héritage de Marx : État ou liberté?

Héritiers de Marx, les bolcheviks n'ont pas trouvé dans leur patrimoine d'indications claires sur la nature du pouvoir dans une société qui aurait accompli la révolution prolétarienne [1]. Sans doute Marx a-t-il longuement discuté de l'État, de son pouvoir aliénant et de la nécessité pour l'homme de s'attaquer à ce problème pour assurer son émancipation. Mais à ce point, la pensée de Marx débouche, sinon sur une contradiction claire, du moins sur une perpétuelle tension entre deux conceptions du pouvoir, tension que les bolcheviks ne résoudront pas. Tout d'abord, il est remarquable de constater l'insistance de Marx sur l'État comme cadre privilégié des relations sociales. Même si la pensée politique de Marx ne peut être confondue avec sa réflexion sur l'État, l'économie est à ses yeux le principal lieu historique des relations politiques des sociétés humaines — en liant État et intérêt de classe, Marx réintroduit à tout moment l'État dans sa conception du pouvoir. De plus, il a vu dans l'État à la fois « une organisation de la classe possédante destinée à la protéger contre la classe des non-possédants [2] » et la concentration, l'incarnation dans un corps spécialisé de dirigeants — politiciens, bureaucrates, militaires, policiers — des pouvoirs de la société. L'État est ainsi, tout en même temps, un monstre que la société a fabriqué et qui s'est retourné contre elle pour la dominer, et un appareil de domination des possédants sur le reste de la société. De cette double vision de l'État découlent deux certitudes opposées : l'opposition est permanente entre État et société; ou bien, au contraire, l'État est toujours un instrument de la société, d'une classe particulière de la société, classe économiquement dominante avant la révolution, prolétariat ensuite.

La *dictature du prolétariat* proposée par Marx comme forme d'organisation de la société au lendemain de la révolution ne résout pas la tension que l'on perçoit dans sa pensée. Cette dictature du prolétariat qu'il appelle de tous ses vœux, qu'il tient pour une étape décisive dans la voie de l'émancipation humaine, il ne dit pas pour autant qu'elle soit un ordre politique *juste*. A suivre de près la pensée de Marx, on trouve en définitive une double aspiration. L'anarchisme fondamental du penseur, du philosophe, qui place au sommet de son système de valeurs la liberté humaine et qui pense que *liberté* et *État* sont antinomiques. C'est une conviction qui transparaît dans la *Critique du Programme de Gotha,* où il conteste l'ambition du Parti ouvrier allemand à créer un *État libre.* Engels fait d'ailleurs preuve du même scepticisme en ce qui concerne la compatibilité de l'État et de la liberté lorsqu'il suggère que le concept d'État doit être supprimé au profit de celui de *communauté (gemeinwesen)* que les Français de 1870 ont appelé *Commune* [3]. Anarchiste dans ses vues philosophiques, Marx sur le terrain politique devient un ennemi de l'anarchisme. Il tient que la stratégie révolutionnaire des anarchistes — destruction immédiate et définitive de l'État — est une grave erreur, car pour lui c'est à travers la conquête de l'État que le prolétariat peut s'imposer. Plus encore, il est en désaccord avec les anarchistes sur un problème de fond, celui de la cause de l'oppression que les hommes ont subie au fil des siècles. Pour les anarchistes, c'est l'État qui est cause de toute oppression; il est un mal absolu, il est *le mal*, c'est donc lui que la révolution doit viser. Sans justifier pour autant l'État, Marx et Engels le tiennent pour une conséquence de l'oppression tandis que les relations économiques en sont le fondement. S'il faut songer à supprimer l'État, c'est au terme d'une longue révolution où le prolétariat reprendra d'abord l'État en charge.

L'héritage russe : État ou anarchie?

Des héritiers de Marx, les plus sensibles à ce débat, les plus directement concernés seront les socialistes russes. Pour eux, le choix entre les variantes philosophico-anarchiste et politico-étatique du marxisme s'y pose de façon urgente. Tout d'abord, parce qu'ils trouvent dans leur pays même les deux tendances : *étatisme* et *anarchisme*. Berdiaeff [4] l'a écrit : « Le peuple russe a été un peuple étatiste, il a accepté de servir de matériau à l'édification d'un grand État. Et en même temps, il est enclin à la révolte et aux troubles. » On entre ici dans le domaine de l'héritage si particulier et difficile de la Russie. L'État, sa puissance, son autorité démesurée sur une société qui n'arrive pas à se constituer a été apporté en Russie par les envahisseurs mongols; il a survécu en leur empruntant de nombreux traits, et il a justifié son maintien par la nécessité de protéger un immense territoire, longtemps menacé et envahi. La toute-puissance de l'État, son intervention dans tous les domaines, la société l'a accepté pour des raisons diverses. Parce que, après l'insécurité du temps des invasions, c'était l'unique chance de sécurité. Parce que, aussi, le peuple russe a été totalement coupé du monde extérieur, ignorant de lui, effrayé par lui. Parce que enfin le pouvoir a véhiculé une idéologie qui le justifiait, en combinant l'appel à un nationalisme quasi mystique, l'idée que la société russe était une communauté fraternelle, égalitaire, juste [5]. La Russie est ainsi, jusqu'au tournant du XX° siècle, organisée selon un modèle patriarcal où l'État et le souverain se confondent, et où leur autorité, cautionnée par l'Église orthodoxe, fait du souverain-chef de l'État le représentant terrestre et le double d'un Dieu paternel, également préoccupé de tous ses enfants. L'adhésion de la société à ce modèle se conçoit si l'on se souvient qu'il s'agit d'une société paysanne, dont la vie est enserrée dans un tissu religieux où se mêlent les notions de Russie, de pouvoir et de vie commune. Tout le vocabulaire politico-social de l'époque prérévolutionnaire rend compte de ce système de valeurs, communautaire et patriarcal. La société est unie dans l'Église orthodoxe par la notion centrale de *Sobornost* (c'est-à-dire par le sentiment d'appartenir à une communauté vivante, fraternelle, celle des croyants). Nulle autre Église chrétienne n'a développé à ce point le sens de la communauté. Le pouvoir a toujours eu une connotation paternelle, puisque le souverain est d'abord père de son peuple, *Batiouchka*. De même que dans le village l'autorité est dévolue aux anciens — *Starosta* — et que dans le foyer le maître, *Khoziain* (terme qui s'applique d'abord à son autorité sur les choses) — est par rapport aux siens le *Starchyi,* c'est-à-dire l'aîné. Berdiaeff a souligné que l'idée la plus familière à ce peuple, dominé par l'État, est l'idée de *justice sociale,* tandis que l'idée de liberté qui tout le long du XIXᵉ siècle soulève l'Europe occidentale et centrale a peu d'écho en Russie [6]. Cette volonté de justice sociale, ancrée dans la conscience du peuple russe, centre de sa culture politique, a pour conséquence une autre tendance profonde de ce peuple : l'anarchisme latent. L'histoire russe est faite d'une domination longtemps subie, celle des Mongols, celle de l'État; mais elle est faite tout autant de sursauts populaires sporadiques qui rejettent soudain avec violence toute domination. Ces sursauts, des hommes les ont canalisés et conduits, tels Stenka Razin ou Pougatchev [7] dont la légende a toujours occupé une place considérable dans la conscience collective russe. Cet anarchisme latent de la société, Bakounine l'a compris et il en a conclu que, au-delà des attitudes d'obéissance imposées à la société par le pouvoir, c'est l'anarchisme qui imprégnait la conscience sociale et en constituait le fond réel. Pour Bakounine, l'adhésion de la société à l'État n'est qu'apparence. L'homme russe, perpétuel insurgé, subit l'État, mais il n'a pas de conscience étatique. L'État lui est étranger. L'État russe du XIXᵉ siècle, produit combiné de l'influence mongole et des curiosités occidentales, voire allemandes, des souverains éclairés de la Russie, Pierre le Grand et Catherine II, ne doit rien, pense-t-il, à la culture populaire et à ses fidélités. Ainsi Bakounine sépare-t-il la force insurrectionnelle innée qu'il décèle chez le peuple russe de l'étatisme qui, à ses yeux, est un apport purement étranger, et contre lequel cette force insurrectionnelle s'exprime. Le développement de la pensée révolutionnaire russe au XIXᵉ siècle s'opère d'ailleurs pour l'essentiel dans cette direction anarchiste et justifie l'analyse de Bakounine. L'intelligentsia russe, qui, écartée du pouvoir, se pose de plus en plus fortement en force de contestation du système existant, oppose État et changement, État et société [8]. Les *populistes* qui vers 1860 veulent « aller au peuple » éprouvent, comme Bakounine, une répulsion profonde pour toute forme étatique, et envisagent l'avenir en dehors de tout État.

Quand, au tournant du siècle, le mouvement révolutionnaire russe s'organise et passe du débat philosophique au débat politique sur les formes et les buts de l'action, la question du pouvoir, de son organisation, devient centrale pour chaque groupe, ou parti. Le *parti socialiste-révolutionnaire,* enfant du populisme et de Marx, s'écarte de l'anarchisme populiste pour admettre que le pouvoir révolutionnaire peut revêtir des formes étatiques [9]. Sans doute les socialistes-révolutionnaires, qui voient dans la révolution un mouvement venu de la base et qui doit balayer l'autorité d'en haut, sont-ils conscients de la nécessité d'affaiblir durablement l'État, de le placer sous le contrôle populaire pour empêcher le retour à la vieille dichotomie État société. Néanmoins, ils participent, dès avant la révolution, au tournant « étatique » qu'opère la pensée révolutionnaire russe. Quant aux *sociaux-démocrates,* qui se proclament les seuls authentiques disciples de Marx, ils discutent pour leur part, interminablement, des voies que le développement russe doit emprunter. La Russie doit-elle ou non passer par le dur chemin du capitalisme? Dans ce débat, la question du pouvoir révolutionnaire, de sa nature, est reléguée au second plan. Au vrai, cet oubli est logique. Pour une partie des sociaux-démocrates, les *mencheviks,* convaincus de la longueur du parcours historique à accomplir avant qu'une révolution ne soit possible, le problème du pouvoir est encore hors d'atteinte. Quant à leurs adversaires, les bolcheviks, leur position est celle de Lénine, qui concentre son attention sur le problème technique de la *prise de pouvoir,* de ses voies et de ses moyens. Ceci explique pourquoi Lénine ne s'interrogera réellement sur la *nature* du pouvoir révolutionnaire qu'à l'heure où il sera sur le point de l'instaurer, quand la révolution battra déjà son plein.

De la théorie à l'action: le pouvoir arraché à la « cuisinière »

L'État et la Révolution, seule œuvre de Lénine qui traite pleinement des problèmes du pouvoir et de l'État, a été écrit dans l'atmosphère enfiévrée de l'été 1917. Cette œuvre est avant tout révélatrice de la précipitation de Lénine, des ambiguïtés du débat marxiste, de la complexité de la situation russe. Tous ces éléments entremêlés et incompatibles expliquent le caractère difficilement interprétable de *L'État et la Révolution* [10]. Lénine y proclame clairement que l'État postrévolutionnaire est celui de tous, de toutes les compétences, que la simple « cuisinière » peut en assurer la gestion. Mais dans le même temps, il décrit la *dictature du prolétariat* comme un système étatique parfaitement organisé et discipliné, où l'attribution des tâches, la répartition des compétences et des responsabilités ne relèvent d'aucune improvisation. Ce livre, qui est en même temps anarchiste et étatique, est à l'image de la tension de la pensée de Marx, à l'image des débats qui ont divisé les révolutionnaires depuis Marx. Mais, lorsque Lénine l'écrit, le problème du pouvoir sort du cadre intellectuel où il était jusqu'alors confiné, pour passer dans le domaine difficile de la pratique. L'État impérial s'est écroulé en février 1917; le gouvernement provisoire n'a pas su reconstruire un système étatique viable, et la révolution bolchevique, plus que prise de pouvoir, a pour fonction de canaliser, de récupérer et d'organiser l'anarchie grandissante [11]. En octobre 1917 il n'y a plus de pouvoir unique organisé en Russie, mais il y a en revanche une prolifération et une juxtaposition de pouvoirs particuliers, surgis de la base et qui s'incarnent dans d'innombrables comités dans les villes et les campagnes [12]. Le « pouvoir de la cuisinière » existe et s'exerce spontanément. Le problème auquel les bolcheviks ont à faire face est celui de leur attitude vis-à-vis de ces pouvoirs spontanés. Doivent-ils les entériner? Encourager ce spontanéisme, cette dispersion des pouvoirs dans la société? Ou bien doivent-ils reconstruire un cadre politique en dehors des pouvoirs de la base? Ou encore un système qui ordonne et intègre les pouvoirs de la base?

La réponse personnelle de Lénine est d'emblée dénuée d'ambiguïté, même si les termes qu'il utilise entretiennent encore l'ambiguïté et dissimulent son choix. Dès son retour en Russie en avril 1917, au moment où s'accélère le glissement du pouvoir du gouvernement provisoire aux soviets, Lénine proclame « tout le pouvoir aux soviets » et semble encourager, par là même, l'orientation anarchiste de la révolution. Mais déjà, tout témoigne que son analyse de l'évolution de la Russie le conduit en fait à opposer à l'anarchisme croissant un ordre politique cohérent. Son appel n'est pas un acte de foi dans le pouvoir des soviets, mais un constat de la situation qu'il a trouvée en Russie. La révolution s'opère et se développe dans les soviets qui sont au printemps 1917 l'expression d'un véritable pouvoir populaire.

Parce qu'il en a pris conscience, Lénine décide d'utiliser les soviets comme instrument de prise du pouvoir et, pour ce faire, de les infiltrer de bolcheviks. Son parti, conçu comme appareil révolutionnaire, ne se met nullement au service des soviets; il va tout au contraire les « pénétrer », et les tourner en instrument de triomphe du bolchevisme [13].

Aussitôt qu'il a pris avec son parti et en son nom le pouvoir, le 25 octobre 1917, toutes les décisions de Lénine vont dans un même sens : elles confortent un pouvoir qui a sa logique et ses instruments propres, qui s'impose à la société, qui se refuse à être à la remorque des humeurs de la société. Ce choix de Lénine, en faveur d'un pouvoir réel et en rupture avec l'anarchisme ambiant, trois décisions prises dans les semaines qui suivent la révolution en témoignent. Ces décisions, mal perçues sur le moment, orientent le pouvoir soviétique de manière décisive pour les décennies à venir. La première, c'est la création, à l'heure même où la révolution se déploie, d'un embryon de pouvoir répressif sur lequel la société n'a pas de prise. Marx avait toujours souligné que le pouvoir populaire passait par une condition essentielle : que les instruments répressifs (police et armée) soient sous contrôle populaire [14]. Un pouvoir qui tient dans ses mains l'un de ces appareils d'autorité n'est déjà plus un pouvoir populaire. A l'heure même où il va prendre le pouvoir, Lénine crée, à l'intérieur de la petite cellule qui réalise son projet, le *Comité militaire révolutionnaire,* un pouvoir policier. Il charge son vieux compagnon de lutte, Félix Dzerjinski, de mettre sur pied cet instrument de répression. Il s'agit sans doute, dans l'esprit de Lénine, de lutter contre les manœuvres des adversaires de la révolution. Il est significatif cependant que cette tâche de salut révolutionnaire, il ne la confie pas au peuple insurgé à ses côtés, mais qu'il crée un instrument répressif spécialisé, qui est soustrait d'emblée à l'initiative et au contrôle populaires. De cette cellule policière encore embryonnaire sortira le plus formidable appareil répressif du XXe siècle, la Guépéou stalinienne et le K.G.B. d'aujourd'hui. Le lien qui unit ces instances à leurs diverses étapes est logique et inévitable. En considérant qu'il appartient à un corps spécialisé, extérieur à la société, de défendre la révolution, Lénine choisit implicitement de consolider la révolution dans un État qui sera distinct de la société.

La deuxième option de Lénine n'est pas moins décisive. D'une révolution à laquelle beaucoup de tendances, de groupes politiques participent, quel gouvernement dégager? Les masses, lorsqu'elles s'expriment (par le puissant *syndicat des cheminots* par exemple), sont favorables à une large coalition des partis en présence. Il leur semble normal que les partis révolutionnaires existants soient tous représentés dans le pouvoir qui se met en place. Dans son parti même, Lénine trouve de nombreux tenants de cette position. Pourtant, avec une ténacité d'autant plus remarquable qu'il est presque isolé, Lénine refuse l'idée de constituer un gouvernement socialiste de coalition [15] et il impose finalement sa volonté. Enfin et surtout, c'est son attitude envers l'Assemblée constituante qui témoigne du choix qui est le sien. Les élections à l'Assemblée constituante, organisées au lendemain de la Révolution d'octobre, sont pour Lénine un désaveu. Le suffrage populaire favorise le parti social-révolutionnaire que la société paysanne tient pour son plus sûr représentant. Sur les 707 sièges pourvus, les socialistes-révolutionnaires en gagnent 410 et le parti de Lénine 175 seulement. Sans doute, à l'intérieur du parti socialiste-révolutionnaire une scission se produit et la gauche (40 élus) s'écarte du parti pour rejoindre les bolcheviks; mais ils n'en deviennent pas pour autant majoritaires. De ce vote populaire qui consacre le pluripartisme, Lénine tire une leçon autoritaire. La société, dit-il, n'a pas pris en compte les changements survenus; son vote qui traduit cette conscience attardée n'a donc aucune valeur. Et, logique avec lui-même, il dissout la Constituante, plaçant ainsi au-dessus du suffrage populaire l'intérêt de son parti, sa propre interprétation des événements et de l'intérêt général. Dès le début de l'année 1918, les relations entre le pouvoir des bolcheviks et la société sont ainsi clarifiées. Pour Lénine, le parti bolchevik (et le gouvernement qui en est issu et où la coalition se réduit à la présence de quelques S.R. de gauche aux côtés des bolcheviks) est non seulement l'avant-garde de la société et sa conscience, mais il est dépositaire de l'intérêt et des volontés sociales que la société ne perçoit pas toujours clairement. Le pouvoir populaire qui s'est manifesté entre février et octobre 1917 disparaît, à partir de ce moment, au profit du pouvoir des bolcheviks. En excluant du gouvernement les partis pour lesquels la société s'est prononcée, en supprimant l'Assemblée constituante issue d'élections générales, en plaçant sous contrôle bolchevik toute la presse, en instaurant un instrument policier qu'il faut d'ailleurs très vite développer pour imposer ces diverses décisions et empêcher qu'une opposíton des partis ou des comités s'organise, Lénine crée en un laps de temps très bref un système de pouvoir parfaitement cohérent [16], qui échappe à la société et la domine.

Une ultime étape doit encore être franchie, celle qui videra les soviets (survivance d'un pouvoir de la base) de toute consistance et transférera leurs compétences au centre et au Parti. Cette étape sera achevée dès 1919.

Ce pouvoir confisqué à la société, aux travailleurs insurgés de 1917, Lénine le justifie par les exigences d'une révolution qu'il faut sauver des menaces intérieures et extérieures [17]. Mais, à considérer le cours des événements, l'historien constate que le choix entre *pouvoir des travailleurs* et *pouvoir exercé au nom des travailleurs* s'est opéré d'emblée, avant même que les dangers ne soient apparents. Dans ce choix, la « cuisinière » a perdu tout espoir de participer à la direction de l'État, et Lénine ne sera pas le dernier à railler cette utopie qu'il qualifie de « conte de fées [18] ».

Si la *dictature du prolétariat* prend très tôt la forme d'un pouvoir étatique, centralisé, dont les comités de travailleurs sont exclus, les bolcheviks n'entendent pas pour autant restaurer un État traditionnel. État nouveau, celui qu'ils créent ne doit pas, dans leur esprit, assurer la domination d'une classe sur une autre. Il ne le peut pas d'ailleurs, pensent-ils, puisque les fondements économiques de l'État traditionnel (la propriété privée des moyens de production) ont disparu. Les bolcheviks considèrent qu'ils incarnent un type de pouvoir totalement inédit. Le pouvoir qu'ils détiennent, ils ne le doivent ni à une puissance mesurable, ni à une base matérielle, ni au groupe social dont ils sont issus, mais à une donnée historique impalpable : ils sont la conscience du prolétariat, ils sont le produit du cours de l'histoire. Ce qui justifie leur pouvoir, c'est leur certitude d'avoir la raison historique pour eux. Leur légitimité, c'est qu'en eux s'incarne le prolétariat, son intérêt historique, sa volonté. Peu importe la contradiction apparente entre les volontés diverses des travailleurs (exprimées dans des votes, dans le soutien à d'autres groupes politiques). Si contradiction il y a, elle résulte de ce que le prolétariat n'est pas toujours capable de savoir où se situe le nécessité historique. Lénine avait déjà pensé avant 1917 que la nécessité historique et la perception par le prolétariat de cette nécessité étaient loin de coïncider; il en avait conclu qu'il fallait, pour y remédier, édifier un parti d'avant-garde, dépositaire d'une vision juste de la nécessité historique et, par là, chargé de guider le prolétariat.

Cette certitude absolue d'incarner la nécessité historique, est-il besoin de souligner qu'elle a un caractère quasi religieux, qu'elle échappe à toute explication logique? Est-il besoin de souligner aussi que la légitimité qui en découle n'est pas fondamentalement différente de la légitimité des souverains chrétiens « oints du Seigneur », qui justifiaient leur pouvoir par l'invocation d'une nécessité immanente? Ces systèmes de légitimation de l'autorité, qui font appel à la conviction de ceux à qui l'autorité est imposée, impliquent l'existence d'un système idéologique cohérent, explicité, mobilisant la société autour de valeurs communes claires. Des idéologies de ce type ne peuvent être diffusées de façon vague. Elles exigent un appareil lourd, qui encadre la société, l'éduque, la rassure, la maintient constamment au contact des certitudes qui fondent le pouvoir. Ceci explique tout à la fois que l'idéologie va occuper dans le système soviétique une place centrale, qu'elle va recouvrir l'ensemble des activités sociales et des activités privées, qu'elle va imprégner tous les domaines de l'existence des individus et des groupes. Ceci explique aussi que, quels qu'aient été l'évolution réelle de l'U.R.S.S., les changements survenus, l'écart entre les principes fondamentaux de l'idéologie soviétique et la réalité, les convictions et les réactions des citoyens, l'idéologie ait eu pour fonction de maintenir un discours inchangé, inaltéré, qui assure la société à tout instant que le réel et le projet initial coïncident. Ceci explique enfin l'importance dans la société soviétique du groupe dépositaire de cette idéologie, le Parti. Ce choix initial (qui relève, pourquoi ne pas le rappeler, de la *foi* et non de l'analyse rationnelle des faits) implique pour le système soviétique des conséquences précises et contraignantes. Il doit être, et doit rester, un système idéologique; et un système de *monopole* idéologique, car admettre l'existence d'autres idéologies, c'est admettre que l'on met en question la *vérité* qui sous-tend le système. Il doit être aussi un système porté par une organisation politique *unique,* car l'existence d'organisations concurrentes aurait pour corollaire la concurrence des idées, voire des vérités. La *vérité,* lorsqu'elle relève de la foi, est indivisible et indiscutable. Du choix initial de Lénine, un pouvoir accaparé par le Parti au nom d'une nécessité historique dont il serait tout à la fois le porteur, l'arbitre et le garant, de ce choix découle tout le système soviétique, tel qu'il s'est organisé : un parti unique, monolithique, une idéologie détenant un monopole de vérité. De ce choix découle aussi que le système soviétique peut changer dans ses méthodes, dans ses options, mais que le système mono-organisationnel et mono-idéologique [19] est intangible, car c'est dans cette intangibilité que résident sa légitimité et son invulnérabilité.

La naissance des privilèges

Fondateur du système, Lénine en a aperçu d'emblée toutes les conséquences. C'est pourquoi il renforce son parti et en assure la cohésion interne en faisant adopter au Xe Congrès, en mars 1921, la règle qui interdit de constituer en son sein des fractions. Mais l'autoritarisme croissant n'est pas l'unique aspect de l'effort de Lénine. Ce « pouvoir des travailleurs » que seule atteste l'idéologie [20], il s'efforce au minimum de le rapprocher des travailleurs, d'uniformiser les conditions de vie de ceux qui sont au pouvoir et de ceux qui produisent, par un égalitarisme matériel. Durant les années où Lénine est à la tête des affaires, on assiste au développement d'une idéologie égalitaire où les humbles, dépossédés du pouvoir, incarnent cependant un modèle social. Diverses dispositions prises à l'aube du régime sont destinées ainsi à empêcher les tenants du pouvoir d'en devenir les privilégiés, à enlever à leur pouvoir toute assise matérielle. Le modèle, pour Lénine, c'est la Commune de Paris, où ceux qui exerçaient des fonctions publiques devaient être rémunérés moins que les travailleurs [21]. Un décret du 18 novembre 1917 fixe le plafond des rémunérations que peut percevoir un dirigeant ou un fonctionnaire du nouveau système. A cette époque où un ouvrier hautement qualifié gagne à peu près 400 roubles par mois, le maximum autorisé pour un Commissaire du Peuple ou un fonctionnaire de même niveau est fixé à 500 roubles, auxquels peuvent s'ajouter 100 roubles complémentaires pour chaque membre de la famille qui ne travaille pas. Le droit au logement est lui aussi sévèrement réglementé. Nul ne peut à ce rang disposer de plus d'une pièce par personne. Sans doute ces dispositions rigoureuses laissent-elles encore place pour des situations qui, comparées à la misère ambiante, au chômage, à l'entassement de la population urbaine dans des logements communautaires, font de ceux qui gravitent dans les sphères de responsabilités, des privilégiés. Mais Lénine veille à ce que les privilèges soient aussi réduits que possible et sa propre austérité sert de modèle à ceux qui l'entourent [22]. Dès ce moment, cependant, la volonté d'égalitarisme bute sur deux réalités, l'une économique, l'autre politique. Le facteur économique s'impose au sortir de la dure époque du *communisme de guerre* où le régime des soviets a été tout près de s'engloutir dans la misère et le mécontentement d'une société qui, au printemps 1921, à la campagne et à la ville, se dresse contre lui. Pour sauver le système, pour lui rendre vie, Lénine renonce en 1921 au communisme de guerre et opte pour la N.E.P. (nouvelle politique économique). Ce choix, c'est une pause dans la marche au communisme, le temps de rendre vie à l'économie. Pour que les paysans se remettent au travail, pour que l'industrie redémarre, il faut desserrer les contraintes, laisser jouer les stimulants matériels, favoriser l'initiative et la compétence. Cela signifie qu'à la campagne, les paysans peuvent s'enrichir pourvu qu'ils produisent et nourrissent les villes; que, dans l'industrie, ceux qui lui sont absolument nécessaires, les *spécialistes,* seront attirés par la promesse de salaires conformes à leurs capacités. Comme progressivement la monnaie, presque disparue dans les années du communisme de guerre, reprend ses droits, ces stimulants financiers ont, dès cette époque, une signification réelle. Ils introduisent dans la vie professionnelle une hiérarchie qui se développe vite.

Pouvait-on récompenser financièrement la compétence professionnelle, et maintenir dans le même temps le personnel politique et la bureaucratie qui s'accroit à l'écart de cette hiérarchisation des salaires? Dès lors que l'égalité est sacrifiée aux nécessités économiques, il est clair que le personnel politique allait bénéficier des mêmes avantages. N'était-il pas, lui aussi, d'une nécessité absolue pour le système?

A ce point, Lénine s'est efforcé de contenir, autant qu'il l'a pu, le retour à l'inégalitarisme [23]. Un décret du 23 juin 1921 stipule que les salaires des cadres politiques ne doivent pas excéder 100 à 150 % des salaires moyens des entreprises au sein desquelles ils travaillent. Mais ces dispositions sont très vite dépassées par une progression plus importante que prévue des rémunérations de l'encadrement politique, par le fait aussi que les cadres multiplient souvent leurs activités, donc leurs gains. Le 21 mars 1925, un nouveau décret en tire la conséquence et élargit l'éventail des rémunérations politiques, dont on sait déjà qu'elles oscillent généralement entre 3 et 4 fois le salaire ouvrier moyen [24]. Mais le salaire n'est pas ici l'esssentiel. Dès ces années, où le régime des soviets hésite entre l'égalitarisme et une approche empirique des problèmes, les déclarations égalitaires, les limitations apportées aux salaires de ceux qui ont des responsabilités politiques n'ont plus qu'une signification réduite, car l'argent, la rémunération monétaire ne sont pas et de loin les seuls moyens d'existence. La pénurie a ses lois en toutes circonstances. Elle crée des circuits où l'on acquiert les biens parce que l'on est en position de les acquérir, plus que par l'argent dont on dispose. Ce qui compte, dans les années qui suivent la révolution en Russie, c'est de pouvoir se nourrir et se loger. Les mesures de rationnement alimentaire adoptées en 1917 et complétées dans les années suivantes ont eu pour fonction de répartir des biens insuffisants selon des critères sociaux et d'utilité. Dans l'État des travailleurs, l'ouvrier était roi, il lui revenait d'avoir les rations les plus élevées. Les diverses catégories de survivants de l'ancien régime, aristocrates, bourgeois, ecclésiastiques, sans profession, se trouvaient au dernier degré de l'échelle sociale et n'étaient souvent même pas pris en compte dans les mesures de rationnement. Mais les critères d'utilité ont très tôt compliqué ce tableau. Le pouvoir a d'abord décidé de privilégier les spécialistes indispensables au fonctionnement du pays. Parce que la Russie doit en 1919 lutter contre des maladies épidémiques, un décret du 10 avril 1919 accorde des rations alimentaires spéciales aux médecins et infirmières. Le 30 avril 1920, les ouvriers et employés des entreprises ayant une importance économique particulière, les ouvriers exerçant des activités dangereuses, les travailleurs non manuels d'un degré de qualification exceptionnel recevaient à leur tour des avantages du même ordre. Pouvait-on privilégier de même tous ceux qui exerçaient des fonctions publiques ou gravitaient autour du pouvoir? Cette extension des privilèges à la sphère politique heurtant par trop l'idéologie égalitaire, le pouvoir choisit, dès l'époque du communisme de guerre et plus encore dans les années suivantes, de combiner l'égalitarisme officiel et la pratique clandestine des avantages particuliers. Les membres du gouvernement et leurs familles, les membres du Parti, la police, l'armée, les diverses bureaucraties résolvent leurs problèmes matériels en créant tout un système économique parallèle qui ouvre à leurs membres l'accès de cantines, de restaurants, de magasins catégoriels, fermés au monde extérieur, à peine connus de lui, et qui hiérarchisent la société selon des règles non écrites mais qui fonctionnent parfaitement. On trouve ainsi dans l'armée, dès 1918, des rations (*paek*) spéciales, si élevées par rapport à la norme que de nombreux candidats non militaires se font frauduleusement inscrire sur les registres de l'armée pour en bénéficier.

En raison de la pénurie, derrière l'égalité de droit une inégalité de fait se développe ainsi, inégalité que toutes les catégories bénéficiaires s'attachent à dissimuler parce qu'elle est en rupture complète avec l'affirmation si fortement et constamment répétée que l'État soviétique est un État des travailleurs. Les seuls privilèges avoués sont ceux dont jouissent les spécialistes, précisément parce qu'ils contribuent à justifier la thèse égalitaire. Les *spécialistes* sont, pour l'ensemble, issus des anciennes classes privilégiées, leurs avantages, nécessaires momentanément, sont un dernier sacrifice fait à un monde qui disparaît, et les spécialistes sont eux aussi destinés à disparaître. A l'inégalité économique, officielle ou dissimulée, s'ajoute l'inégalité politique. Lénine a restauré, on l'a vu, en 1917, des institutions répressives. Les années de guerre civile, de lutte contre les adversaires du régime font de la police un instrument d'une puissance extrême dont les compétences (répressives et judiciaires) couvrent toute la société. Pourtant, ces compétences ont une limite que Lénine a fixée d'emblée. Le Parti échappe à la vigilance policière [25]. En dressant ce cordon protecteur autour de son Parti, Lénine lui assure une sécurité dont la société entière est loin de jouir. Il lui assure aussi une impunité qui lui permet d'accumuler des avantages matériels que la loi n'autorise pas toujours. En soustrayant ainsi le milieu politique au droit commun et au sort commun, Lénine contribue à creuser le fossé entre cette classe politique naissante et la société; il contribue surtout à forger un corps social homogène : la bureaucratie soviétique [26].

Tandis que se développent les pratiques inégalitaires, que s'affirment des groupes privilégiés, l'idéologie véhicule un modèle social conforme aux aspirations de la révolution. Ce que les discours officiels répètent à l'envie, ce que les journaux écrivent, ce que les romanciers sont appelés à dire [27], c'est l'épopée des humbles, c'est l'univers fraternel d'hommes qui partagent un même sort. Par son langage, par ses attitudes, le pouvoir soviétique nie la réalité sociale qui se met en place. Il s'accroche à un mythe, celui des temps difficiles où la classe ouvrière, triomphante sur le territoire russe, paie le prix de sa solitude à l'échelle internationale. Déjà s'esquisse l'explication qui va, par la suite, légitimer la différenciation qui commence à s'opérer en U.R.S.S. : la révolution ayant triomphé dans un seul pays doit s'adapter à cette situation inattendue.

Les années de la création de l'État soviétique, les années marquées par la personnalité de Lénine, sont en définitive caractérisées par des choix (voulus ou non) qui orientent le système soviétique dans une direction précise, étrangère à l'utopie originelle et aux objectifs définis par la révolution. Le pouvoir (politique ou technique) s'éloigne de la base, il est affaire.

de spécialistes. Au début du siècle, lorsqu'il tentait de définir dans *Que faire?* les moyens de la révolution, Lénine avait rapidement conclu que la révolution ne supportait pas l'amateurisme et les initiatives spontanées, qu'elle exigeait des professionnels et une organisation rigoureuse. Maître du pouvoir en 1917, Lénine va appliquer à l'exercice du pouvoir les règles qu'il avait élaborées pour l'exercice de la révolution. La professionnalisation et l'organisation rigoureuse du pouvoir (étrangère à l'utopie révolutionnaire) est une constante de la pensée léniniste.

Le pouvoir qui se développe dans les années 1917-1923, où Lénine domine la scène politique soviétique, devient très tôt bureaucratique, autoritaire, routinier. Cette évolution s'opère d'autant plus aisément que le pouvoir échappe, dès sa naissance, au contrôle de la société. Sur les ruines de l'Etat impérial de 1917, a surgi, presque immédiatement, un nouvel Etat qui s'appuie (comme tous les Etats dénoncés par les révolutionnaires) sur des instruments de contrainte dont il a le contrôle exclusif [28]. La puissance et le champ de compétence de ces appareils de contrainte ne cessent d'ailleurs de croître [29].

Dépossédée du pouvoir et des moyens de le contrôler, la société ne dispose pas non plus, dès cette époque, de moyens d'expression extérieurs au parti dirigeant. Son unique possibilité de combler le fossé qui la sépare du pouvoir est de s'identifier totalement à lui, d'admettre qu'il est son émanation. Mais l'identification de la société au pouvoir ne peut dissimuler la réalité. La couche des dirigeants, en hiérarchisant la disposition des biens matériels disponibles, en organisant des privilèges, a, en peu d'années, divisé la communauté sociale en catégories particulières, séparées par l'accès aux biens; on a ainsi donné une base matérielle au pouvoir. Certes, les privilèges ne sont pas accordés également à toutes les catégories qui peuvent en bénéficier, et, d'une catégorie à l'autre, des différences statutaires apparaissent. On peut ainsi déceler quatre types de statuts qui créent au minimum quatre groupes sociaux, unifiés autour de leurs avantages propres [30], et qui se détachent dès le début des années 20 de l'ensemble de la société. Les spécialistes, que l'on peut, en raison de leurs origines sociales, privilégier ouvertement, ont les hauts salaires. Les responsables politiques (Parti, Etat, police), dont les avantages ne peuvent être reconnus, ont des salaires strictement contrôlés et calculés par référence au salaire ouvrier. Mais ces limitations salariales sont compensées par des avantages administratifs exceptionnels, et par un système de répartition des biens rares (alimentation, logements, transports). L'armée ajoute très tôt à des avantages matériels (magasins spéciaux, cantines, logements) des traitements supérieurs à la moyenne et améliorés par le droit d'avoir des revenus tirés d'activités parallèles, un système de pensions particulièrement avantageux, des avantages éducatifs pour les enfants de militaires (priorité pour l'entrée dans l'enseignement supérieur et exemption des droits à payer), etc. Enfin, l'intelligentsia créatrice (académiciens, écrivains, artistes, avocats, médecins, chercheurs, etc.) est, dans la mesure où elle accepte de coopérer avec le pouvoir, l'objet de ses faveurs : rations spéciales instaurées au début des années 20, logement (ainsi la loi du 16 janvier 1922 accorde une pièce supplémentaire aux chercheurs pour leur travail; en 1924 cette disposition s'étend à tous ceux qui ont des activités intellectuelles « nécessitant l'octroi d'un local approprié »), voyages et surtout, à partir de 1925, attribution de prix récompensant les activités créatrices; prix qui ajoutent à des sommes importantes des avantages divers de prestige et de statut.

Ainsi se forge, en peu d'années, en marge de la société des travailleurs, une société de privilégiés, qui tantôt affiche ses privilèges, tantôt, c'est le cas pour ceux qui ont des responsabilités politiques, les dissimule derrière la fiction de la modicité des salaires. Avouée ou non, la différenciation sociale pèse d'autant plus qu'elle est liée à une possible perpétuation des différences, par les chances d'accès à l'enseignement supérieur.

Ici encore, les buts affichés par le pouvoir bolchevik étaient généreux et égalitaires. Le 2 août 1918, il proclame le droit général à une éducation supérieure et, dans un premier temps, privilégie par un système de quotas les ouvriers candidats aux facultés ouvrières (*Rabfak,* ou cours de préparation à l'enseignement supérieur destinés aux travailleurs [31]). En même temps, les universités se ferment aux candidats issus de milieux non ouvriers, en leur infligeant un système de sélection draconien et en exigeant d'eux des droits d'études excessivement élevés (près de dix fois plus élevés que les droits ordinaires, dont les candidats d'origine ouvrière peuvent d'ailleurs être totalement exemptés).

Mais ces dispositions, favorables aux ouvriers, seront rapidement limitées. Tout d'abord parce que l'accès aux universités est aussi un privilège politique. Le système des quotas donne aux organisations du Parti (notamment au Comité central), au

Komsomol, aux syndicats le droit de pousser leurs propres candidats vers les études supérieures. Il est clair que les cadres politiques ont très tôt usé de ce privilège pour assurer l'éducation de leurs enfants. Dès 1923-1924, le pouvoir accorde dans ce domaine des avantages à certaines catégories. Les enfants des militaires (il s'agit d'officiers en général) et de l'encadrement politique de l'armée sont, s'agissant des droits, placés sur un pied d'égalité avec les ouvriers et les paysans pauvres. Dans les années qui suivent, l'intelligentsia « créatrice » va elle aussi bénéficier de facilités d'admission, d'exemptions de droits et d'attributions de bourses pour les enfants, et, en mars 1926, un quota de places leur est même réservé dans les universités de la république fédérative de Russie. Sans doute les ouvriers sont-ils encore encouragés à acquérir une éducation supérieure; mais déjà, l'Etat soviétique ressent la nécessité d'ouvrir les universités en priorité à ceux qui y sont le mieux préparés intellectuellement, et politiquement. Faut-il alors s'étonner si en 1930 on ne trouve dans les universités russes qu'un tiers d'étudiants venus de milieux ouvriers et paysans? Le pouvoir soviétique dans ses premières années a élaboré un difficile compromis entre les idéaux de la révolution et les nécessités auxquelles elle se heurte. La bureaucratie tsariste éliminée, les bolcheviks doivent néanmoins assurer la « gestion des choses ». Se refusant à laisser cette gestion à la société tout entière, monopolisant le pouvoir dont ils affirment très vite qu'il est affaire de professionnels, il leur faut trouver les cadres de l'État naissant. Et ils ne peuvent les trouver dans leurs rangs. Le parti bolchevik ne comptait à l'aube de la révolution qu'à peine plus de vingt mille militants, décimés par les combats de la guerre civile ou absorbés par les institutions qui émergent. Pouvoir populaire, le pouvoir bolchevik recrute dans le peuple ceux qui participeront à la gestion et au contrôle du pays à tous les niveaux. Les années 20 sont à cet égard des années de promotion (*vydvijenie)* où des ouvriers et des paysans, choisis par le Parti, passent directement de l'atelier ou du champ à des positions d'autorité. Ce que le Parti récompense par ces promotions, c'est la fidélité politique, l'adhésion à sa doctrine et à ses règles des *enfants du peuple.* Par cette volonté de promouvoir les « meilleurs » éléments populaires, le Parti résout, à sa manière, le dilemme du pouvoir. Sans doute la révolution populaire a-t-elle débouché en peu de mois sur un système politique confisqué aux forces « d'en bas ». Mais ceux qui en assurent le fonctionnement sont, incontestablement, des éléments issus du peuple. Lorsque, après 1921, le pouvoir compose momentanément avec les spécialistes bourgeois, il flanque couramment l'ingénieur ou le directeur d'usine ainsi recruté d'un *directeur rouge*, qui par sa présence vigilante témoigne de la précarité de l'accord passé avec les spécialistes et de la méfiance du Parti à leur égard. Il en ira de même dans l'armée, où le commissaire politique domine l'officier issu de l'armée des tsars. Ce pouvoir extérieur au peuple, mais composé de promus qui en sont issus, pose cependant très vite des problèmes d'efficacité, en raison du manque de formation de ces cadres improvisés. La presse soviétique de l'époque témoigne du constant mouvement de cadres qui assure la promotion d'un nombre considérable d'ouvriers et l'élimination au même moment d'un nombre non moins impressionnant de promus de la veille. Dans certains cas, on constate qu'en quelques mois le taux de rotation atteint près de 50 % [32]. Les années passant, le régime soviétique a essayé cependant de s'assurer une administration efficace et concédé à ceux dont les compétences ou la fidélité politique lui étaient indispensables, autorité et privilèges. Mais en dépit des inégalités qui se développent au cours des années 20, en dépit de la place que se taillent les « spécialistes bourgeois » dans le système économique, en dépit de la professionnalisation croissante du personnel politique, ces années sont avant tout caractérisées par une extraordinaire mobilité sociale dont il faut souligner plusieurs aspects.

En premier lieu, cette mobilité est plus importante dans le domaine politique, qui est totalement ouvert aux couches populaires montantes, et plus limitée dans les domaines économique ou intellectuel, où un certain degré de qualification s'impose. Par ailleurs, en dépit de la grande précarité des situations à cette époque, la mobilité aura, pour beaucoup de ceux qu'elle affecte, des conséquences durables. Les élites de l'ancien régime éliminées ne pourront guère, à de rares exceptions près, réintégrer par la suite les sphères du pouvoir ou des activités intellectuelles. Pour ceux qui montent, en dépit du taux élevé des échecs, la promotion peut affecter définitivement leur place dans la société. Enfin, et c'est probablement là l'essentiel, ces changements statutaires ne sont pas limités seulement aux intéressés, mais vont dans la plupart des cas affecter le statut futur de leurs enfants. Ce ne sont pas des individus mais des famills entières dont la situation dans l'échelle sociale est ainsi modifiée. Ces changements ne sont encore qu'esquissés à la fin des années 20. Mais la grande révolution sociale de Staline et son système de gouvernement par la « purge permanente » vont achever de donner de nouveaux contours à la société soviétique postrévolutionnaire.

La culture politique stalinienne : inégalité et insécurité

La révolution industrielle de 1929 et la collectivisation donnent soudain à la mobilité sociale des dimensions jusqu'alors inconnues. Mobilité géographique, qui jette les paysans dans les usines ou les chantiers, déplace les ouvriers au gré des grands projets. Mobilité des statuts, puisque les paysans sont les exclus du développement, les ennemis du progrès, condamnés à y participer de force plus que de gré. Les postes de responsabilité se ferment à ces éternels suspects. Inversement, les ouvriers, maîtres d'œuvre du développement industriel, sont, du fait de la guerre que le pouvoir déclare en 1929 à la paysannerie, la seule classe de travailleurs sur qui s'appuie le pouvoir soviétique. L'industrialisation, la collectivisation, le développement de la bureaucratie exigent un encadrement croissant pour toutes les tâches politiques, répressives, techniques. Jamais les possibilités d'accès aux postes de responsabilités n'ont été aussi grandes depuis 1917. Mais le développement a ses exigences propres, au premier rang desquelles se situe la compétence. Dès le début des années 30, la compétence devient une préoccupation essentielle du pouvoir soviétique qui légitime, pour la favoriser, une renonciation partielle à l'idéal égalitaire maintenu jusqu'alors, du moins officiellement. Staline s'exprime nettement sur ce point, dès 1931, en soulignant que, lorsqu'un pays a besoin de techniciens, leur utilité doit être prise en compte dans la détermination de leur salaire et interdit qu'ils soient traités comme des manœuvres. La conséquence d'une telle approche est la différenciation croissante des salaires que Staline entérine. Différenciation des salaires entre diverses catégories d'occupations et à l'intérieur d'une même catégorie. La situation de trois groupes éclaire cette évolution : personnel politique, travailleurs de l'économie, intelligentsia créatrice.

Le premier groupe est dans l'ensemble mal connu, car à l'époque de Staline les informations sur sa situation matérielle se raréfient, contrairement à ce qui fut la règle au cours des années 20. En juxtaposant une série d'indications, on peut considérer que vers 1934, lorsque le salaire ouvrier moyen était de 150 roubles par mois, des fonctionnaires moyens de district et de région (soviets, procurature) gagnaient de 250 à 500 roubles par mois, tandis que les salaires les plus hauts de ce groupe atteignaient environ 800 roubles.

Si les écarts de salaires entre l'ouvrier moyen et les responsables politiques tendent à s'élargir, ils n'en sont pas pour autant considérables et ne contredisent pas réellement la pratique des années antérieures. On entrevoit mieux ce qu'a pu être la révolution stalinienne à considérer la politique des salaires dans le milieu industriel. Ici, l'échelle des salaires va sans cesse se modifiant. Au travailleur moyen qui gagne 150 roubles, au manœuvre le plus mal payé qui en gagne 63 s'opposent, en haut de l'échelle, des salaires supérieurs à 1 000 roubles. Plus grave encore, les primes affectées aux entreprises, pour récompenser leur efficacité, des rendements exceptionnels ou encore les économies effectuées, sont redistribuées au sein de chaque entreprise en fonction des responsabilités exercées. Aux plus hauts salaires les primes les plus élevées, tandis que les bas salaires en sont à peine augmentés. Ainsi se dégage, au cours des années 30, une hiérarchie rigide du travail, que consolident des différences matérielles sans cesse accrues [33].

Dans certains domaines d'activité, les revenus des individus jugés particulièrement utiles à la société sont plus remarquables encore. C'est le cas de l'armée, où les officiers de rang subalterne sont déjà mieux rémunérés que les ouvriers (environ le double du salaire moyen), mais où les officiers supérieurs gagnent près de 2 000 roubles par mois. C'est le cas aussi des intellectuels entrés dans les Unions qui se créent au début des années 30 (l'*Union des écrivains*, première du genre, est créée en 1932) et à qui un statut officiel d'intellectuel garantit des revenus qui peuvent dépasser 2 000 roubles par mois, mais qui sont souvent aussi très inégaux.

A comparer les revenus des diverses catégories sociales, au milieu des années 30, on peut tirer d'emblée deux conclusions. Que la classe ouvrière, titulaire théorique du pouvoir en U.R.S.S., est la grande victime de la politique de différenciation des revenus qui s'accélère alors. A cette époque, l'argent, les stimulants matériels ne sont plus objets de mépris; tout au contraire, ils récompensent la compétence et l'utilité. Et les salaires ouvriers suggèrent que l'utilité des ouvriers est jugée à un prix infiniment plus bas que celle des militaires ou celle des cadres de l'industrie. Une deuxième conclusion que l'on pourrait tirer est que l'encadrement politique reste infiniment plus modeste dans ses exigences matérielles que les cadres de l'économie ou les intellectuels. Mais la vérité est ailleurs. Les textes officiels sur la politique salariale ne montrent à ceux qui les consultent qu'un aspect du tableau, celui des revenus monétaires connus. Or, le tableau est compliqué par ce qui n'y figure pas, les avantages matériels ou moraux dont bénéficient certaines catégories. Ces avantages, ils modifient avant tout la situation de ceux qui gravitent dans la sphère du pouvoir. Si Staline est enclin, en effet, à officialiser les inégalités liées à la compétence et au savoir dans le domaine de l'économie, il n'est pas préparé pour autant à rendre officielle la distance qui sépare la classe ouvrière de ceux qui détiennent les pouvoirs politiques à sa place. Dans le cas de l'économie, il peut invoquer les nécessités du développement pour justifier ses choix inégalitaires. Mais peut-il reconnaître que la classe ouvrière, défavorisée par son incompétence, son manque d'éducation, a été de surcroît dépossédée de son pouvoir naturel par un groupe dirigeant, qui tire de ses fonctions le droit à des avantages matériels considérables? Reconnaître aux cadres politiques des droits économiques exorbitants, ce serait admettre qu'il ne reste plus rien de la vieille utopie de justice et d'égalité. Ceci explique la remarquable discrétion du pouvoir dès lors qu'il s'agit des salaires de la « couche politique » à tous les niveaux. Ceci explique aussi pourquoi les privilèges cachés de cette couche se multiplient, et enlèvent toute signification aux salaires nominaux. Dans les années 30, les problèmes de survie quotidienne sont cruciaux. La chute continue de la production agricole de 1928 à 1934, la destruction, par les paysans acculés au désespoir par la collectivisation, du troupeau soviétique ont pour conséquence une pénurie permanente de produits alimentaires, avec des moments particulièrement tragiques comme l'année de famine 1932-1933. Mais, même en dehors des moments d'exception où elle devient famine absolue, la pénurie alimentaire règne, pour ne pas parler de la pénurie chronique des chaussures, des vêtements, des appartements, etc. Malgré un strict contrôle de l'Etat sur les prix, et d'abord sur les prix des produits alimentaires, les habitants de l'U.R.S.S. sont quotidiennement confrontés à la hausse des prix et à l'extrême rareté des produits. Le pouvoir, incapable de pourvoir aux besoins les plus élémentaires de toute la société, choisit : d'une part, de pratiquer d'une manière générale une politique de rationnement et, d'autre part, de réserver le bénéfice des biens disponibles à certaines catégories. Tout est sélectif dans ce système. Le rationnement fait intervenir des critères d'utilité ou d'opportunité : les spécialistes étrangers ont droit au début des années 30, à 48 kilos de pain par mois, les ouvriers à 24 kilos seulement, les employés et les enfants à 12 kilos. Pour la viande, les écarts sont encore plus grands puisqu'ils vont de 14 kilos à 4,4 et 2,2 [34]. Ces rations officielles varient non seulement en quantité, mais en *réalité*. Dans certaines boutiques réservées au commun des mortels, la pénurie interdit d'honorer les droits des intéressés. En revanche, des boutiques réservées à des catégories particulières de soviétiques leur garantissent l'accès aux biens indispensables. Si l'homme ordinaire, mal payé, n'a accès à aucune boutique spéciale, celles-ci prolifèrent pour fournir les cadres politiques, l'intelligentsia, ou encore l'armée et la police. Nadejda Mandelstam écrit à ce propos : « Dans ce pays, les privilégiés ont toujours été récompensés, non par les enveloppes contenant leurs salaires, mais par des "extras" — c'est-à-dire de l'argent liquide placé dans des enveloppes cachetées —, par des rations spéciales, par l'accès aux magasins *fermés* [35]. » Ces magasins, créés, on l'a vu, dans les premières années du régime, se sont multipliés en même temps que croissait la bureaucratie. Dans les années 30, ils se diversifient. Tantôt ce sont des magasins dont seuls les bénéficiaires connaissent l'existence, dissimulée à tous les regards : c'est ce que l'on nomme les « centres de distribution fermés » (*Zakrytye Razpredeliteli*), tantôt des « comptoirs spéciaux » à l'intérieur des boutiques ouvertes à tous, où des privilégiés peuvent passer commande. Ils bénéficient ainsi du double avantage d'être servis les premiers, donc de ne jamais se heurter à l'épuisement des produits et surtout, d'échapper aux harassantes files d'attente, trait le plus typique et permanent de la vie sociale en U.R.S.S. depuis 1917. Enfin, en 1930, on instaure en U.R.S.S. des magasins où le paiement des produits s'effectue en devises étrangères et qui, supposés réservés aux étrangers, s'ouvrent aussi à ceux que leurs fonctions autorisent à voyager ou mettent en contact avec des étrangers. Ce sont avant tout les cadres supérieurs du système politique qui peuvent accéder à ce dernier type de magasin.

A la possibilité de recourir à des circuits parallèles de distribution s'ajoute à cette époque un autre élément décisif de différenciation, mentionné aussi par N. Mandelstam, les « enveloppes cachetées », dont le contenu modifie les revenus des bénéficiaires et leur permet ainsi de s'approvisionner dans les magasins de luxe hors rationnement, aux prix exorbitants, comme les *Gastronomes*, où s'entassent les produits ailleurs inexistants. La pratique de ces enveloppes, appelées en russe *pakety*, a connu sous Staline une extension considérable. Elle apparaît, au début des années 20, comme un moyen d'améliorer, de manière exceptionnelle, les salaires encore bas des dirigeants. Mais elle s'étend rapidement et devient une pratique régulière qui permet de doubler ou de tripler les revenus des cadres principaux de l'Etat et du Parti, sans pour autant altérer leurs salaires officiels et sans inclure ces extras dans le système d'imposition qui, en principe, doit contribuer à réduire les écarts de revenus [36]. Ainsi l'élite politique qui se constitue après la révolution combine-t-elle des privilèges multiples, qui lui permettent d'échapper à la pénurie et d'accéder à une réelle aisance tout en se dissimulant derrière une apparente austérité. Mais l'écart croissant entre les conditions d'existence du Soviétique moyen et de ceux qui exercent le pouvoir rend vite nécessaire une ségrégation matérielle qui dissimule les privilèges. De plus en plus, au cours des années 30, chaque catégorie de privilégiés s'enferme dans des lieux d'existence qui lui sont propres et où elle bénéficie de droits précis, liés au statut de chacun. Les mémoires ou les romans publiés en U.R.S.S. ou à l'extérieur depuis la mort de Staline constituent le meilleur matériel historique pour juger des statuts et des privilèges qui, dans les années 20, se créent de manière empirique, mais dans les années 30 obéissent déjà à un véritable code non écrit. Iouri Trifonov, écrivain soviétique réputé, a décrit dans *La Maison du quai* la vie et les droits des membres élevés du Parti. Grands appartements bien meublés, dans des immeubles aux ascenseurs multiples, gardés par des portiers déférents, où cette société vit dans une extraordinaire aisance matérielle. A l'écrivain reconnu, imprimé et honoré dans son pays, fait écho le témoignage proscrit d'Evgenia Guinzburg *Le Vertige*, dont les premiers chapitres retracent la vie facile des dignitaires, dans les maisons de vacances du Parti, où les enfants jugent de la position respective de leurs parents à la marque de leur voiture, où l'on célèbre le 1er janvier 1935 en tenue de soirée, devant des tables croulant sous les victuailles, pendant que l'ensemble du pays meurt de faim et vit en guenilles. Ces privilèges, ce sont aussi ceux de la police, que décrit ainsi la fille d'un de ses dirigeants dans les années 30 : « La nouvelle position de mon père a fait de nous une des familles les plus favorisées de Moscou. Sa nomination a été approuvée par le septième département du N.K.V.D., qui a la charge de toutes les nominations à un niveau élevé en Union soviétique. Nous avons reçu alors une datcha en bois, un appartement de cinq pièces dans l'immeuble du commissariat aux Affaires étrangères juste en face du métro.

Nous avons reçu un carnet spécial d'approvisionnement du Kremlin, qui nous donnait droit à acheter les produits les meilleurs au Gastronome du Kremlin. Ce carnet spécial nous permettait aussi d'envoyer chercher des plats préparés dans les cuisines du Kremlin. Les domestiques pouvaient rapporter des repas complets (soupe, poulet, viande et glaces) dans des récipients spéciaux. En plus de son salaire au commissariat aux Affaires étrangères, mon père, en tant que responsable en réserve du N.K.V.D., recevait une pension de 500 roubles par mois. Il eut droit à un séjour de dix semaines en Crimée (la Riviera russe) et au Caucase, le tout sans bourse délier [37]. »

Appartements vastes, magasins spéciaux, datchas, enveloppes, tels sont les privilèges les plus communs de ceux qui occupent une place importante dans la sphère de commandement ou de contrôle. A ces privilèges de « base » s'ajoutent d'autres facilités qui ont pour effet d'amplifier les privilèges, d'accentuer encore l'écart entre ceux qui y ont droit et la grande masse des travailleurs. Ainsi en est-il des loyers. Fidèle à son rêve égalitaire, le pouvoir soviétique a multiplié dans les années 20 les dispositions réglementaires qui limitent le prix des loyers. Les familles ouvrières qui s'entassent dans une pièce d'appartement communautaire, qui partagent avec plusieurs autres familles l'usage d'une cuisine ont pour consolation de payer un loyer très bas, proportionné à leur salaire (de 35 à 44 kopeks par mètre carré pour un salaire mensuel inférieur à 145 roubles, au taux de 1928 [38]). Mais à comparer les loyers ouvriers et les maxima fixés pour les loyers des officiers de l'armée et de la police, ou encore pour les fonctionnaires de l'État et du Parti, on constate qu'ils sont égaux, voire inférieurs à ceux des ouvriers pour des salaires plusieurs fois plus élevés et des logements individuels. A partir de 1932, le pouvoir soviétique décide d'attribuer des logements gratuits, à vie, à ceux qui lui ont rendu des services exceptionnels. Le système d'imposition qui se développe dans les années du premier plan quinquennal, 1928-1932, ajoute encore à l'injustice des situations. Initialement, ce système a pour objet de réduire les hauts revenus, et des textes additionnels, telle la loi du 3 avril 1932, limitent la charge fiscale pesant sur les bas salaires. Mais la pratique des années 30 va à l'encontre des intentions généreuses exprimées par les textes. Les catégories privilégiées bénéficient aussi d'un système complexe d'exemptions partielles ou totales, pour la partie officielle des salaires, et les avantages dissimulés échappent à toute taxation [39]. C'est ainsi que l'armée et la police ont un système particulier d'imposition qui leur laisse, en définitive, la disposition de la quasi-totalité de leurs revenus salariaux, sans parler des autres.

Les revenus et le statut social commandent largement, à partir des années 30, les possibilités de promotion ultérieure. En effet, l'accès à l'éducation, réservé en priorité après 1917 aux enfants des classes laborieuses, redevient progressivement un privilège social. Sans doute le droit à l'éducation est-il reconnu à tous en U.R.S.S., et le développement accéléré où Staline engage l'U.R.S.S. en 1929 a-t-il pour corollaire un effort accru pour attirer vers un enseignement technique et supérieur des masses d'adolescents. Dans les années du premier plan quinquennal, le nombre d'étudiants quintuple en U.R.S.S., et les enfants d'ouvriers entrent alors largement à l'université (on en trouve près de 47 % dans les universités russes en 1932, au lieu de 30 % à la fin des années 20 [40]). Mais en très peu d'années, le recrutement universitaire va se modifier, parce que les règles qui y président changent. Le 23 juin 1936, de nouveaux principes sont adoptés pour l'entrée dans les établissements universitaires. Ils stipulent qu'il y a égalité d'accès à l'université pour tous, sans prise en compte de l'origine sociale. Le critère primordial devient le cursus scolaire et le succès à l'examen d'entrée à l'université. Les enfants qui ont pu suivre un enseignement de dix années et travailler dans des conditions matérielles favorables sont dès lors infiniment mieux préparés pour l'université que les enfants d'ouvriers qui, après un bref cursus scolaire, reçoivent une préparation spéciale dans les cours destinés aux ouvriers (*Rabfak)* et bachotent dans des pièces surpeuplées d'appartements communautaires bruyants. Si l'on ajoute à cela qu'à partir du 2 octobre 1940 les études redeviennent payantes dans les trois dernières classes de l'enseignement secondaire et que le prix d'une année d'études dans un établissement d'enseignement supérieur équivaut à 4 ou 6 semaines du salaire ouvrier moyen [41], on comprend que la promotion par l'éducation redevienne rapidement une voie étroite réservée à ceux qui en ont les possibilités matérielles. En 1921, Preobrajenski placé à la tête du département de l'éducation professionnelle au commissariat à l'Education disait : « En ce moment, il y a une véritable guerre de classe à la porte des établissements d'enseignement supérieur entre la majorité ouvrière-paysanne du pays qui veut former des spécialistes venus de ses rangs, pour son propre Etat, et les classes dirigeantes ainsi que les strates qui leur sont liées. L'Etat prolétarien se place ouvertement aux côtés du peuple [42]. »

A peine dix ans plus tard, Staline dénonce cette attitude qu'il qualifie d'« égalitariste petite-bourgeoise » et soutient une politique qui ferme l'enseignement supérieur au peuple sur qui Preobrajenski prétendait fonder les élites futures du pays. Staline admet implicitement, par diverses décisions, que les privilèges des dirigeants politiques et des élites professionnelles incluent la possibilité de perpétuer un statut hors du commun.

La politique de Staline à cette période semble, de prime abord, très contradictoire. D'une part il engage son pays dans une révolution économique et sociale d'une ampleur sans précédent qui est génératrice d'une mobilité sans précédent elle aussi. Parce que l'U.R.S.S. a besoin alors d'innombrables cadres techniques et administratifs, tous les éléments actifs de la société semblent pouvoir bénéficier de cette mobilité de structures, d'emplois, de besoins. Mais dans le même temps, diverses dispositions consacrent des privilèges et dessinent les contours d'une société déjà différenciée et qui se stratifie vite. Ce qui est nouveau à l'époque de Staline, c'est d'abord qu'il admet et consacre l'existence des différences statutaires. Sans doute certains privilèges restent-ils dissimulés, ce sont surtout ceux qui sont liés aux fonctions politiques. Mais d'une manière générale, la politique stalinienne souligne et donne un statut officiel aux privilèges catégoriels. Ce statut officiel découle du changement qui s'opère alors dans le système de valeurs que le pouvoir soviétique diffuse. Les années post-révolutionnaires ont été dominées par l'égalitarisme, la valorisation des humbles, de la classe ouvrière, la dépersonnalisation de l'histoire, réduite à l'histoire des masses populaires en mouvement. Au cours des années 30 émergent insidieusement d'autres valeurs liées aux exigences du développement. La compétence et le savoir dont Staline fait sans cesse l'éloge ne sont pas les caractéristiques des humbles. Ils appartiennent à une élite, à ceux qui ont étudié, qui occupent dans l'échelle du travail une place particulière, qui ne se fond pas dans l'ensemble. Il suffit de lire ce qui se publie en U.R.S.S. au cours des années qui précèdent la Seconde Guerre mondiale pour apprécier le changement qui s'opère. Les journaux, la littérature, la peinture (tous les arts sont mobilisés pour exprimer par le *réalisme socialiste* le projet stalinien) reflètent la hiérarchie sociale et morale de ces années tournantes. De la masse des humbles surgissent alors ceux que la société salue comme ses plus utiles représentants : les ingénieurs, les cadres, les experts, les dirigeants. La foule reste anonyme, mais de cet anonymat sortent des héros personnalisés. Le directeur de·

l'entreprise a un nom, un visage, un cursus, des compétences. Cette personnalisation des talents et des exploits, elle s'étend au passé, et les grandes figures de l'histoire qui retrouvent droit de cité dans les livres et l'enseignement justifient par les services rendus, les privilèges présents dont jouissent leurs successeurs.

Après avoir exalté pendant dix ans l'armée des humbles, l'idéologie soviétique hiérarchise la société, selon des critères d'utilité. Les privilèges, les hauts salaires sont désormais admis, comme récompenses de la compétence et de l'utilité sociale. Par là même, le jugement porté sur l'inégalité change. Autant il convenait au lendemain de la révolution de dissimuler les privilèges au bénéfice d'une austérité qui plaçait tous les Soviétiques au rang de l'ouvrier, les modelait sur lui, autant après 1930 la réussite matérielle n'est plus dissimulée et chacun rêve d'atteindre au nouveau modèle social, celui du cadre privilégié. L'égalitarisme a ainsi cédé le pas à une morale de l'inégalité et de la réussite matérielle.

Ce nouveau modèle social est renforcé par l'introduction de titres et récompenses qui créent une hiérarchie « socialiste » nouvelle, mais rappellent étrangement l'ancienne « table des rangs » de l'Empire.

Premier des titres créés, le titre *Héros du travail* (27 juillet 1927) apporte à ceux qui l'obtiennent des avantages matériels substantiels : retraite, logement, exemption d'impôts. Mais les conditions requises pour obtenir ce titre étant rigoureuses, et les bénéficiaires en étant généralement déjà des privilégiés, Staline y ajoute l'année suivante l'ordre de la *Bannière rouge du travail*, moins prestigieux, moins porteur d'avantages concrets et que l'on décerne volontiers à des ateliers entiers. Après 1930, le système ne cesse de se diversifier, allant du *Héros de l'Union soviétique*, puis *Héros du travail socialiste*, *Ordre de Lénine*, à la *Bannière rouge* [43]. L'armée a imposé un ordre qui lui est propre, l'*Étoile rouge*. Les avantages liés à ces divers ordres sont diversifiés et hiérarchisés, mais tous, dans ces années difficiles, apportent à leurs titulaires le prestige, une certaine somme d'argent et des droits particuliers. Ces droits vont de facilités d'accès à l'université à des avantages plus modestes, comme la gratuité plus ou moins totale des transports urbains, voire ferroviaires. Certains de ces titres — les plus prestigieux : *Héros de l'U.R.S.S.*, *Héros du travail socialiste*, les plus chargés aussi d'avantages ont toujours été réservés à un très petit nombre de personnes. La guerre, enfin, conduit le pouvoir à attribuer plus largement les décorations, à multiplier les titres (militaires surtout [44]), les rangs (sur le modèle de la hiérarchie militaire), enfin les uniformes et les insignes. Le système soviétique ne cesse ainsi de s'écarter des directives de Lénine, qui avait aboli ce type de différenciation et condamné l'utilisation des titres traditionnels (tels *ministre* ou *gouvernement*). Mais déjà, avant que la guerre n'éclate, la société soviétique est strictement hiérarchisée, divisée en catégories dont le prestige et les droits sont nettement définis, même si les privilèges sont de moins en moins connus, dès lors que l'on monte vers le sommet de la hiérarchie. Ce qui est remarquable dans cette période, c'est la volonté d'entériner officiellement et de légitimer les différences. Cependant, cette modification radicale de la culture politique soviétique — car la renonciation à l'idéologie égalitaire et au « modèle ouvrier » est un tournant d'une importance décisive — n'implique pas que Staline ait pour autant ramené la société dans le chemin de la tradition. En dépit des similitudes apparentes entre le passé et le présent, la formation des couches privilégiées a, à cette époque, deux caractéristiques dont on ne trouve guère d'équivalent dans la culture prérévolutionnaire.

Tout d'abord, Staline étend aux masses ouvrières la notion d'élitisme et de privilèges qui hiérarchisent la société. Le phénomène « stakhanoviste » lui permet, tout à la fois, de dissimuler sa politique de différenciation sociale et de jouer de l'émulation ouvrière pour modifier les normes de production. L'usage fait par Staline du stakhanovisme est suffisamment intéressant pour qu'on s'y arrête, car il éclaire la complexité de sa politique. Que l'exploit productif de l'ouvrier Stakhanov ait été monté de toutes pièces, en 1934, pour offrir à la classe ouvrière un modèle qui lui soit accessible (chez Stakhanov, le savoir et la compétence sont remplacés par une conviction communiste profonde et la volonté de dépasser ses propres capacités productives) et lui donner l'assurance que des voies de promotion sociale s'offrent aussi à elle, cela est de longue date connu [45]. Ce qui l'est moins, c'est la manière dont le pouvoir stalinien s'est emparé d'une réaction de la base contre sa politique inégalitaire, pour l'utiliser au bénéfice de cette politique. Dès 1932 en effet, des prédécesseurs de Stakhanov surgissent « sur le tas ». Dans les ateliers, les premiers travailleurs de choc ne sont probablement pas manipulés par le pouvoir, mais ils incarnent tout au contraire un effort des éléments les plus conscients de la classe ouvrière pour s'imposer dans l'entreprise, pour y jouer un rôle propre, au moment où Staline proclame ouvertement que l'autorité et l'utilité ne sont pas des qualités ouvrières. Ces premières tentatives de valorisation des ouvriers sont non seulement ignorées par le pouvoir, mais réduites au silence. Et, peu d'années après, lorsque Stakhanov surgit de l'ombre, il prend grand soin de souligner le côté individuel de son exploit et l'inspiration reçue du Parti et de Staline. L'émulation socialiste, le « modèle ouvrier » entrent alors dans la culture politique soviétique. Etre *travailleur de choc*, nouvelle catégorie de privilégiés, est une perspective que le Parti ouvre à des individus pris dans la masse ouvrière, et non une voie que la masse ouvrière tout entière a choisi de suivre. Au demeurant, l'exploit et les privilèges des individus peu nombreux qui constituent cette catégorie seront payés par toute la classe ouvrière, à qui l'on imposera chaque fois une élévation des normes de travail [46], dont le « travailleur de choc » a montré l'exemple.

Le stakhanovisme achève ainsi de dessiner le modèle de société qui s'impose sous Staline. La société stalinienne n'est pas une communauté d'égaux, elle est dominée par les « meilleurs », dont les compétences justifient, à chaque niveau, l'autorité et les privilèges. Plus on monte dans l'échelle sociale, plus grands sont les privilèges, plus aisés à perpétuer ils paraissent.

Mais on touche ici à un autre trait essentiel du stalinisme : la précarité des positions et des privilèges. Staline a été le créateur d'une bureaucratie proliférante, où tous ceux qui détenaient une parcelle de pouvoir se voyaient conférer une autorité extrême et des privilèges codifiés, pour l'essentiel reconnus; mais il a été aussi le destructeur systématique de cette bureaucratie. Dans ce système, les privilégiés étaient toujours menacés d'être purgés, c'est-à-dire expulsés de l'univers des privilégiés et annihilés. Les purges qui commencent en 1928 par le procès des ingénieurs du Donbass (« spécialistes-bourgeois », ils sont accusés de sabotage et leur élimination va entraîner une purge générale des « spécialistes », de l'appareil économique, des planificateurs, etc.) vont, jusqu'à la fin des années 30, éliminer systématiquement les cadres de tous les appareils sur lesquels Staline fonde son pouvoir : Parti, Etat, armée, police, appareil économique, intelligentsia, etc. Si le premier effet de ces purges est de jeter des millions d'hommes dans des camps ou de les supprimer physiquement, leur effet politique est de permettre un constant renouvellement des cadres à tous les niveaux, donc d'assurer une mobilité permanente vers le haut. Le Parti offre une excellente illustration de cette mobilité. Entre 1933 et 1939, environ cinq millions de membres du Parti ont été purgés : plus on monte dans le Parti, plus ces purges deviennent sanglantes. Le militant de base peut espérer s'en tirer avec une simple exclusion; mais, pour tout détenteur de responsabilité à quelque niveau que ce soit, la purge implique des conséquences tragiques. Derrière chaque responsable éliminé, c'est un groupe entier qui disparaît, laissant vacants des emplois qui seront aussitôt remplis. Tragiques pour ceux qui disparaissent, les purges ont ouvert d'extraordinaires chances de promotion rapide pour ceux qui ont réussi à se maintenir durablement. Instrument de mobilité sociale qui a permis à Staline de renouveler totalement et périodiquement les élites et d'assurer la montée de nouvelles élites qui lui soient fidèles et accordées à sa conception du pouvoir, la purge apparaît donc comme un élément central du système politique stalinien.

A la mobilité sociale ainsi assurée, il faut ajouter trois traits complémentaires de la pratique stalinienne. Lénine, qui avait instauré le système répressif, avait posé en principe que le Parti devait en être protégé. Le Parti utilisait la répression par l'intermédiaire de la police, mais cette dernière ne pouvait en aucun cas s'attaquer à lui. Staline a supprimé l'immunité dont jouissait le Parti, et par là même l'a placé, en tant que corps social, sur le même plan que les autres hiérarchies de l'U.R.S.S. Il est demeuré seul, au-dessus du système répressif. Par ailleurs, Staline avait accordé dans les années 30 un statut exceptionnellement privilégié aux appareils de maintien de l'ordre, armée et police. Toute la culture politique des années 30 avait d'ailleurs contribué à valoriser ces deux appareils. La Constitution de 1936, qui marque la renaissance de l'État et de ses attributs — territoire et souveraineté —, du patriotisme, de l'appel aux valeurs nationales traditionnelles, assigne à l'armée de cette époque un rôle central dans la protection de l'Etat. La restauration des uniformes, de la discipline militaire, des traditions militaires confirme la place de l'armée dans la société [47]. Il en va de même pour la police. Le développement du système concentrationnaire, qui lui donne la responsabilité de la main-d'œuvre pénitentiaire, en fait non seulement un instrument répressif, mais le principal entrepreneur soviétique. La publicité faite autour des campagnes de recrutement de la police au début des années 30 modifie l'image négative de ce corps social; il est présenté officiellement à cette époque comme un pilier du système soviétique. Enfin, en faisant de la délation une obligation du bon citoyen (le héros proposé à la jeunesse soviétique à cette époque, Pavlik Morozov, est glorifié pour avoir dénoncé à la police son propre père), le système stalinien crée des relations privilégiées, prioritaires, entre l'individu et la police, qui est garante de la sécurité de tous. Il est significatif que les dénonciations ne soient pas adressées au Parti mais à la police, ou à Staline directement. On voit ici la diminution du statut du Parti, qui n'est plus le recours suprême. Les privilèges dont jouissent armée et police ne sont guère dissimulés et sont présentés comme la contrepartie normale de l'utilité sociale de ces deux appareils. Mais, et c'est le troisième point intéressant de ce système, le statut et les privilèges ne protègent pas leurs bénéficiaires. Pas plus que le Parti, l'armée et la police ne sont à l'abri des purges. L'armée perd dans les années 1936-1938 une part considérable de ses cadres et, ici comme pour les autres appareils, la répression se durcit d'autant plus que les responsabilités et les privilèges sont plus grands. Si dans le corps des officiers le taux d'élimination semble tourner autour de 25 %, au sommet il va de 80 % (colonels) à 90 % (généraux) et à 100 % pour les commissaires-adjoints à la guerre [48]. La police, instrument de la répression, n'y échappe pas non plus et deux séries de purges, en 1936 et 1938, élimineront ses responsables, Iagoda puis Ejov, dont la chute entraînera celle d'un certain nombre de leurs collaborateurs [49].

La précarité des statuts, l'absence d'immunité pour tous les corps sociaux et à tous les niveaux suggèrent deux conclusions sur le système de pouvoir instauré par Staline. Premièrement, le pouvoir stalinien, qui a duré un quart de siècle, n'a pas créé de système politique viable. En effet, la culture politique élitaire de Staline implique la consolidation des élites. Or Staline n'a cessé de détruire les élites qui se constituaient, et l'on sait que dans ses dernières années d'existence il préparait une nouvelle purge qui aurait rouvert le cycle infernal des éliminations et de la mobilité. Cette contradiction entre une culture politique stabilisant la société autour de valeurs connues — la compétence, la fidélité au système — et une perpétuelle remise en question par des « révolutions culturelles » périodiques était par définition intolérable à tous ceux qui pouvaient, à un moment donné, bénéficier du système.

Deuxièmement, la pratique politique de Staline a été caractérisée par l'absence totale de règles. Toutes les initiatives, tous les tournants de Staline ont été, pour cette raison, imprévisibles.

Un exemple en témoigne. Lorsque, à la fin des années 40, la purge future se dessine, la police procède dans un premier temps à des arrestations massives à la périphérie de l'Etat soviétique, dans les zones où sont relégués les détenus qui ont achevé leurs peines. Ceux-ci, cherchant à comprendre la logique qui préside aux arrestations, finissent par découvrir que cette logique est tout simplement alphabétique et que, en fonction de la première lettre de son nom, un individu peut échapper à la purge ou connaître à nouveau l'enfer concentrationnaire [50]. Ces deux traits, absence d'un véritable système politique, absence d'une logique politique, font que le système tient par Staline mais ne peut, de toute évidence, lui survivre intact. L'évolution politique très rapide, après sa disparition, témoigne que la dictature stalinienne, dans ses aspects personnels, était vouée à la disparition, comme tous les systèmes de dictature personnelle existant jusqu'alors.

CHAPITRE II

LE TEMPS DE L'ESPOIR

Lorsque Staline meurt, le 5 mars 1953, le cours des événements va être dominé par deux données : la prise de conscience par les successeurs potentiels que le système de pouvoir stalinien ne peut être reconduit tel quel; la lassitude de la société. La situation à laquelle la classe politique fait face est totalement inédite. Comme ses prédécesseurs en 1924, elle ne peut en appeler à aucune règle de succession, à aucune définition du pouvoir réel. Staline disparu, qui peut dire où se situe le pouvoir? Mais ceux qui ont entouré Staline dans ses dernières années sont marqués par le souvenir de la succession de Lénine, par l'expérience du pouvoir total que Staline a exercé, par la hantise des purges auxquelles ils ont échappé. Ils sont unis par la peur de voir surgir parmi eux un nouveau Staline, qui accaparera le pouvoir et les détruira tous. Ils sont unis aussi par peur de la lassitude populaire. Ne peut-elle se tourner en révolte, comme ce fut souvent le cas dans l'histoire russe, et cette révolte ne peut-elle emporter le système politique tout entier? De cette peur naît un consensus qui unit l'appareil politique autour d'une double préoccupation. Mettre sur pied un pouvoir collégial remplaçant la tyrannie personnelle de Staline, pour fermer la voie à un autre tyran. Mais en même temps, régler le problème du pouvoir à l'intérieur de la sphère politique, sans intervention de la société, pour empêcher la société de peser sur le système et de l'altérer. Dans la période d'interrègne qui va de 1953 à 1957, les successeurs de Staline réussiront à maintenir leur accord pour modifier le système et être à l'abri de ses excès; dans le même temps, ils en maintiendront l'essentiel, son autorité absolue face à une société exclue de toutes les mutations. Le pouvoir reste l'affaire de ceux qui le détiennent, et l'arbitrage social est hors de question. Ce consensus est facilité par deux facteurs. Le maintien en 1953 d'un système policier au service de Staline, échappant à tout contrôle des autres bureaucraties, perçu pour cette raison comme une menace par la classe politique entière et qui contribue à la rassembler « dans une alliance de la peur ». Il est facilité aussi par l'absence de divergences réelles entre les successeurs potentiels. En 1924, quand Lénine disparaît, le Parti est profondément divisé sur des choix fondamentaux : poursuivre ou non la N.E.P.? par quelle voie et à quel rythme industrialiser? quelle société modeler? En 1953, les grands choix ont été faits de longue date : la collectivisation, l'industrialisation, la société sans classes antagonistes sont des objectifs qui ont été, plus ou moins bien, atteints. L'ère des grands conflits est ainsi fermée, et les dirigeants potentiels ne peuvent qu'aménager et gérer le système. Ceci explique pourquoi toutes les décisions des années de transition sont allées dans le même sens : aménagement du système politique, aménagement de ses rapports avec la société.

La sortie de la tyrannie

Pour empêcher la montée d'un nouveau tyran, les successeurs de Staline se sont attaqués tout d'abord à l'instrument de la tyrannie, la police, et à celui qui en avait le contrôle, Béria. Dès le 6 mars 1953, ils mettent sur pied d'un commun accord une première solution, qui écarte Béria de l'appareil dirigeant et confie le pouvoir d'État et du Parti à Malenkov; puis, quelques jours plus tard, pour éviter que ce dernier ne concentre dans ses mains des pouvoirs excessifs, ils le dépossèdent de l'autorité sur le Parti au profit de Khrouchtchev. Ainsi, en quelques jours, un pouvoir équilibré se met en place, qui élimine d'abord le plus dangereux de tous et évite aussi qu'un seul homme puisse se poser en successeur. Quelques mois encore, et Béria sera arrêté par ses collègues puis tué [1]. Pour atteindre à ce résultat, il aura fallu la lucidité des collègues de Béria, instruits par les leçons du passé; leur cohésion pour organiser un complot à l'abri du contrôle policier; et surtout l'appui de l'armée, qui seule pouvait faire contrepoids aux forces militaires dont disposaient en 1953 la police et celui qui la dominait. Pour la première fois dans l'histoire soviétique, l'armée, humiliée et reléguée à une position seconde après sa victoire de 1945, est appelée à participer à la vie politique et à arbitrer les conflits successoraux [2]. Et son aide est d'autant plus simple à gagner qu'elle est utilisée pour briser la puissance policière. Après avoir écarté la police du jeu politique, après avoir supprimé les velléités de pouvoir personnel, les dirigeants s'accordent pour restaurer l'autorité du Parti et sa place centrale dans la vie politique soviétique. Sans doute Staline n'a-t-il jamais explicitement mis en question l'autorité du Parti; mais, en le soumettant au contrôle policier, en lui refusant le pouvoir de décision, en supprimant toutes les manifestations régulières de son existence (congrès et plénums), en brisant et éliminant périodiquement tous ses cadres, il l'avait réduit au rang d'appareil ordinaire. Ses successeurs n'ont eu de cesse de rendre au Parti son rôle, et la plus éclatante manifestation de cette volonté a été le XX⁰ Congrès tenu en 1956. Ce consensus, dont la raison d'être essentielle est de miner les chances d'une nouvelle tyrannie, ne doit pas être sous-estimé, même si ce qui l'inspirait était purement négatif. La peur des dirigeants soviétiques de 1953 est à l'origine du plus profond et du plus durable changement qui se soit produit en U.R.S.S. Depuis 1953, en dépit des apparences, le pouvoir en U.R.S.S. n'a plus jamais été un pouvoir personnel, ni total.

A ce premier changement s'en ajoute un autre, non moins important pour l'avenir : la recherche par les successeurs de Staline de règles politiques qui dédramatisent et institutionnalisent le pouvoir. L'élimination de Béria en 1953, dans des circonstances obscures — officiellement il est fusillé en décembre 1953, au terme d'un procès, mais selon toute vraisemblance il a été tué par ses collègues au cours de son arrestation six mois plus tôt —, rappelle par sa violence les rivalités sanglantes de l'époque stalinienne. Mais la similitude n'est qu'apparente. Staline faisait assassiner des hommes brisés qui ne le menaçaient en rien; tandis que ses successeurs se débarrassent de Béria parce qu'ils ont peur de lui. De plus, c'est le dernier épisode sanglant des luttes soviétiques pour le pouvoir.

Mais, deux ans plus tard, l'éviction de Malenkov de son poste de chef du gouvernement témoigne des distances prises avec la tradition de violence du stalinisme. Malenkov est acculé à la démission en février 1955; il s'accuse d'incompétence et reconnaît l'échec d'une politique économique que son rival, Khrouchtchev, a au demeurant sabotée. Mais son autocritique n'entraîne pour lui ni éviction du Parti ni déshonneur. Lorsque, en 1957, Khrouchtchev, alors au sommet de son pouvoir, tentera, pour se débarrasser de ses opposants qu'il range dans la catégorie des « anti-Parti », d'invoquer contre eux des charges d'une gravité extrême — fractionnisme, complicité avec Staline —, le Parti acceptera de les condamner, mais non de les chasser totalement, ni surtout de s'engager dans la voie de purges impitoyables. Les condamnations débouchent alors sur des changements statutaires. Molotov devient ambassadeur en Mongolie, Malenkov directeur d'une usine dans une région éloignée. L'exemple de Molotov mieux que tout autre éclaire le changement survenu, et maintenu à cet égard, depuis Staline [3]. Condamné comme « anti-Parti » en 1957, opposé systématiquement à la déstalinisation, ayant refusé de faire son autocritique, Molotov est mort à quatre-vingt-dix ans, dans l'oubli sans doute, mais aussi dans une confortable retraite du gouvernement soviétique, sans avoir connu le déshonneur, les prisons, la persécution. Depuis la mort de Staline, les dirigeants soviétiques ont ainsi le droit d'être des incapables politiques, de commettre des erreurs, de s'opposer à la politique du Parti. Sans doute le Parti les rejette-t-il hors de la sphère politique; mais il ne les détruit plus. La mise à la retraite, l'éviction pure et simple sont des pratiques qui apparaissent en U.R.S.S. entre 1954 et 1957. Elles modifient le système, parce qu'elles le dédramatisent. Elles témoignent que quitter le pouvoir n'équivaut pas à la mort, et par là même rendent la compétition pour le pouvoir moins acharnée. Cette dédramatisation de la vie politique, qui est un des premiers acquis du poststalinisme, est aussi un acquis qui a été particulièrement durable.

La sortie de la peur

Garantis contre un pouvoir arbitraire, les successeurs de Staline se sont efforcés d'emblée de rassurer aussi la société. Et ils l'ont fait, dans la phase de transition, en s'attaquant à ses deux motifs fondamentaux d'inquiétude : l'insécurité où elle vit et les difficultés matérielles. L'insécurité était alors un problème commun à la classe politique et à la société. Tous se sentaient également menacés par les purges possibles, tous avaient également souffert des purges passées. Pour conjurer l'avenir, pour éliminer un éventuel retour aux purges, les successeurs de Staline ont, dès sa mort, dénoncé son arbitraire et ses projets en révélant que « le complot des blouses blanches » était une fabrication de la police [4], que désormais le temps des complots inventés et des purges était révolu. A cette décision de principe, importante parce qu'elle engageait l'avenir, il faut ajouter les mesures de libération que prend Béria. Responsable du système policier et pénitentiaire, il bloque en 1953 les ordres d'arrestation lancés, libère ceux qui viennent d'être arrêtés, ouvre, très prudemment et faiblement mais ouvre tout de même, les portes des prisons et des camps [5]. Dans la lutte pour le pouvoir où il n'est encore qu'à demi vaincu, Béria s'efforce d'acquérir l'image d'un libéral, en utilisant à cette fin les fonctions policières qui étaient siennes. Ses collègues ont eu peur de ce libéralisme subit, tout autant que de sa cruauté passée.

A ce point encore, la période de transition rompt nettement avec le système en vigueur. Sans doute est-ce le pouvoir qui décide de mettre fin à l'arbitraire, d'assurer la société qu'elle peut cesser de craindre les arrestations et espérer des mesures de clémence. Sans doute nul ne met-il en question le système lui-même, et l'arbitraire apparaît plutôt comme le résultat de décisions mal contrôlées et d'excès. Mais à libérer des détenus, même en petit nombre, à reconnaître les excès, le pouvoir sape involontairement ce qui jusqu'alors était un véritable dogme, l'idée que la répression était juste, que seuls les « ennemis du peuple » étaient frappés. Cette ouverture limitée confère à la société un certain droit au doute.

Plus encore qu'à la peur, c'est aux frustrations matérielles quotidiennes des citoyens que les successeurs veulent porter remède. Malenkov concentre ses efforts sur un programme économique dont l'objectif est, pour la première fois, de tenter de nourrir et de vêtir les habitants de l'U.R.S.S. Pour partielles et timides qu'aient été les décisions prises entre 1953 et 1956, et même si elles n'étaient destinées qu'à rassurer la société, leur effet ne peut être sous-estimé. Sans doute la société soviétique se souvient-elle des temps d'accalmie qui ont séparé les vagues de répression à l'époque de Staline. Mais, à lire les souvenirs des témoins, on constate que la société prend conscience des changements qui s'opèrent, même si elle ne peut et si elle n'ose en mesurer l'ampleur et les chances de durée.

Prélude au XXᵉ Congrès

Ces incertitudes seront rapidement dépassées, car le XXᵉ Congrès et la montée au pouvoir de Khrouchtchev vont donner aux tentatives encore timides d'aménager le système un tour inattendu et, à bien des égards, dévastateur. Inattendu, car jusqu'en 1956, face à ceux qui plaident pour une nouvelle orientation économique favorable aux individus, pour un certain relâchement des contraintes, Khrouchtchev semble être le tenant d'une tradition de rigueur. Il défend l'autorité du Parti, la priorité du développement industriel, et il a dans le passé mené de manière impitoyable l'Ukraine. Il est, enfin, l'auteur d'un projet de réforme de la société rurale, le projet des « agrovilles », proposé en 1951, qui est, à la fin du stalinisme, la seule menace d'une nouvelle étape dans la voie de la révolution sociale [6]. Nul n'imagine alors que Khrouchtchev va, pendant plusieurs années, tenter d'infléchir le système politique dans un sens plus égalitaire, plus ouvert à la participation populaire, moins centralisé, moins autoritaire. Si les grandes options économiques et sociales ont été l'œuvre de Staline, il reste un choix radical à faire, celui qui modifiera le système politique en brisant sa rigidité, en l'ouvrant à la société. Devant ce choix radical, Khrouchtchev n'ira pas au bout de ses intentions. Ses hésitations personnelles, l'hostilité du Parti vont vite montrer les limites de son projet. Mais il reste, en dépit des échecs, que durant quelques années le système soviétique tout entier — dans la sphère du pouvoir et dans les rapports du pouvoir avec la société — a connu une évolution qui aurait pu changer sa nature.

Si jusqu'à la chute de Malenkov la constellation des forces politiques en U.R.S.S. reste complexe et instable, à partir de son éviction en 1955 et de son remplacement au gouvernement par Boulganine, la situation, le poids de chacun des successeurs deviennent plus simples à évaluer. Dans la nouvelle équipe qui se forme dominée par Boulganine et Khrouchtchev, Boulganine, faux militaire, pèse de peu de poids, dans le Parti comme dans l'armée. Khrouchtchev au contraire s'impose comme le membre du Parti le plus haut placé, celui dont l'expérience et la clientèle sont les plus remarquables. Expérience professionnelle, grâce à une formation technique industrielle et, surtout, expérience politique sans égale. Il a été à la tête de l'organisation communiste de l'Ukraine — la plus grande république de l'U.R.S.S., la plus importante du point de vue économique aussi —, de celle de Moscou, et il a assumé, à la veille de la disparition de Staline, la responsabilité de la gestion de l'appareil du Parti au secrétariat du Comité central. Administrateur compétent au niveau central et local, spécialisé dans les problèmes industriels mais aussi expert en questions agricoles, lié à l'armée par sa participation aux grandes batailles de Stalingrad et de Koursk, Khrouchtchev est de tous les survivants de l'époque stalinienne celui qui peut se prévaloir des plus grands appuis. Cette position exceptionnelle explique son pouvoir grandissant, et les moyens dont il a usé pour l'assurer et mener à bien ses projets. Le Parti est pour lui un instrument d'action privilégié. Il en a, dans une certaine mesure, la maîtrise puisqu'il peut, en faisant appel à l'organisation ukrainienne et à celle de Moscou, disposer du quart des voix au congrès du Parti. Or ce congrès aura pour fonction d'élire les organes dirigeants de l'avenir. Khrouchtchev s'efforce, dès avant le XX⁰ Congrès, d'influer sur sa composition future et sur ses procédures. Il veut introduire dans le Parti les éléments qui lui paraissent essentiels : plus de souplesse, voire de démocratie interne, plus d'innovation, ce qui suppose un large renouvellement du personnel politique.

Une série de dispositions prises avant le XX⁰ Congrès témoigne de la constance avec laquelle il a poursuivi ce projet de changement.

Les organes dirigeants fonctionnaient, à la fin de la vie de Staline, dans des conditions si irrégulières et fantasques que toute leur capacité d'action en était d'avance condamnée. Staline, insomniaque, convoquait ses collègues à toute heure du jour et de la nuit, et plutôt la nuit, et mêlait allégrement séances de travail et beuveries. Aucun organe ne siégeait régulièrement [7]. Dès la fin de 1953, toutes les administrations du Parti et de l'État en reviennent à des horaires réguliers et normaux, qui indiquent que la machine du pouvoir s'est remise à fonctionner conformément à des règles strictes et non aux lubies d'un dictateur. Le Praesidium — nom donné au Politburo lors du XIX⁰ Congrès en 1952, par un Staline qui semblait ainsi vouloir couper les liens avec le vieux parti bolchevik — recommence à siéger chaque semaine, et le Comité central se réunit six fois entre la mort de Staline et le XX⁰ Congrès. Le Soviet suprême lui-même, incarnation du pouvoir d'État, retrouve une périodicité des réunions, deux fois par an [8].

Cette régularité retrouvée des institutions, ajoutée à la dédramatisation des changements de personnes, si elle paraît un quart de siècle plus tard aller de soi, était au milieu des années 50 le signe d'une révolution politique véritable en U.R.S.S. Tous ceux qui participent, de près ou de loin, aux institutions en sont rassurés, et en retirent une autorité que la précarité de leur statut antérieur leur enlevait. Le statut et l'autorité commencent à découler de l'appartenance à une institution, et non plus de la faveur momentanée de Staline.

Mais le poids nouveau des institutions suppose pour ceux qui aspirent au pouvoir réel, un plus grand contrôle sur les individus qui y travaillent. Responsable de l'appareil du Parti, Khrouchtchev commence, comme Staline l'avait fait dans les années 30, à multiplier les mouvements de personnes pour renforcer son influence sur les diverses instances communistes. Entre 1953 et 1956, les premiers secrétaires des P.C. républicains ont été changés dans sept républiques fédérées sur quatorze, et dans quarante et une régions de la République russe (la R.S.F.S.R. n'a pas de parti républicain, donc les secrétaires des organisations de région ou *Obkom* y ont un poids équivalent à celui des secrétaires des républiques) sur soixante-neuf. En tout, quarante-huit premiers secrétariats sur quatre-vingt-trois ont changé alors de titulaire, c'est-à-dire que plus de la moitié des responsables du Parti au niveau régional, responsables qui siègent pour la plupart de plein droit au congrès du Parti et y pèsent d'un grand poids, doivent à la veille du XX⁰ Congrès leur promotion à Khrouchtchev [9]. Contrairement à ce que furent de tels mouvements de personnel à l'époque stalinienne, les changements de personnel qui s'opèrent après 1953 n'entraînent aucune crise et n'apparaissent pas comme des purges. Pour la première fois dans l'histoire soviétique, tout se passe comme si l'arrivée de nouveaux dirigeants entraînait des mouvements similaires dans l'administration tout entière. C'est un tournant dans les procédures que l'on a trop eu tendance à oublier, au bénéfice des changements plus spectaculaires qui suivront le XX⁰ Congrès. Enfin, et là encore c'est le style politique qui change, le Parti commence à ouvrir des débats, auxquels le public est, timidement encore, associé. L'année 1955 est à cet égard capitale. La politique économique est discutée au plénum du Parti de mai 1955 [10]. L'inefficacité de l'industrie est alors soumise à la critique. La presse ouvre ses colonnes à un débat sur les problèmes d'efficacité et se livre même à des comparaisons avec les résultats obtenus dans les entreprises capitalistes. Des discussions plus spécialisées se développent au même moment entre historiens, entre militaires [11]. Sans doute ces forums sont-ils limités à des groupes de professionnels et laissent-ils le public ordinaire indifférent. Mais il y a dans ces débats un élément commun : ils débouchent sur une critique systématique des positions antérieures, de la rigidité doctrinale qui a prévalu jusqu'en 1956, et ils suggèrent que la revitalisation de l'U.R.S.S. passe par des changements radicaux. Ces débats — et cela aussi est important —, pour contrôlés qu'ils soient, sont présentés comme une critique venue des spécialistes des problèmes en discussion et ils sont une condamnation implicite d'une excessive centralisation. Ainsi, à la veille du XXᵉ Congrès, des tournants importants sont pris. Les institutions collégiales du Parti ont été substituées aux instances personnelles, issues directement de la volonté stalinienne, un personnel nouveau monte, et le droit à la critique s'affirme.

Le temps des aveux

C'est sur ce fond de changements que le XXᵉ Congrès opère des révisions fondamentales. Le *Rapport secret,* lu par Khrouchtchev dans une atmosphère dramatique, l'aveu des crimes staliniens ont parfois obscurci ce que le congrès tout entier comportait de profondément et irréversiblement novateur [12]. Ils ont aussi obscurci les limites imposées par le Parti aux changements qui s'esquissent. Ce qui est novateur avant tout, c'est l'aveu des crimes commis, qui implique, qu'on le veuille ou non, que les détenteurs du pouvoir en U.R.S.S., c'est-à-dire le Parti dans toutes ses incarnations, peuvent se tromper. La thèse de l'infaillibilité du Parti, qui a justifié toutes les décisions de Lénine et les excès de Staline, n'est plus soutenable après février 1956. Ce qui est novateur aussi, et lourd de conséquences, c'est l'aveu que le pouvoir personnel débouche immanquablement sur l'erreur et le crime. Car la conséquence de cet aveu est que le seul pouvoir légitime et sans danger est collégial. Que Khrouchtchev ait ou non entendu utiliser l'arme de la déstalinisation contre ses collègues, pour affirmer son pouvoir personnel, importe peu au regard de l'histoire. En s'acharnant à dénoncer les effets du culte de la personnalité, en en faisant le bilan, insuffisant certes, mais combien tragique, Khrouchtchev a armé le Parti contre les candidats futurs au pouvoir personnel, et en premier lieu contre lui-même. Il a placé, involontairement, le pouvoir personnel au premier plan des périls qui menacent le Parti et, en ce sens, il a porté un coup décisif à tout pouvoir personnel.

Tels sont les acquis du XXᵉ Congrès. Ils sont considérables, car ils ébranlent les deux piliers du système soviétique, l'infaillibilité du Parti et la légitimité qui en découle.

Mais on atteint ici les limites du XXᵉ Congrès; limites qui expliquent pourquoi le système soviétique a survécu à de tels aveux, où il eût dû s'engloutir. Khrouchtchev, en dépit d'une volonté incontestable de modifier le système soviétique, est avant tout l'homme de ce système. Il adhère pleinement à l'idée, centrale au système, que le pouvoir appartient au Parti et que la société doit en être exclue. Ce qu'il veut, c'est rationaliser le pouvoir, le rendre acceptable à la société, fonder les rapports du pouvoir et de la société sur des bases nouvelles, de confiance et de non-violence. Mais ces aménagements n'impliquent aucune modification sur l'essentiel : la sphère du pouvoir est et doit rester un monde clos sur lequel la société n'a pas de prise. C'est pourquoi le *Rapport secret*, l'aveu des erreurs sont réservés au Parti. C'est au Parti d'opérer son autocritique et de se réformer. C'est pourquoi aussi aucune option fondamentale du Parti n'est remise en question en 1956, et tout d'abord les choix de 1929 qui ont déterminé les structures sociales à venir. Le Parti, ou plutôt Staline, a commencé, selon le rapport secret, à se tromper en 1934; mais la collectivisation imposée par une décision d'*en haut* à la société paysanne appartient à la partie positive du bilan. En datant le *culte de la personnalité* de 1934, Khrouchtchev maintient intacte l'idée qu'il appartient au P.C. de décider seul du destin de la société, que les révolutions peuvent se faire *d'en haut,* être imposées à la société. Il tente par là même de sauver une autre idée, celle de l'infaillibilité du Parti. En 1934, le Parti, privé de ses anciennes élites, soumis à la purge permanente, se confond avec Staline. Mais ici, Khrouchtchev et ses collègues seront incapables de mener à bien leur dessein. Nul ne croira en U.R.S.S., et surtout dans le monde socialiste, qu'un homme seul puisse porter la responsabilité totale d'une déviation complète du système. Il est clair que le Parti tout entier s'est trompé dans le passé, et ceci implique qu'il puisse se tromper dans l'avenir. En 1956, la société soviétique est tournée vers les espoirs de changement ouverts par le congrès [13]. Ces espoirs dissimuleront, durant plusieurs années, le coup fatal porté à l'idéologie soviétique et au système par le congrès. Mais quand les espoirs se seront amenuisés, alors on verra les conséquences du congrès. Privé de son auréole d'infaillibilité, de sa légitimité, le Parti n'apparaîtra plus que comme une machinerie de pouvoir, sans autre justification à durer que sa capacité à imposer, de gré ou de force, son autorité. Le mythe de l'*avenir radieux,* déjà bien affaibli avant, a perdu toute signification en 1956. Dès cette époque, dans deux pays socialistes on pousse l'analyse du XXe Congrès à sa conséquence logique. La société hongroise se soulève contre l'autorité du Parti qu'elle prétend rejeter. Les dirigeants chinois, tout au contraire, concluront qu'un parti se trompe lorsqu'il admet son droit à l'erreur et, au nom de l'infaillibilité du Parti, soutiendront Staline contre ses successeurs.

Mais, à l'intérieur de l'U.R.S.S., Khrouchtchev est en 1956 celui qui incarne une évolution possible du système. Par là même, il attire une grande part de la société; il effraie, en revanche, bon nombre de compagnons de Staline qui, ayant traversé sans encombre les années de purges, souhaitent la stabilisation des avantages acquis. Ces réactions opposées vont, jusqu'à un certain point, guider les démarches de Khrouchtchev et le conduire très au-delà de ses projets initiaux. Dans le Parti, il inquiète ses pairs, conscients de sa position de force dans les organes du pouvoir, de sa popularité nouvelle. Ils y décèlent un double danger. Premièrement, que Khrouchtchev ne tire avantage de son prestige de « déstalinisateur » pour chausser les bottes de Staline. Après tout, l'exemple de Staline témoigne que la voie du pouvoir personnel est loin de passer par des déclarations d'intentions claires. Staline s'était longtemps réfugié dans la *fidélité à Lénine*. Lorsque Khrouchtchev prône le retour aux « normes du léninisme », ne poursuit-il pas les mêmes desseins ambitieux? Deuxième crainte, légitime aussi, c'est que la déstalinisation, dont tous les dirigeants ont admis la nécessité, ne dépasse leurs intentions, en débordant le cadre du Parti. Au lendemain du Congrès, les délégués qui ont assisté à la lecture du *Rapport secret* ont pour tâche de le lire à des groupes de communistes et d'en assurer, en la contrôlant, la diffusion dans le Parti [14]. Mais les témoignages ne manquent pas qui montrent la diffusion du rapport secret au-delà du Parti [15]. Ici encore, les collègues de Khrouchtchev le soupçonnent soit d'agir avec imprudence, soit d'utiliser le rapport secret à des fins d'ambition personnelle.

C'est pourquoi une conjuration véritable s'organise contre lui au sein du Praesidium, qui va tenter en juin 1957 de le renverser. Dans cette période, poussé par les oppositions qui se durcissent autour de lui mais aussi par sa propre vision du changement nécessaire, Khrouchtchev suit deux voies : il s'efforce de décentraliser le système du pouvoir et de réduire les privilèges des dirigeants. La centralisation de la décision et de la gestion a, dès les origines, été un élément central du système de pouvoir soviétique. Elle répondait, entre autres préoccupations, à la volonté du Parti, qu'il fût animé par Lénine ou par Staline, d'empêcher tout mouvement centrifuge dans un pays immense où les passions nationales, éveillées par la révolution, étaient loin d'être apaisées en 1953. Les préférences de Khrouchtchev pour une politique de décentralisation s'expliquent par trois raisons. Une volonté d'efficacité économique d'abord. Tous les successeurs de Staline s'accordent alors sur la nécessité de donner un minimum de satisfaction aux besoins sociaux. Staline les avait ignorés, grâce à un système répressif qui réduisait la société au silence. Dès lors que l'on fait appel au consensus social au lieu de la contrainte, il devient impossible d'ignorer les besoins matériels les plus élémentaires des citoyens soviétiques. En décentralisant la gestion de l'économie, Khrouchtchev espère améliorer ses performances [16]. La décentralisation économique permet aussi de porter la paix et le consensus social à un autre niveau, celui des nationalités. Le XXᵉ Congrès a fait le bilan des excès commis à leur égard. Il n'a pas pour autant suggéré le passage à un véritable statut fédéral qui respecterait les volontés nationales. Le programme implicite du XXᵉ Congrès est clair : le Parti veut améliorer les relations entre nations pour les conduire à l'*unité soviétique,* et non revenir en arrière et reconnaître les aspirations à la différence. Ici encore, les grandes options du passé sont avalisées. Mais il est un domaine où l'on peut faire des concessions, c'est celui de l'administration économique, où les aspirations nationales et l'intérêt de l'État soviétique pourraient coïncider.

Enfin une décentralisation de la gestion économique peut permettre à Khrouchtchev de briser des fiefs politiques qu'il ne peut entamer autrement. Partout à Moscou, dans les ministères, dans les Comités d'État, des privilégiés du pouvoir s'inquiètent de son action et fournissent un appui important à ses adversaires du Praesidium. Ceux qui ont survécu au stalinisme ont souvent adhéré à la déstalinisation parce qu'elle leur assurait la sécurité. Cette sécurité acquise, la plupart de ceux qui détiennent une parcelle de pouvoir entendent que le système se stabilise, que les changements s'arrêtent, que leurs statuts et leurs privilèges soient pérennisés. De là leur inquiétude devant les initiatives de Khrouchtchev, qui tente de consolider sa position par une déstalinisation dynamique.

La réforme économique de 1957 (le Soviet suprême l'approuve le 10 mai [17]), imposée par Khrouchtchev au terme de difficiles combats avec son Praesidium, répond à ces intentions diverses. Cette réforme crée des *Conseils économiques régionaux (sovnarkhozes)* auxquels sont transférés les pouvoirs de la plupart des grands ministères industriels centraux. Si la planification et les grandes options restent l'affaire du pouvoir central, le pouvoir de gérer l'économie change véritablement de niveau et de titulaires. Plus encore, c'est tout le pouvoir des administrateurs régionaux du Parti — les secrétaires de région — que Khrouchtchev renforce par cette réforme. A ce déplacement des niveaux d'autorité, qui implique la montée d'une nouvelle génération politique — celle des premiers secrétaires de région ayant une compétence économique, des gestionnaires et des techniciens de l'économie venus du milieu régional —, s'ajoute un changement rapide des procédures politiques, qui va culminer durant la crise de juin 1957.

Pour imposer son projet économique à un Praesidium hostile, Khrouchtchev multiplie les appels au Comité central du Parti et au Soviet suprême, et défend ses thèses dans les journaux [18]. C'est-à-dire qu'il s'adresse, par-dessus la tête de ses pairs, aux organes plus larges du Parti et de l'État et, timidement encore mais déjà cette tendance s'esquisse, à l'opinion. On sort ici de la pratique antérieure qui a concentré le débat politique au niveau le plus élevé. La crise de juin 1957 va convaincre Khrouchtchev d'aller plus loin encore dans la voie de l'élargissement du débat. Les faits sont rapides à rappeler. En juin 1957, les adversaires de Khrouchtchev au Praesidium ont réussi à se mettre d'accord pour l'éliminer et, au cours d'une réunion soigneusement préparée, lui annoncent qu'ils ont décidé sa déposition. Jusqu'en 1957, aucun dirigeant soviétique n'avait réussi à s'opposer, sur une telle décision, à l'organe suprême du Parti. Faut-il rappeler qu'en 1924, au lendemain de la mort de Lénine, lorsque le Politburo eut pris connaissance de la « lettre » de Lénine enjoignant d'écarter Staline du poste de secrétaire général, Staline avait offert sa démission à ses collègues? Khrouchtchev, lui, loin de se démettre, exige la convocation du Comité central dont il est, dit-il, l'élu et invoque des règles qui n'ont encore jamais fonctionné. Avec l'aide de l'armée, les membres du Comité central répartis sur tout le territoire soviétique sont prestement amenés à Moscou et apportent leur soutien à Khrouchtchev (215 voix sur 309). Les orateurs du Comité central en profitent pour souligner que c'est à eux qu'il appartient de trancher les problèmes de nomination et de destitution, et que le temps des procédures hâtives et irrégulières est révolu [19].

En sauvant sa position, Khrouchtchev a aussi accompli une révolution politique. Désormais, le Parti a clarifié ses règles de fonctionnement. On sait où se situe le pouvoir de décider de l'attribution des fonctions dirigeantes. Le Comité central, élu par les représentants du Parti assemblés en congrès, est détenteur de leur volonté. Dans la voie de la restauration des institutions et de leurs prérogatives, le plénum de juin 1957 occupe une place très importante. Pour manipuler le Parti, il faut désormais manipuler le Comité central. Mais les progrès accomplis ne s'arrêtent pas ici. Vainqueur, Khrouchtchev cherche à éliminer ses adversaires et à prendre le contrôle du Praesidium. Pour ce faire, il n'hésite pas à recourir aux procédés qu'il condamne et, après avoir accusé ses collègues d'appartenance à un « groupe anti-Parti » (activité fractionnelle qui devait entraîner au minimum leur exclusion du Parti), il cherche à les inculper de complicité dans les crimes de Staline et à les détruire par là. Le Parti, c'est-à-dire le Comité central, qui a sauvé Khrouchtchev, sauvera de même ses collègues de sa vindicte en refusant d'ouvrir contre eux un procès de « stalinisme ». Éliminés des organes dirigeants, les « anti-Parti » ne seront pas liquidés pour autant. Et cette tolérance nouvelle encourage des politiques fractionnelles au sein du Praesidium, où Khrouchtchev n'arrivera jamais, en dépit de ses efforts, à façonner une majorité qui adhère à toutes ses entreprises. Perçu dans ses années de gloire comme le successeur véritable de Staline, et son activité extérieure encourage cette perception, Khrouchtchev a dû constamment déployer des efforts considérables pour modifier l'équilibre politique au sommet et le lieu de la décision politique. Pour y parvenir, il change la classe politique en la renouvelant. En 1961, au XXIIᵉ Congrès, Khrouchtchev fait adopter de nouveaux statuts du Parti qui imposent une rotation périodique des cadres [20]. Du bas au sommet du Parti, les cadres devront être renouvelés périodiquement, selon des règles plus contraignantes pour les petits cadres que pour les dirigeants de rang très élevé. En même temps, il tente un élargissement et une démocratisation du débat politique. Après avoir plaidé pour la compétence ultime du Comité central contre le Praesidium, Khrouchtchev, à partir de 1960, va au-delà, en « élargissant » les plénums du Comité central et en associant aux débats, sinon aux décisions, des personnalités ou des groupes qui n'appartiennent pas à cette instance [21]. Ainsi, contre les organes dirigeants du Parti, Khrouchtchev invoque progressivement des compétences particulières qui diminuent leur rôle. Ce que tente Khrouchtchev, en définitive, c'est d'en appeler, contre un Parti qu'il ne peut totalement manipuler, à un soutien de la base qui s'étend toujours à de nouvelles couches. En 1957, la « base » pour lui c'est le Comité central contre le Praesidium. A partir de 1960, ce sont les « techniciens » contre une majorité du Comité central, qui se durcit parce que les réformes égalitaires de Khrouchtchev atteignent tous les privilèges. Enfin en 1962, c'est au-delà du Parti, dans une société de « participation », que Khrouchtchev va chercher à s'imposer [22].

La lutte contre les privilèges

Les atteintes portées alors aux privilèges sont multiples. Le premier des privilèges que revendiquent les détenteurs de pouvoir, c'est la sécurité de l'emploi. Dès 1954, Khrouchtchev déplace les cadres, partout où il le peut, et crée ainsi dans le Parti sa propre clientèle. La réforme de 1957, puis les règles sur la « rotation » des cadres accélèrent ces mouvements [23]. En face de la « clientèle » khrouchtchevienne ainsi créée, il y a un camp des mécontents, dépossédés de leurs postes, qui grossit. Staline avait résolu le problème de la mobilité des cadres par les purges. Jetés au fond d'un camp, au mieux oubliés, les cadres éliminés ne pouvaient constituer une collectivité menaçante. Mais à la fin des années 50, la destitution n'implique plus de conséquences tragiques et entraîne la formation d'une coalition des exclus. De surcroît, le principe de la rotation implique que tout cadre se trouvera un jour exclu de sa position et il en est inquiet à l'avance.

À la montée des mécontentements qu'entraînent les réformes du Parti s'ajoute une hostilité profonde à l'égalitarisme de Khrouchtchev, qui s'attaque aux signes tangibles et matériels de la différenciation sociale et à la perpétuation d'une couche dominante par les privilèges liés à l'éducation.

L'un des premiers privilèges supprimé par Khrouchtchev est la pratique des « enveloppes », particulièrement chère à ses bénéficiaires parce qu'elle est clandestine, qu'elle leur permet de maintenir une image de désintéressement, enfin qu'elle est exempte de toute imposition [24]. Khrouchtchev s'attaque aussi à la hiérarchisation par les rangs et les insignes établie par Staline pour certains corps. En 1954 et 1956, il supprime les rangs (ou classes) pour les dirigeants d'entreprises et les membres de la procurature (système judiciaire), alignés sur la hiérarchie militaire. Il enlève les galons dont s'ornaient les uniformes des fonctionnaires du système ferroviaire [25]. Ces réformes qui diminuent le prestige des groupes concernés ont aussi, cela va de soi, des incidences pécuniaires. S'il respecte les titres et ordres militaires, Khrouchtchev décide, en 1960, une réduction des forces armées [26], qui a pour conséquence des mises à la retraite prématurées avec, ici aussi, des inconvénients financiers. D'une manière générale, il tente alors de limiter quelques-uns des avantages dont jouissent les militaires placés dans la réserve ou retraités. Mais c'est surtout la réforme de l'enseignement de Khrouchtchev qui aurait pu porter les plus grandes atteintes aux privilèges du pouvoir [27]. En 1953, on peut mesurer les effets du système d'éducation stalinien. Depuis les années 30, l'enseignement secondaire long avait cessé d'offrir à ses élèves une formation manuelle et technique et était de façon systématique une filière d'accès à l'université et même un système de sélection préuniversitaire. La disparition de l'enseignement général polytechnique coïncide avec l'apparition d'écoles secondaires « spéciales », destinées en principe aux enfants surdoués dans certaines matières (sports, arts, langues étrangères, etc.) et qui deviennent très vite des voies d'accès prioritaires aux universités les plus prestigieuses. L'entrée dans ces écoles devient alors un objectif très répandu dans les couches privilégiées, et la composition sociale de ces écoles témoigne que l'accès y est déterminé par les moyens sociaux et matériels de la famille et non par les dons des enfants. Deux voies de formation totalement séparées ont ainsi canalisé la jeunesse soviétique. Pour une partie d'entre elle — minoritaire —, c'est la voie royale d'une éducation secondaire complète, « spéciale » ou générale, débouchant sur l'université. La majorité est orientée vers les études professionnelles liées aux besoins des entreprises. Le prix des études, le système de sélection qui exempte d'examen d'entrée à l'université les meilleurs élèves de l'enseignement secondaire long (médailles d'or et médailles d'argent) avaient dès avant 1953 eu pour conséquence une prédominance des enfants des catégories les plus favorisées dans les universités. En 1953, un nouveau facteur complique le problème. Le nombre d'élèves sortis des écoles secondaires augmente soudain à un tel point que la concurrence devient vive pour entrer à l'université : six candidats par place au minimum.

Conscient du rôle ségrégateur que joue l'enseignement, Khrouchtchev tente, par une série de mesures prises entre 1956 et 1958, d'y réintroduire plus d'égalité. D'emblée, il attaque le réseau des écoles « spéciales » et prêche le retour à un enseignement secondaire polytechnique qui serait adapté aux exigences du monde du travail [28]. Le 6 juin 1956, il décrète la gratuité de l'enseignement secondaire et supérieur, et fait réserver un quota de places dans les universités aux candidats qui viennent de la production. Le 3 août, il introduit dans le système d'attribution de bourses pour l'enseignement supérieur le critère des *ressources,* alors que précédemment on attribuait ces bourses en fonction des mérites scolaires du candidat. Enfin, en décembre 1958, il fait adopter un texte modifiant complètement le système d'admission à l'université et les modalités d'études. Tous les étudiants devaient passer par la production, qui devenait ainsi partie intégrante du cursus universitaire; le nombre de places réservées aux candidats venus directement du monde du travail croissait, et un système complexe de « passerelles » et de cours à temps partiel ou de cours du soir permettait à tout instant de passer de la production à l'université. Les entreprises étaient invitées par la loi de septembre 1959 à recommander aux universités des candidats ouvriers. Enfin les exemptions d'examen liées aux récompenses reçues dans l'enseignement secondaire étaient presque supprimées [29]. Toutes ces mesures plaçaient, en principe, sur un pied d'égalité tous les aspirants aux études supérieures, quels que soient leur origine et le cursus suivi antérieurement. Mais, dès 1958, la réforme fut contournée et provoqua un rassemblement des oppositions jusqu'alors dispersées. Ceux qui depuis des années fournissaient en priorité la clientèle des universités, les enseignants et les responsables des entreprises s'unirent dans l'hostilité à cette réforme. Tous se battaient pour leurs privilèges, au nom de la qualité de l'enseignement, de l'homogénéité des étudiants, ou encore de l'efficacité des entreprises. En peu d'années, sous l'effet des pressions venues de toutes parts et de la mauvaise volonté générale, l'échec de la réforme fut patent. Les stages de longue durée dans la production avaient été transformés en stages de vacances et les candidats venus des milieux les plus favorisés avaient utilisé à leur profit les voies ouvertes aux ouvriers. En 1964, à l'heure des bilans, on s'aperçut que la composition sociale des universités n'avait guère changé par rapport à la période stalinienne, que les cours du soir étaient utilisés surtout par des candidats d'origine non ouvrière, qui n'avaient pas trouvé place dans l'enseignement universitaire de jour, comme filière de rattrapage vers l'enseignement normal [30]. Les mesures de démocratisation de l'enseignement ont, en fin de compte, servi à élargir la clientèle issue de milieux dirigeants, en augmentant à son bénéfice le nombre de places d'université et les filières d'accès disponibles.

La bataille autour de cette réforme est très significative. Les thèmes de l'égalité des chances, de la démocratisation des études, de la mobilité sociale, chers à Khrouchtchev, ne pouvaient être attaqués de front, dans la mesure où ils se trouvaient au cœur du système idéologique soviétique. Dans la mesure aussi où toutes les réformes de Khrouchtchev tendaient à une certaine démocratisation. Mais la manière dont les bénéficiaires traditionnels de l'éducation ont su tourner à leur profit des mesures destinées à y réduire leur part témoigne à la fois des solidarités des privilégiés et de la solidité de leur position. Si Khrouchtchev ne réussit pas à imposer ses vues dans ce domaine décisif, qui commande la mobilité ou la perpétuation sociale, il s'attira en revanche l'hostilité de ceux dont il tentait de réduire les privilèges, mais aussi de ceux qu'il tentait de privilégier à leur tour. C'est la déconvenue, les espoirs déçus qui expliquent que la classe ouvrière et, à un moindre degré, la paysannerie, à qui Khrouchtchev a tenté d'ouvrir les portes du Parti, l'accès des écoles, l'ont en définitive jugé, comme ses pairs, bavard et brouillon, incapable de mener à bien un projet.

Jusqu'en 1962, Khrouchtchev a cherché à aménager le système soviétique en se situant dans sa logique. Même s'il élargit les instances de discussion du Parti, s'il tente de changer sa composition sociale, c'est au nom du Parti, de sa fonction politique privilégiée qu'il multiplie les réformes. En 1962, il est confronté à l'hostilité générale du Parti, qui dans tous les domaines tourne ses réformes, les vide de leur contenu et recrée partout les *fiefs* que Khrouchtchev a tenté d'affaiblir et de remplacer par une plus réelle participation populaire [31]. Il en va ainsi du Parti, qui, au sommet, se refuse à faire fonctionner les règles de renouvellement imposées par son premier secrétaire; de l'économie, où le transfert des pouvoirs centraux aux sovnarkhozes débouche sur un doublement des bureaucraties, celles qui subsistent plus ou moins légalement à Moscou, celles qui prolifèrent dans les régions économiques et donnent rapidement naissance à des regroupements, donc à de nouveaux fiefs. Il en va ainsi du système éducatif. Partout, Khrouchtchev se heurte à des couches dirigeantes acharnées à défendre leurs positions et les avantages — officiels et dissimulés — qui y sont attachés. Le commun dénominateur de ces mécontentements c'est le Parti, et Khrouchtchev, en novembre 1962, conscient d'affronter une opposition sans merci, sort enfin de la logique soviétique, celle du Parti maître absolu du pouvoir. Il va tenter de réduire le Parti au rang d'exécutant politique. La réforme de novembre 1962, qui organise le Parti conformément à la production, le coupe en deux branches, industrielle et agricole, et implique tous les cadres du Parti dans les activités spécialisées de ces branches [32]. Le Parti, qui dominait jusqu'alors le système économique, qui tirait sa force et sa légitimité de son unité et de sa singularité, qui avait par là imposé à la société un système mono-organisationnel et mono-idéologique dont il était la justification, perd alors ses raisons de dominer.

***

S'il y a eu un moment, au cours de ses six décennies d'existence, où le système politique soviétique a été très près d'une transformation radicale, c'est durant les deux années qui séparent la réforme de 1962 de la chute de Khrouchtchev.

Ce qui sauve alors le système, c'est tout à la fois sa pesanteur, le manque d'expérience politique de la société civile et probablement la peur qu'a Khrouchtchev lui-même de franchir le Rubicon. La pesanteur des institutions a été un élément très important de l'échec de la réforme de 1962. Sans doute elle est alors appliquée, mais cela ne brise pas d'un coup les habitudes. Très souvent, la division de l'organisation communiste en deux branches maintient en place le responsable antérieur — secrétaire de région ou de district — à la tête du secteur localement le plus important [33]. Ainsi, dans les régions où l'industrie prédomine, l'ancien responsable régional du Parti prend la tête de la branche industrielle. Absorbé par ses voyages toujours plus nombreux à l'étranger, Khrouchtchev ne peut diriger la redistribution des responsables dans le cadre de la réforme, et l'administration du Parti a une certaine latitude pour en limiter les effets. Parce que le système mono-organisationnel a eu une longue existence, parce que le Parti s'acharne à défendre son unité, la réforme paraît se réduire à une série de dispositions provisoires [34]. Et déjà se dessinent à l'arrière-plan les projets destinés à éliminer celui qui met en question la prééminence du Parti. Une deuxième raison de l'échec de Khrouchtchev est l'inexistence d'une société civile. Seul le Parti, menacé dans son existence, a perçu l'enjeu de la réforme. Mais la société, ses élites intellectuelles même, n'y voit qu'une réforme de plus, dans une sphère qui lui est étrangère, puisqu'elle est de longue date exclue du pouvoir. C'est de 1962 à 1964 que l'on peut le mieux mesurer le degré de faiblesse, voire d'inexistence, de la société civile en U.R.S.S. Nul ne comprend que le système est sur le point de changer. Nul n'est prêt à y contribuer, car l'information politique, hors celle qui est véhiculée par le pouvoir, n'existe pas. De même, il n'y a aucun lieu, aucune structure de rassemblement social qui ne soit contrôlé par le Parti. Khrouchtchev a, au XXIIᵉ Congrès, fait appel à la participation populaire. Mais c'est le Parti qui discute des formes et des degrés que peut revêtir cette participation [35].

Enfin, Khrouchtchev lui-même n'a pas osé, vraisemblablement, franchir la limite qui le séparait du changement du système politique. Dans ses entreprises inconoclastes, dans ses intuitions sur la nécessité du changement, il reste dominé par son passé, par la formation reçue du Parti. Il a entrevu et annoncé — dans certaines limites — un système politique différent de celui qui prévaut depuis 1917. *L'État du peuple tout entier,* proposé comme modèle en 1961 [36], ouvre la voie à la participation populaire par des canaux d'expression et de décision multipliés, tels les soviets locaux et les syndicats, qui ne sont plus depuis le début des années 20 que les courroies de transmission du Parti. La *compétence* des spécialistes est aussi, dans l'usage qu'en fait Khrouchtchev à cette époque, un argument pour diluer l'autorité du Parti [37]. Mais il n'est jamais allé, même après 1962, au bout de ses propositions. Son inaptitude à penser hors du cadre où il avait été formé a contribué à sauver le système, tout autant que la volonté de ceux qui en bénéficiaient.

La question qui se pose, en dernier ressort, est celle du degré d'autorité dont jouissait Khrouchtchev dans les années 1956-1961, et de la nature du pouvoir à cette époque. Que le pouvoir propre de Khrouchtchev ait été important, on ne peut le nier. On le constate aisément à regarder les réformes qu'il a imposées à son parti. Il a pu aller très loin dans la voie de la réduction de l'autorité du Parti, et cela sans faire appel à des contrepoids institutionnels, telle l'armée. Si, en 1957, l'armée a permis à Khrouchtchev de rétablir sa position, il ne l'a pas payée de retour. Dès 1958, il élimine du Praesidium son représentant, le maréchal Joukov [38], et au début des années 60, en restreignant les effectifs militaires, il porte atteinte à de nombreux avantages de ce groupe. En 1962, Khrouchtchev est aussi peu populaire auprès des cadres militaires qu'il l'est dans l'appareil du Parti. Par ses incohérences il s'aliène, d'autre part, des appuis qu'il eût pu trouver dans certains groupes sociaux. Ainsi des intellectuels, dont il a encouragé les initiatives et la liberté de création en imposant au Parti la publication du premier livre de Soljénitsyne — *Une journée d'Ivan Denissovitch* [39] — et qu'il a presque

64

simultanément découragés, en persécutant Pasternak ou en insultant les peintres non figuratifs [40]. Une évaluation de l'œuvre accomplie par Khrouchtchev conduit ainsi à souligner les ouvertures qu'il a pratiquées en tous domaines — politique, culture, économie, politique étrangère —, mais aussi les incohérences dans la décision, qui ont souvent conduit ses initiatives dans des impasses. On constate son incontestable pouvoir, qui lui permet jusqu'en 1964 d'imposer à un Parti hostile des mesures dont ce dernier ne veut pas, mais aussi sa faiblesse puisque le Parti a été capable de freiner ou de saboter ses réformes, puis de l'éliminer. Et de l'éliminer *pacifiquement* [41], ce qui est un autre indice des limites de son pouvoir. Qu'était donc le pouvoir en U.R.S.S. au début des années 60? Comment comprendre la juxtaposition du pouvoir personnel de Khrouchtchev et la capacité du Parti à le freiner et à l'éliminer? On mesure ici le chemin parcouru depuis l'époque de Staline, qui pouvait imposer ses options à ses collègues et les éliminer physiquement.

Le pouvoir des années 1956-1964 n'est plus — la chute de Khrouchtchev, mais auparavant aussi ses fréquents échecs en témoignent — complètement aux mains d'un homme. Il est la combinaison du pouvoir d'un dirigeant suprême et de l'autorité d'un appareil collégial — le Praesidium — qui regroupe diverses hiérarchies. Si cet appareil a longtemps cédé aux initiatives de Khrouchtchev, il a en même temps obtenu de celui-ci un respect des procédures; et lorsque l'appareil s'est soulevé contre Khrouchtchev, c'est dans le cadre des procédures élaborées et sauvegardées durant ces années. Le pouvoir soviétique poststalinien peut être, avant tout, caractérisé par la multiplication des acteurs politiques — les institutions face aux dirigeants — et par la manière dont les uns et les autres restreignent leur capacité d'action, dans les moments de confrontation, au bénéfice de procédures régulières et pacifiques. Sur ce double plan, et en dépit des ambitions personnelles qui continuent à se manifester, la page du stalinisme paraît tournée.

Mais, si les relations de pouvoir ont considérablement changé, il n'en va pas de même de sa nature et de ses conséquences. En 1964, le pouvoir reste étranger à la société, et avant tout aux travailleurs. Il reste concentré dans le Parti communiste. Et l'égalitarisme affiché de Khrouchtchev a laissé intacts un certain nombre de privilèges attachés au pouvoir.

CHAPITRE III

LE POUVOIR EN CIRCUIT FERMÉ

Qui gouverne l'U.R.S.S.? Depuis 1917, cette question hante les hommes d'État et anime les débats des spécialistes de la science politique. La réponse la plus courante est celle qui concentre l'attention sur un pouvoir personnalisé, sur le dirigeant suprême. Le pouvoir soviétique se confond volontiers dans l'opinion avec les quatre figures de proue qui ont jalonné l'histoire de l'U.R.S.S. — Lénine, Staline, Khrouchtchev, Brejnev. Et, derrière les luttes et les tournants, on se repose volontiers sur l'idée qu'un système autoritaire a obligatoirement un chef et que la Russie retourne toujours à ses démons, substituant des « tsars rouges » aux tsars blancs détrônés. Les anecdotes si populaires en régime socialiste contribuent d'ailleurs à renforcer cette vision.

La Constitution soviétique de 1977 apporte à cette question une réponse autrement sophistiquée. Le pouvoir s'incarne dans l'État, qui est, selon la Constitution, l'expression de la volonté sociale et l'un des « modes d'exercice du pouvoir du peuple [1] ». Derrière cette définition du pouvoir, en apparence limpide, se dissimulent une conception et une réalité infiniment plus complexes à saisir.

La conception soviétique du pouvoir, telle qu'elle est précisée, a trois pôles : le *pouvoir du peuple,* c'est-à-dire celui du corps social tout entier, que la longue histoire postrévolutionnaire a transformé, éduqué, homogénéisé; le *pouvoir politique,* expression sans doute de la volonté sociale, mais en même temps doté d'une existence propre et qu'incarne l'État; enfin et surtout, le *pouvoir charismatique du Parti,* que ce dernier tire de la doctrine marxiste-léniniste, d'une conscience innée des besoins et des volontés de la société. Sans doute la Constitution de 1977 place-t-elle le peuple au point de rencontre de ces divers pouvoirs. Elle assure qu'il est le véritable détenteur du pouvoir (art. 2, chap. I), que « le Parti existe pour le peuple et est au service du peuple » (art. 6, chap. III), mais, dans le même temps, elle donne une autonomie à l'État par rapport au peuple, le distingue de lui. Surtout, elle affirme luue le Parti dirige et oriente la société, et place ainsi le Parti au-dessus de la société [2].

La vie politique soviétique rend compte, en apparence du moins, de cette répartition du pouvoir entre le peuple, l'État et le Parti. Le peuple soviétique élit un parlement bicaméral — le Soviet suprême —, et l'État exerce son autorité par l'intermédiaire d'un gouvernement et d'administrations très nombreuses. La réalité cependant est que le système soviétique est dominé par le Parti communiste, qui détient le pouvoir et exclut la possibilité de le partager avec quelque institution que ce soit. Ni le Parlement ni le gouvernement n'ont la responsabilité des choix politiques. En vertu d'une loi non écrite, mais qui est la loi fondamentale de l'U.R.S.S., les choix sont de la compétence exclusive du Parti. Il revient au Parlement et au gouvernement de les entendre, de les traduire en textes, de les mettre en œuvre. Le Parti est donc le véritable détenteur du pouvoir en U.R.S.S., mais ce pouvoir il l'exerce par l'intermédiaire des institutions centrales et des bureaucraties régionales. L'autorité prééminente du Parti sur les institutions parlementaires et gouvernementales a deux particularités complémentaires. Tout d'abord, au sommet des diverses institutions, il n'y a pas d'opposition ou de compétition possible entre elles, car les hommes qui les dominent sont tous membres des organes centraux du Parti et assurent le lien entre le Parti et ces bureaucraties. Deuxièmement, l'autorité du Parti sur les institutions va au-delà de la relation hiérarchique et fonctionnelle inscrite dans le système, et de la confusion des personnes. Le Parti possède aussi sa propre administration — secrétariat et départements du Comité central — qui recouvre tous les domaines de la compétence étatique. A chaque ministère correspond dans le Parti un département où travaillent des spécialistes d'une extrême compétence, qui assurent au Parti le contrôle et, éventuellement, un moyen de participer à la mise en œuvre de la politique qu'il a décidée.

En définitive, peut-on mieux résumer la réalité du pouvoir en U.R.S.S. qu'en empruntant à Merle Fainsod cette formule qui servira de fil directeur à notre analyse : « Le vrai Parlement de l'U.R.S.S. c'est le Comité central du Parti; le vrai gouvernement est le Politburo; et le vrai Premier ministre est le secrétaire général [3]. »

Le Comité central du Parti

Le Comité central est, dans le système soviétique, un maillon décisif du pouvoir et le lieu où se rassemble l'élite politique. « Qui dirige l'U.R.S.S. » appartient à coup sûr au Comité central.

Ce corps collectif appelé familièrement le T.S.K. a considérablement évolué au cours des diverses périodes de l'histoire soviétique par le nombre de ses membres, sa composition et ses procédures; et son rôle en est affecté.

Pour Lénine, le Comité central était tout simplement le petit groupe qui dirigeait le Parti. Le Comité élu à l'issue du VIIe Congrès du Parti, en 1918, comporte 23 membres dont 15 seulement ont droit de vote [4]. En 1976, le XXVe Congrès élit un Comité central de 426 membres, dont 287 votent. A ces effectifs nombreux s'ajoute la Commission centrale de contrôle de 85 membres. A priori, l'impression s'impose d'un très grand élargissement de l'élite dirigeante du Parti : 23 personnes en 1918, 511 en 1976. Mais le Parti a tant gonflé ses effectifs au cours de l'histoire soviétique qu'il a lui aussi peu de ressemblances avec la petite organisation de Lénine: 300 000 membres en 1918, 15 millions en 1976 [5]. A rapprocher ces chiffres on constate que l'élite est moins représentée aujourd'hui — en chiffres du moins — qu'elle ne l'était il y a plus d'un demi-siècle. En 1918, on compte un élu au Comité central pour quelque 13 000 membres du Parti, aujourd'hui il en faut 35 000 pour obtenir le même résultat. Tandis que le Parti s'élargit, son élite tendrait donc à se rétrécir.

Pour comprendre l'évolution du Comité central, sa place dans le Parti, les données numériques sont éclairantes. Le tableau de la page 70 rassemble ces données pour des époques cruciales de l'histoire soviétique [6] :

Que déduire de ce tableau? Tout d'abord, que sa composition numérique a modifié les fonctions du Comité central. Sous Lénine, ce corps peu nombreux peut siéger fréquemment, deux fois par mois, et remplir les fonctions d'un véritable « cabinet » du Parti. Mais Lénine mort, quand il faut réunir plus de cent personnes, les réunions s'espacent et ressemblent aux sessions d'un petit Parlement. Si des règles définissent périodiquement la fréquence des réunions du Comité central (en 1922 on décrète

Congrès	Effectifs du Parti	Nombre de délégués		Comité central	
		avec vote	sans vote	membres	candidats
VIIe *(mars 1918)*	entre 300 et 400 000	46	58	15	8
Xe *(mars 1921)* interdiction des fractions, N.E.P.	732 521	694	296	25	15
XIIe *(avril 1923)* début des conflits de succession	386 000	408	417	40	17
XVe *(décembre 1927)* tournant vers la collectivisation	887 233 + 348 957 candidats	898	771	71	50
XVIIe *(janvier-février 1934)*	1 874 488 + 935 298 candidats	1 225	736	71	68
XVIIIe *(mars 1939)* après les purges	1 588 852 + 881 814 candidats	1 569	466	71	68
XIXe *(octobre 1952)* dernier congrès de Staline	6 013 259 + 868 886 candidats	1 192	167	125	110
XXe *(février 1956)* déstalinisation	6 795 896 + 419 609 candidats	1 349	81	133	122
XXIIe *(octobre 1961)* programme du passage au communisme	8 872 516 + 843 489 candidats	4 394	405	175	155
XXIIIe *(mars-avril 1966)* après Khrouchtchev	11 673 676 + 797 403 candidats	4 619	323	195	165
XXVe *(février-mars 1976)*	15 058 017 + 636 170 candidats	4 998		287	139

qu'il se réunira tous les deux mois, en 1934 tous les quatre mois, en 1952 tous les six mois), ces règles seront longtemps de pure forme. Staline réunit peu le Comité central, oubliant parfois son existence durant des années [7]. C'est à Khrouchtchev qu'il appartiendra de rendre vie à cette institution [8] et, en dépit de ses effectifs croissants, de faire appel à son autorité lors des conflits qui l'opposeront à ses collègues du Praesidium.

Ce tableau peut, au demeurant, être trompeur, car il suggère des permanences et des changements qui sont en contradiction avec les faits réels. Dans les années 1934-1939, qui séparent les XVIIe et XVIIIe Congrès, les effectifs du Comité central ne changent pas. Pourtant, les visages sous ces effectifs stables changent du tout au tout, car ces deux congrès encadrent la période de purges qui a décimé le Parti. Près de 70 % (98 membres sur 139) des élus au Comité central de 1934 et plus de la moitié des membres du congrès (1 108 sur 1 966) seront liquidés physiquement [9]. Ainsi, les 139 membres du Comité central de 1939 n'ont presque rien en commun avec ceux de 1934. La situation qui prévaut depuis la mort de Staline est exactement à l'inverse de l'apparente stabilité stalinienne et les changements politiques survenus en U.R.S.S. s'inscrivent d'abord dans la composition du Comité central. Ce qui le caractérise, c'est à la fois l'augmentation continue des effectifs, même si elle est moins importante que l'augmentation des troupes du Parti, et la stabilité des membres. Le Comité élu à l'issue du congrès de 1976 est composé pour l'essentiel des membres qui appartenaient à ce corps depuis longtemps. Sur les 287 membres titulaires, 10 % ont été constamment élus depuis 1956; les élus de 1961 sont pour moitié des rescapés du congrès précédent; de congrès en congrès, le taux de survie va s'élever à 79,4 % au XXIIIe Congrès qui se tient après la chute de Khrouchtchev, 76,5 % au XXIVe Congrès en 1971 et 83,4 % au XXVe Congrès en 1976. L'élargissement du Comité central a désormais pour principale fonction de permettre la montée de nouveaux cadres, puisque les anciens se maintiennent fermement à leur place. Il faut d'ailleurs souligner que, pour spectaculaire qu'il soit à regarder les chiffres bruts, l'élargissement du Comité central y injecte de moins en moins de sang neuf, précisément parce que la part des anciens membres, réélus d'un congrès à l'autre, ne cesse d'augmenter. L'entrée la plus massive de nouveaux membres a eu lieu non pas après la mort de Staline, mais en 1952, alors qu'il était encore à la tête du Parti. Les 92 nouveaux venus du Comité central de 1952 renouvellent ce corps aux 3/4. Depuis lors, si le XXIIᵉ Congrès a fait entrer au Comité central un pourcentage de nouveaux membres qui représente 62 % de l'effectif total, la part des nouveaux venus descend lors des congrès suivants à 24,6 % (1966), 36,5 % (1971) et 29,6 % en 1976. Ainsi, face à un Parti qui a presque doublé ses effectifs depuis 1961, le sommet du Parti se replie frileusement sur une élite qui est reconduite d'un congrès à l'autre et qui n'accepte que difficilement les nouveaux venus. Une seconde remarque concerne les moments d'ouverture du Comité central, qui sont souvent en décalage avec les grands moments historiques. Ce n'est pas le XXᵉ Congrès et la déstalinisation qui modifient le Comité central; pas davantage le XXIIIᵉ Congrès qui suit la chute de Khrouchtchev. Dans les périodes où la direction du Parti change (Staline, Khrouchtchev), son organe dirigeant est d'une extrême stabilité. Et, si Staline a presque totalement renouvelé les effectifs du Comité central par les purges et l'ouverture d'après-guerre, si Khrouchtchev a, par des voies pacifiques, tenté aussi d'en modifier la composition en 1961 lorsque son pouvoir se renforce, il est remarquable que la période brejnevienne soit à l'opposé de ces tendances. En seize années de pouvoir, l'équipe qui a succédé à Khrouchtchev en octobre 1964, loin de bouleverser le Comité central, en a assuré de manière continue la stabilité, tout en l'ouvrant légèrement pour permettre à de nouveaux venus de renforcer l'institution.

Cette politique de stabilisation apparaît encore mieux lorsqu'on regarde la liste — assez courte, il est vrai — des membres du Comité central que les congrès de 1971 et 1976 n'ont pas réélus [10]. Sur les 81 disparus dans l'espace de deux congrès, plus du tiers sont tout simplement morts, et l'âge moyen du Comité central pouvait le laisser prévoir; 15 autres ont pris leur retraite : la plupart, en raison de leur âge avancé, mais quelques-uns parce que ce vocable pudique dissimule désormais une disgrâce politique (c'est le cas de Mjavanadze, premier secrétaire du P.C. de Géorgie, démis pour malversations, ou de Piotr Chelest, dont la chute fut un épisode retentissant des luttes nationales). Pour les autres, les explications manquent. Mais, si l'on fait la part des morts et des retraités, on constate que la longévité politique tend à être de l'ordre de 90 %. Ce fait est d'autant plus remarquable que le vieillissement, qui a pour conséquence des disparitions naturelles, est une donnée récente de la composition du Comité central, qui ne l'aurait pas affecté de la même manière dans le passé. Les effets du vieillissement se font d'ailleurs sentir de plus en plus nettement. Entre le XXV⁰ Congrès et l'été 1978, c'est-à-dire en un an et demi, le Comité élu en 1976 a encore enterré 17 membres [11].

Quant aux nouveaux venus, ils sont eux aussi représentatifs, plus qu'il n'y paraît de prime abord, de cette volonté de stabilité. Les 87 nouveaux membres titulaires de 1976 étaient déjà, pour 45 d'entre eux, c'est-à-dire pour plus de la moitié, candidats du Comité central. (Les candidats sont membres du C.C., sans droit de vote.)

L'évolution des effectifs et des renouvellements au Comité central témoigne, par-delà la stabilité, de la paix qui règne dans le milieu politique depuis 1964. Aux crises, purges et expulsions des années antérieures ont succédé des rapports d'un type nouveau. Que la cause principale des changements de personnes dans ce corps soit leur condition physique est l'indice d'un équilibre qui n'avait jamais existé auparavant. La composition sociale du Comité central le confirme [12].

Pourquoi est-on élu au poste envié — et lié à combien de privilèges! — de membre du Comité central? Au temps de Lénine, la réponse était claire. Pour ce que représentait chaque individu de qualités personnelles, de révolutionnaire avant 1917, d'homme politique ensuite. Avec Staline, les critères changent mais restent tout aussi personnels : ce qui compte, c'est la fidélité au secrétaire général. A l'époque actuelle, il est clair que les vertus personnelles n'ont rien à voir dans cette élection, sauf pour quelques cas marginaux. La composition du Comité central est un dosage savant d'institutions, de responsabilités, de nationalités, dosage qui ne varie plus. Les institutions les mieux représentées au Comité central sont évidemment l'appareil du Parti (40 % de la composition totale) et l'appareil de l'État (31 % en 1976, 30 % en 1971, 28 % en 1966, etc.). Ainsi, ces deux hiérarchies ont toujours dominé, avec 70 % d'élus, l'organe suprême du Parti [13]. Ensuite viennent trois groupes dont la part respective a pu subir des variations dans le temps, mais dont l'importance s'est affirmée au cours de la période brejnevienne : armée, diplomatie et police. Dans ces corps, c'est la représentation de l'armée qui a subi les plus grandes variations en fonction, on le conçoit, de la situation internationale et, à certains moments, de sa participation aux problèmes politiques internes. S'ils détiennent 4 % des sièges au Comité central en 1934, les militaires en ont 14 % à la veille de la guerre en 1939, 11,5 % en 1952 lorsque Staline s'emploie à réduire la place que la victoire leur a donnée dans le Parti, 7 % en 1956, mais encore

10 % en 1961. Ensuite, leur représentation décroît avec régularité: 9% (1966), 8% (1971), 7% (1976) [14]. Ce déclin de la représentation militaire ne s'accorde guère avec la légende qui fait de l'armée l'arbitre de la situation politique en U.R.S.S. La police n'occupe pas non plus dans les instances suprêmes du Parti la place qu'on se plaît à lui accorder lorsqu'on oublie de regarder les données réelles : 3 % de sièges dans les années 1934-1939, ce qui est peu, mais le Comité central n'est qu'un fantôme à cette époque; 4 % en 1952, quand Staline prépare une nouvelle purge; la part du K.G.B. tombe à 1 % en 1956, 0,5 % à l'époque de Khrouchtchev, pour remonter désormais à 1,5 % [15]. Encore faut-il prendre garde au fait que cette remontée est due au poids de la police parmi les candidats, tandis que leur représentation parmi les membres titulaires est six fois moins importante (0,5 % de membres votants, 3 % de candidats). Les militaires en revanche ont une représentation égale dans les deux catégories. Si le Parti veut bien faire place à la police, il entend ne pas lui rendre le rôle de grand acteur de la vie politique qu'elle a tenu sous Staline. Les diplomates, pour leur part, sont dans une situation ascendante qui coïncide avec le développement de la politique extérieure soviétique. De 3 % jusqu'en 1956, leur représentation est passée à 5 %; mais, fait significatif, la part des membres titulaires excède chez eux très largement, parfois jusqu'à la doubler, celle des candidats. Les diplomates sont ainsi des membres visibles et respectables des instances suprêmes du pouvoir [16]. Ces différences de représentation traduisent des différences de statut social et moral qui contrastent avec la pratique de l'époque stalinienne. Elles traduisent aussi, on y reviendra avec la composition du Politburo, le poids respectif et l'autonomie de chaque institution dans le processus de prise de décision. Les syndicats, enfin, occupent une place mineure au Comité central, où ils n'ont que 1,5 % des sièges, la plupart sans droit de vote, ce qui permet de mesurer leur pouvoir dans le système soviétique. Si l'on quitte le domaine des institutions pour considérer le statut social, on constate — en dépit des appels constants à l'ouverture du Parti aux classes laborieuses — la part très faible des ouvriers et des paysans, qui détiennent 4,5 % des sièges du Comité central mais seulement 3,5 % de ceux qui ont droit de vote [17]. Les écrivains — ceux qui sont statutairement reconnus comme tels — et les scientifiques ont une représentation presque équivalente à celle des ouvriers [18]. Si l'on se réfère à la composition sociale du Parti des années 70, où l'on trouve 41,6 % d'ouvriers et 13,9 % de paysans, force est de constater

que le sommet du Parti est loin de refléter la composition sociale du Parti à la base, ou celle de l'U.R.S.S. Le Comité central ne reflète pas non plus la composition sociale du Soviet suprême, organe le plus élevé de l'État, où l'on compte à la même époque 18 % d'ouvriers, 17 % de paysans mais seulement 16 % de fonctionnaires de l'appareil du Parti et 14 % de fonctionnaires de l'appareil gouvernemental [19]. En d'autres termes, le Comité central reflète les structures d'autorité, tandis que le Soviet suprême tend à donner une représentation de la société soviétique qui se rapproche du réel.

La représentation des diverses institutions et des groupes sociaux de l'U.R.S.S. ne suffit pas à donner une vue complète du Comité central. Des hiérarchies d'un autre type, nationales et régionales, affectent aussi très nettement sa composition et permettent, à travers le Comité central, d'évaluer le poids respectif, dans le système, des nations et des entités régionales. La représentation des nations, à ce niveau élevé du Parti, n'est pas toujours facile à définir, dans la mesure où les informations disponibles ne sont pas identiques d'un congrès à l'autre. En 1976, le Comité central compte une majorité de délégués russes (autour de 60 %). Les républiques nationales sont très inégalement représentées, tant par le nombre que par la position hiérarchique de leurs élus (titulaires, candidats ou membres de la Commission de contrôle), enfin par leurs fonctions. En faisant appel à ces divers critères, en regardant la place assignée aux grands responsables politiques de chaque république (premier et second secrétaires du PC, président du Conseil des ministres, président du Praesidium du Soviet suprême) dans les diverses institutions du Parti, on peut évaluer leur importance respective [20]. *La République fédérative de Russie,* par le nombre et la qualité de ses délégués, se situe indubitablement en tête. Elle est suivie par l'Ukraine et par le Kazakhstan; ensuite par l'Uzbe-kistan et la Biélorussie; puis par la Géorgie; enfin par toutes les autres républiques, plus faiblement représentées. L'Ukraine et le Kazakhstan ont en commun : les premiers secrétaires de leur Parti au Politburo, des sièges avec droit de vote au Comité central pour leurs trois autres grands dignitaires politiques, second secrétaire du Parti, Premier ministre et président du Praesidium du Soviet suprême. Avec les trois autres républiques commence la différenciation et la hiérarchisation des statuts. Toutes les républiques nationales (sauf la Russie puisqu'elle n'a pas de Parti communiste propre) ont droit à un siège plein au Comité central pour leurs premiers secrétaires; ceux de l'Uzbekistan, de la Biélorussie et de la Géorgie sont de surcroît membres suppléants du Politburo. Les grands dirigeants de l'Uzbekistan et de la Biélorussie siègent tous avec droit de vote au Comité central. Mais la Géorgie ne dispose que d'un siège de candidat pour son second secrétaire, et son chef d'État doit se contenter d'un siège à la Commission centrale de contrôle. Les autres républiques de l'Union, exception faite du premier secrétaire, ont des sièges sans droit de vote pour leurs Premiers ministres, et les autres dignitaires siègent tantôt comme candidats au Comité central mais plus souvent à la Commission centrale de contrôle.

Tels sont, dans les grandes lignes, les élus du Comité central. A contempler cette institution, une première remarque s'impose. Ce n'est pas un corps rassemblant des personnalités, mais des fonctions. Ce qui qualifie un individu à entrer au Comité central, c'est la fonction qu'il occupe par ailleurs et qui lui donne automatiquement accès à l'instance suprême du Parti. Il est aisé de constater que les morts sont presque à coup sûr remplacés par leurs successeurs à la fonction qu'ils occupaient, de même que les exclus [21]. Dans cette perspective, les promotions et les exclusions s'expliquent par le cursus « professionnel » des membres du Comité central et non par une soudaine défaveur de leurs mandants, c'est-à-dire les membres du congrès. L'équilibre du Comité central reflète désormais un certain équilibre des forces en U.R.S.S., force des appareils, force des régions ou des républiques. Ainsi considéré, le Comité central est véritablement un organe collégial.

Mais, en même temps, il n'est pas, et de loin, un rassemblement d'égaux pesant d'un même poids politique. Entre Alexis Kossyguine, qui préside le gouvernement soviétique et siège au Politburo, et M. S. Ivannikova [22], qui travaille dans une usine cotonnière de Moscou, il y a peu de choses en commun; plus que leurs personnalités, ce sont les fonctions qu'ils exercent, les bureaucraties qu'ils représentent qui leur donnent du poids au sein du Comité central. Le chef du gouvernement soviétique est d'office membre du Comité central et du Politburo. L'ouvrière Ivannikova est assurée de ne jamais aller au Politburo. Il est d'ailleurs significatif que lors des sessions plénières du Comité central on entende fréquemment les mêmes orateurs. Ce sont les représentants des grandes républiques, qui battent le record des interventions et de l'étendue des sujets traités.

Certes, le Comité central est élu à chaque congrès par un vote secret où, en principe, les délégués peuvent conserver ou rayer les noms qui leur sont proposés. Mais ils ne peuvent modifier ces noms, qui sont ceux de candidats exerçant des fonctions qui les désignent pour siéger au Comité central. Ainsi, bien avant de devenir membre du Comité central, un fonctionnaire du Parti ou de l'État appelé à un poste déterminé sait que cette nomination le conduira à siéger dans l'organe suprême du Parti. Le Comité central tend ainsi à devenir le lieu de rassemblement de l'élite politique soviétique, et à refléter le poids respectif des diverses institutions qui dominent la vie de l'U.R.S.S. [23].

Cette évolution du Comité central, qui a fait d'une institution dirigeante un corps purement représentatif, se traduit dans ses procédures. Les réunions du Comité central, auxquelles Khrouchtchev avait donné au début un certain éclat et une plus grande fréquence, tendent depuis lors à s'espacer, à devenir plus brèves, à ne plus faire l'objet de comptes rendus détaillés.

Dans les deux premières années du pouvoir de Khrouchtchev, de décembre 1956 à décembre 1958, le Comité central s'est réuni onze fois et la durée moyenne des sessions est alors de trois jours. Dans les six années suivantes, 1959-1964, le Comité central a tenu quatorze sessions plénières, c'est-à-dire une moyenne légèrement supérieure à deux réunions annuelles, et le temps consacré chaque année à ces plénums fut de dix jours, soit près de quatre jours par session.

A l'ère brejnevienne, le Comité central manifeste une activité qui semble d'abord très importante, mais qui tend avec les années à diminuer, et la brièveté des sessions témoigne du caractère formel des réunions (Cf. tableau p. 78).

A lire ce tableau, on peut faire plusieurs remarques sur l'évolution des activités du Comité central. Quel que soit le nombre de réunions tenues par le Comité central chaque année, le temps qui y est consacré ne dépasse plus jamais quatre jours par an, et le nombre de sessions semble depuis longtemps tourner autour d'une moyenne annuelle de deux à trois. Autre fait significatif, la durée des travaux du Comité central paraît de moins en moins affectée par les événements importants, qu'il s'agisse de la vie politique en U.R.S.S. ou des événements internationaux. Dans cette période, les années de plus grande activité du Comité central ont été 1964, 1965, 1966 et 1968. Dans tous ces cas, le lien entre l'activité déployée et des événements importants est très clair. En 1964-1965, le Parti se débarrasse de Khrouchtchev et liquide ses réformes. En 1966 il tient son XXIIIᵉ congrès, le premier que domine la nouvelle équipe. En 1968 enfin, l'affaire tchécoslovaque mobilise le Parti.

Périodicité des plénums du C.C. [24]

Années	Sessions plénières	Journées de réunion
1964 (oct. à déc.)	2	2
1965	3	5
1966	6	8
1967	2	3
1968	4	6
1969	2	2
1970	3	4
1971	3	4
1972	2	2
1973	2	4
1974	2	2
1975	3	3
1976	3	4
1977	3	3
1978	2	3
1979	2	4
1980 (pour les 3 premiers trimestres)	1	1

En revanche, les congrès suivants, 1971-1976 ne semblent guère affecter l'activité du Parti. Pas plus que de grands événements internationaux : les deux guerres israélo-arabes, 1967-1973; la percée soviétique en Afrique, 1975; l'invasion de l'Afghanistan, 1980. Les grands moments de la détente (Salt 1972, sommet de 1973 et conférence d'Helsinki 1975) ne trouvent pas place non plus dans ce tableau. Sans doute est-il impossible désormais d'avoir une idée claire des débats au Comité central puisque, depuis 1966, on ne publie plus de comptes rendus sténographiques [25]. Et les communiqués de presse se contentent de mentionner le thème des grands rapports. On sait ainsi qu'en juin 1980 deux orateurs se sont longuement exprimés : Léonid Brejnev pour annoncer la date et l'agenda du XXVIe Congrès, qui se tiendra en février 1981, et le ministre des Affaires étrangères Gromyko qui a traité de la situation internationale [26]. S'il y a eu débat — et l'affaire afghane en a probablement provoqué —, il est douteux qu'au cours d'une seule journée ce débat ait pu tenir une grande place. L'évolution des activités du Comité central — dont une réunion annuelle, celle de l'automne, est à coup sûr consacrée à entendre la présentation du plan et du budget de l'année suivante [27] — semble ainsi transformer cette institution en chambre d'audition des membres les plus importants du Politburo. Est-ce qu'une telle assemblée pourrait encore sauver un dirigeant en difficulté, comme elle l'a fait en 1957, ou le déposer, comme en 1964? En d'autres termes, peut-elle arbitrer des conflits au sommet?

Les relations du Comité central et du Politburo sont d'autant plus importantes à déterminer que de leur caractère complémentaire ou potentiellement antagoniste dépend largement la manière dont fonctionnera le système dans ce qui est encore le plus imprécis, le choix de ses dirigeants suprêmes.

Les véritables centres de décision : Politburo et Secrétariat

Le Politburo, contrairement au Comité central, a relativement peu évolué au cours de l'histoire soviétique. Dès qu'il est au pouvoir, Lénine l'utilise comme un véritable centre de décision politique [28]. Il est alors le corps le plus maniable par sa composition limitée — 8 membres en 1919, dont 5 seulement avec droit de vote. Dans le gonflement général des effectifs des institutions, il est remarquable de constater combien le Politburo est resté proche de ce qu'il était à l'origine, fermé à toute tentative d'élargissement et, par là même, capable de conserver un pouvoir réel, qui a échappé progressivement au congrès du Parti et au Comité central. En 1980, à l'issue du plénum de juin, le Politburo compte 23 membres dont 14 votants et 9 candidats [29]. L'augmentation très relative de ses effectifs s'est accomplie principalement dans les moments de crise, quand des dirigeants s'efforcent d'y noyer dans une masse de nouveaux venus des collègues difficiles à manipuler. Staline en 1952 le porte à 36 membres, dont 25 ayant droit de vote; Khrouchtchev en 1957 à 25 membres dont 15 votants. Mais, depuis le début des années 1970, la taille du Politburo s'est stabilisée, même si on décèle une certaine instabilité dans sa composition.

Comme le Comité central, le Politburo offre plus ou moins systématiquement un siège aux titulaires des fonctions les plus élevées de la hiérarchie de l'État et du Parti [30]. En font automatiquement partie le chef du gouvernement de l'U.R.S.S., son premier vice-président et le chef de l'État. Quelques secrétaires du Comité central, quelques premiers secrétaires de P.C. républicains. Ici encore, le poids politique de la république définit sa place au Politburo. En règle générale, l'Ukraine et le Kazakhstan, voire la Biélorussie, dont on a dit la place prédominante au Comité central, ont droit à des postes complets. D'autres républiques (telles que la Géorgie ou l'Uzbekistan) doivent se contenter d'un poste sans droit de vote [31]. Certains corps, telles l'armée ou la police, ont eu au Politburo un destin variable [32]. Depuis le début des années 1970 cependant, leur représentation y est assurée continûment. Une seconde remarque concerne le caractère personnalisé de l'appartenance au Politburo, qui n'est qu'en contradiction apparente avec l'équilibre institutionnel ou géographique que l'on peut déceler dans sa composition. Plus on monte dans la hiérarchie, plus le pouvoir tend à se personnaliser, et les membres du Politburo jouissent, en dehors de leur fonction, d'une autorité et d'un prestige personnel que diverses manifestations de la vie politique ne font qu'accroître.

Organe restreint, composé de personnalités titulaires d'une des plus hautes charges de l'État et du Parti, ayant par là même un poids important, le Politburo est ainsi un véritable gouvernement qui impose ses décisions aux autres institutions politiques.

En droit cependant, le Politburo n'est que l'organe exécutif permanent du Comité central, dont il assume l'autorité en dehors des sessions. Cette dépendance théorique vis-à-vis du

Comité central se traduit par le mode de désignation du Politburo. Il est élu à main levée par les membres votants du Comité central, à l'issue du congrès où ce dernier corps vient lui-même d'être choisi par un scrutin secret. Les évictions ou les nominations de nouveaux membres sont aussi le fait du Comité central, qui peut apporter ainsi, au cours de ses plénums, des changements à la composition du Politburo[33].

Émanation du Comité central, le Politburo à bien des égards lui ressemble; mais certains traits le caractérisent et signalent son originalité. Tout d'abord, les Russes y sont plus encore que dans le Comité central majoritaires, notamment parmi les membres votants (10 sièges sur 14), et cette prééminence se renforce au cours des dernières années[34]. Deuxième trait, le renouvellement relativement important de ce corps depuis 1964. Dans sa composition de 1980, le Politburo ne conserve que quatre « anciens » : le vétéran, Kossyguine, élu pour la première fois en 1948, Souslov en 1955, Brejnev en 1957 et Kirilenko en 1962; ainsi que deux suppléants : Rachidov et Demitchev. Les trois quarts de ses membres ont donc été appelés à siéger dans cette instance à l'époque de Brejnev, et cinq d'entre eux après le XXV⁰ Congrès. Sans doute, parmi les membres qui ont quitté le Politburo depuis 1976, la moitié des départs est due à la mort des titulaires (Gretchko, Koulakov) tandis que l'autre moitié est l'effet de la disgrâce (Podgorny, Mazourov). En dépit de ce taux de renouvellement non négligeable, le Politburo se caractérise par la moyenne d'âge élevée de ses membres : près de 70 ans pour les membres titulaires et 66,7 pour les candidats. Plus remarquable encore est la tendance systématique du Parti à promouvoir des vieillards. L'examen des moyennes d'âge des membres votants en témoigne. En 1966, à l'issue du XXIII⁰ Congrès, le Politburo avait 57 ans d'âge moyen; en 1971, le XXIV⁰ Congrès envoie au Politburo des hommes qui le rajeunissent, puisque sa moyenne d'âge descend de 62,5 ans à 60,6 ans. Tout au contraire, les élections du XXV⁰ Congrès (1976), en dépit de changements de personnes, consacrent un vieillissement — de 60,6 à près de 66 ans; et en dépit des changements des années 1976-1980, la moyenne d'âge de ce corps augmente d'un an chaque année. Si cette tendance se maintient, on imagine ce que sera le Politburo à la veille du XXVII⁰ Congrès! Elle conduit en outre à des distorsions avec la base politique du Parti sur lesquelles on reviendra plus tard.

Les traits sociologiques des membres du Politburo sont naturellement liés à leur âge. Ces hommes, issus de la première génération éduquée par la révolution, sont à l'image de leur génération tout entière. Fils d'ouvriers et de paysans pour la plupart — la Russie de 1920 a puisé ses élites dans ces deux classes sociales —, ils ont été formés surtout dans des établissements d'enseignement technique; l'activité politique dans l'appareil du Parti a été pour eux la voie de la promotion sociale. C'est d'ailleurs là une des caractéristiques générales du personnel politique brejnevien, pour qui le critère de sélection est de plus en plus fréquemment d'avoir accompli une carrière d' « apparatchik ».

Comme le Comité central, et plus encore que lui, le Politburo n'est pas une société d'égaux. Plusieurs éléments en différencient les membres, et en premier lieu la hiérarchie de leurs fonctions et le cumul des postes dans le Parti. La double appartenance au Politburo et au Secrétariat, des domaines de responsabilités étendus (cf. tableau p. 84-85) contribuent à y définir la place des individus. On ne peut comprendre le rôle joué par le Politburo, son fonctionnement et ses équilibres changeants sans considérer en même temps le Secrétariat du Comité central.

Ce dernier n'est pas, en théorie, un organe de décision, mais un appareil administratif du Comité central, dont la fonction première est de « diriger les affaires courantes, notamment les problèmes de sélection de cadres, et de veiller à ce que les décisions du Parti soient exécutées ». Comme c'est souvent le cas dans le système soviétique, où les principes explicités et le réel divergent, le *Secrétariat,* qui est à peine mentionné dans les statuts du Parti, est presque aussi important que le Politburo [35]. Élu lui aussi au scrutin public par le Comité central, à l'issue de chaque congrès, le Secrétariat est comme le Politburo un corps extrêmement restreint : 11 membres à l'issue du XXVe Congrès en 1976, 10 seulement en 1980, dont 6 siègent au Politburo (4 avec droit de vote et 2 sans). Plus encore que le Politburo, le Secrétariat est soumis à de fréquents renouvellements. De ceux qui en ont fait partie avant 1964 ne subsistent que l'immuable Souslov et Brejnev, élu au Secrétariat à la chute de Khrouchtchev [36]. Depuis le XXVe Congrès, le Secrétariat a perdu trois de ses membres, dont un seul (Koulakov) pour des raisons naturelles. Dans le même temps, il en a fait entrer trois autres dans ses rangs, dont l'un (Riabov), élu au Secrétariat lors du plénum d'octobre 1976, en a été éliminé au plénum de juillet 1979. Comme le Politburo aussi, le Secrétariat, qui compte parfois dans ses rangs des individus plus jeunes que la moyenne, semble atteint par une propension au vieillissement rapide. En

1980, la moyenne d'âge de ses membres est de 67,7 ans; elle a été modifiée elle aussi dans le sens du vieillissement par la disparition des plus jeunes (Riabov avait 51 ans lorsqu'on l'a éliminé, et Koulakov est mort à 60 ans).

En dépit de leurs statuts différents — appartenance à un organe de pouvoir permanent ou à un organe administratif —, les membres du Politburo et du Secrétariat constituent bien un groupe à part. La responsabilité dont chacun d'entre eux est investi dans des secteurs précis d'activité — qui, mis en commun, recouvrent tous les domaines de la vie soviétique —, l'autorité qu'ils exercent par leur propre appareil (le secrétaire général du Parti a un cabinet personnel dont certains membres ont un siège au Comité central [37]) ou par l'intermédiaire des départements spécialisés du Comité central donnent à chaque dirigeant le contrôle de plusieurs filières [38]. Enfin, le système soviétique, tel qu'il s'est développé au cours des deux dernières décennies, souligne le rôle des personnes, même si ce rôle est présenté comme partie intégrante d'un pouvoir collégial. L'élection de ces hauts dirigeants à l'issue des congrès est l'occasion de mesurer leur popularité. Lorsque la presse rend compte de cet événement, elle hiérarchise le prestige de chacun en indiquant l'ordre dans lequel l'élection a été annoncée et la longueur des acclamations ou des applaudissements qui l'accueillent [39]. A ce test de popularité, on trouve toujours, depuis 1964, un même gagnant : Léonid Brejnev.

La hiérarchie des appareils politiques en U.R.S.S., leur imbrication et leur complexité ne sont-elles en dernier ressort que l'ingénieux paravent d'une dictature personnelle? L'autorité dont jouit Brejnev, sa place réelle dans la vie politique méritent examen. Car, de la réponse apportée à cette question, dépend largement l'analyse que l'on peut faire du système soviétique tout entier.

Pouvoir personnel ou personnalisation du pouvoir?

En 1956, lorsqu'il entreprit de condamner les excès du stalinisme, le XXe Congrès du Parti les attribua au *culte de la personnalité* [40]. Et il admit par là même que l'essence du stalinisme c'était un excès de pouvoir personnel. Débarrassé du pouvoir personnel, le communisme devait retrouver ses vertus et sa légitimité. Huit ans plus tard, en 1964, lorsque ses collègues éliminent Khrouchtchev du pouvoir, ils l'accusent avec une belle

Politburo et Secrétariat
Situation des membres en 1980

I. Membres du Politburo
II. Candidats du Politburo
III. Membres du Secrétariat qui ne font pas partie du Politburo

Nom	Date de naissance	nombre d'années en fonction		Situation actuelle	Date d'élection ou nomination	Domaine de responsabilité	
		mb. plein.	candidat			Interne	International
I							
Andropov (Iu. V.)	15.06.1914	7	6	Président du *Comité de sécurité de l'État* (KGB)	Mai 1967	Sécurité. Renseignement	Renseignement
Brejnev (L. I.)	19.12.1906	23	2	Secrétaire général du P.C.U.S. Président du Praesidium Sov. supr.	Oct. 1964 (1er secrét.) 1966 (secrét. gén.)	Supervise la totalité de la politique	Supervise la totalité de la politique. Relations internationales
Chtcherbitski (V. V.)	17.02.1918	9	7	1er secrétaire du P.C. d'Ukraine	Juin 1977 Mai 1972	Supervise la politique du P.C. en Ukraine	
Grichine (V. V.)	18.09.1914	9	10	1er secrétaire du Gorkom de Moscou	Juin 1967	Supervise le P.C. à Moscou	
Gromyko (A. A.)	18.07.1909	7		Ministre des Affaires étrangères	Février 1957		Politique internationale
Kirilenko (A. P.)	08.09.1906	18	4	Secrétaire du C.C.	Avril 1966	Organisation du P.C. Organisation de l'industrie	Problèmes économiques du camp socialiste
Kossyguine (A. N.)	21.02.1904	24	5	Premier ministre	Octobre 1964	Administration économique. Finances	Commerce extérieur — relations internationales
Kunaev (D. A.)	Janv. 1912	9	5	1er secrétaire du P.C. Kazakh	Décembre 1964	Supervision du P.C. Kazakh	

	Naissance			Fonction	Date	Domaine	Opérations militaires extérieures
Oustinov (D. F.)	30.10.1908	4	11	Ministre de la Défense	Avril 1976	Défense. Espace	
Pelche (A. Ia.)	Févr. 1899	14	3	Président du Comité de contrôle du Parti	Avril 1966	Discipline du Parti	
Romanov (G. V.)	07.02.1923	4		1er secrétaire de l'Obkom de Léningrad	Septembre 1970	Supervision de l'Obkom de Léningrad. Idéologie. Culture	
Souslov (M. A.)	21.02.1902	25		Secrétaire du C.C.	Mars 1947		Communisme international
Tchernenko (K. U.)	24.09.1911	2	1	Secrétaire du C.C.	Mars 1976	Travail des cadres du Politburo	
Tikhonov (N. A.)	14.05.1905	(promu au C.C. du 27.11.1979)	2	1er Vice-Premier ministre de l'URSS	Septembre 1976	Administration économique, industrie	
II							
Aliev (G. A.)	10.05.1923		4	1er secrétaire du P.C. d'Azerbaïdjan	Juillet 1969	Supervise le P.C. d'Azerbaïdjan	
Chevarnadze (E. A.)	25.01.1928		2	1er secrétaire du P.C. de Géorgie	Septembre 1972	Supervise le P.C. de Géorgie	
Demitchev (P. N.)	03.01.1918		16 (promu le 27.11.1979)	Ministre de la Culture	Novembre 1974	Culture	
Gorbatchev (M. S.)	02.03.1931		3	Secrétaire du C.C.	Novembre 1978	Agriculture	
Kouznetsov (V. V)	13.02.1901			1er vice-président du Praesidium du Soviet suprême	Octobre 1977	Assiste L. I. Brejnev en tant que chef d'État	
Macherov (P. M.)	13.02.1918		14	1er secrétaire du P.C. biélorusse	Mars 1965	Supervise le P.C. biélorusse	
Ponomarev (B. N.)	17.01.1905		8	Secrétaire du C.C.	Octobre 1961	Supervise le P.C.	Relations avec les P.C. étrangers qui ne sont pas au pouvoir
Rachidov (Ch. R.)	06.11.1917		19	1er secrétaire du P.C. uzbek	Mars 1959	Supervise le P.C. uzbek	
Solomentsev (M. S.)	05.11.1913		9	1er ministre de la RSFSR	Juillet 1971	Administration économique et finances de la RSFSR	
III							
Dolgikh (V. I.)	05.12.1924			Secrétaire CC	Décembre 1972	Industrie lourde	
Kapitonov (I. V.)	23.02.1915			—	Décembre 1965	Cadres du Parti	
Rusakov (K. V.)	31.12.1909			—	Mai 1977		Relations avec le camp socialiste
Zimianine (M. V.)	21.11.1914			—	Mars 1976	Culture	

unanimité d'avoir restauré un pouvoir personnel. Et une fois encore, le jugement du Parti est clair : le pouvoir personnel porte en lui les germes de tous les excès et de toutes les déviations; il est contraire à la vocation du Parti et aux intérêts sociaux. Khrouchtchev rejeté, ses collègues se sont juré de ne plus jamais laisser place au pouvoir personnel, de diriger collégialement le Parti et le pays. Quelques années de stabilité politique semblent déboucher, dès le début des années 1970, sur un phénomène bien connu : l'émergence d'une personnalité dominant une fois de plus le système. De l'équipe mise en place en 1964, un homme s'est dégagé, Brejnev, qui polarise l'attention et couvre de son nom la période tout entière. Les honneurs qui lui sont rendus dans son pays, l'attention que lui prête la société internationale, tout paraît témoigner que, en dépit de la condamnation répétée du pouvoir personnel en U.R.S.S., ce pouvoir existe à nouveau, comme il a existé dans le passé.

En théorie, il n'y a pas place en U.R.S.S. pour un pouvoir personnel, à la fois parce que le Parti le condamne [41] et que rien dans le système politique — dans la Constitution ou les Statuts du Parti — ne prévoit la concentration des pouvoirs dans les mains d'un homme. Pourtant, depuis la chute de Khrouchtchev, Brejnev s'est imposé comme dirigeant suprême. Il l'a fait parce que, progressivement, tous ceux qui pouvaient être ses rivaux ont disparu de la scène politique; parce qu'il a concentré dans ses mains les principaux pouvoirs; parce que le « culte » qui s'est développé autour de lui lui a donné une stature politique et une légitimité dont ne jouissent pas ses collègues.

En 1964, Khrouchtchev est éliminé au bénéfice d'une équipe dont les pouvoirs sont soigneusement balancés. Nul dans cette équipe ne domine les autres. Brejnev « coiffe » le Parti, mais Podgorny y jouit d'une autorité pour le moins égale à la sienne, car il a la responsabilité des problèmes d'organisation et de personnel dans le Parti, tandis que Kossyguine est chargé de l'appareil d'État. A ce petit groupe, il faut ajouter Chelepine, président du Comité de contrôle du Parti [42]. L'équilibre des positions est renforcé par un mélange des responsabilités. Nul n'a la charge d'un domaine d'action exclusif. C'est ainsi que tous les membres de cette *Troïka* ont des activités internationales et Kossyguine est alors celui qui y joue le premier rôle [43]. En 1965, quand l'U.R.S.S. tente de rapprocher Pakistanais et Indiens à la conférence de Tachkent, c'est le chef du gouvernement soviétique qui mène à bien cette médiation spectaculaire. Deux ans plus tard, c'est encore lui qui se rend en France et en Angleterre, puis rencontre le président Johnson à Glassboro. Ainsi, le premier sommet soviéto-américain de la période postkhrouchtchevienne est dominé par Kossyguine, et le gouvernement semble être le lieu où s'élaborent les relations internationales.

A Brejnev revient un autre secteur de la politique étrangère, qui se situe à la limite des problèmes internes et internationaux. Chef du Parti, il traite avant tout avec les pays communistes, et secondairement avec le Tiers-Monde. En 1969, sur les 92 jours qu'il a consacrés à des relations internationales, 9 seulement ont eu pour objet des pays extérieurs au monde communiste, et pour l'essentiel il s'est agi de pays du Tiers-Monde [44]. Jusqu'à la fin des années 60, c'est très nettement Kossyguine qui domine la politique extérieure de l'U.R.S.S. et que le monde extérieur voit le plus souvent. A l'intérieur, la répartition des tâches est tout aussi équitable. Lorsque, en été 1965, pour célébrer les vingt ans de la victoire sur l'Allemagne, le Parti décerne les titres de *villes héroïques* et leur attribue des médailles, la présence de Brejnev à Leningrad est compensée par celle de Kossyguine à Volgograd (nouveau nom de Stalingrad) et de Souslov à Odessa [45]. La collégialité bat alors son plein. Mais, insensiblement, la situation se modifie et, comme ce fut le cas dans le passé, c'est au sein des organes dirigeants du Parti que Brejnev acquiert d'abord une position plus forte que celle de ses collègues, grâce au déplacement — pacifique — de ceux qui font contrepoids à son autorité. Podgorny passe ainsi du Secrétariat à la présidence du Soviet suprême, qui est en 1965 une position plus honorifique que chargée de pouvoirs [46]. Désormais maître véritable du Parti puisqu'il a la responsabilité de la sélection des cadres, Brejnev va en recevoir le titre en 1966, quand le XXIIIᵉ Congrès rétablit le Secrétariat général, illustré depuis 1922 par Staline [47].

Que signifient et qu'impliquent ce changement de dénomination, ce retour à un titre inégalitaire, hiérarchisant et chargé de souvenirs si tragiques? Dès le XXIIIᵉ Congrès, on en entrevoit les conséquences immédiates. Brejnev se voit reconnaître par ses pairs un statut exceptionnel. Il va « diriger le Comité central », déclare Katouchev, étoile montante du Parti, récemment promu premier secrétaire de l'importante région de Gorki. « Il va diriger le Politburo », précise un autre délégué au congrès [48], et le premier secrétaire de Kirghizie complète ce portrait en saluant en Brejnev « le chef politique du Parti [49] ». A partir de là, le culte de Brejnev va aller s'amplifiant. D'abord, dans la manière dont on le désigne. Pour son soixante-dixième anniversaire, ses collègues saluent en lui le guide (*Vojd'* [50]) du Parti, titre auquel seuls Lénine et Staline avaient dans le passé eu droit. Pour souligner sa filiation avec Lénine, et probablement même une certaine égalité, son collègue Kirilenko définit ainsi la communauté politique soviétique : « Le Comité central, Léonid Ilitch (Brejnev) personnellement et tous ses compagnons d'armes (*Soratniki*) du Politburo. » Ici encore, le parallèle avec Lénine est frappant [51]. La place *personnelle* qui lui est reconnue dans le Parti, la désignation familière par son nom et son patronyme en omettant le nom de famille, le terme *compagnons d'armes* utilisé pour les compagnons de Lénine, tout paraît sortir des livres hagiographiques consacrés à Lénine et dépasse parfois le vocabulaire stalinien. Ajoutons-y, pour faire bonne mesure, « le dirigeant à la manière de Lénine [52] », l'homme dont « la vie et l'œuvre ont été consacrées à développer et incarner la cause de Lénine [53] », qui a « développé de manière créatrice la théorie marxiste-léniniste [54] ». On pourrait poursuivre longtemps l'énumération des qualificatifs toujours plus glorieux qui accompagnent désormais l'invocation du nom de Léonid Brejnev. Outre ces qualificatifs, il faut faire place aux honneurs qui lui sont rendus plus fréquemment que ne le veut la tradition soviétique pourtant peu restrictive. L'U.R.S.S. est accoutumée à la célébration des jubilés personnels et politiques. Tous les dix ans, elle célèbre les anniversaires de ses dirigeants, avec éclat et force remise de décorations que l'on voit sur la poitrine des intéressés lors des grandes cérémonies. Abondamment fêté et décoré lors de ses soixante et soixante-dixième anniversaires, ce qui était normal, Brejnev l'est à nouveau pour son soixante-douzième, le 19 décembre 1978, ce qui est exceptionnel [55]. Lors de la cérémonie organisée ce jour-là au Kremlin, Brejnev reçut pour la septième fois l'*ordre de Lénine* et pour la troisième fois la médaille d'or de *Héros de l'U.R.S.S.* Si l'on ajoute à ces trois médailles, qui ont marqué ses soixante-dix et soixante-douze ans, la médaille de *Héros du travail socialiste* qui lui a été décernée en 1961, la *médaille d'or de Karl Marx,* on constate qu'il est l'homme le plus décoré d'U.R.S.S. pour le présent, cela va sans dire, mais aussi pour le passé où il bat Staline, pourtant peu avare de décorations pour lui-même. Staline n'avait reçu que trois fois l'*ordre de Lénine,* une fois le titre de *Héros de l'U.R.S.S.,* en 1945, et une fois celui de *Héros du travail socialiste,* en 1939. On ne connaît qu'un seul précédent de plus grand cumul du titre de *Héros de l'U.R.S.S.,* c'est celui du maréchal Joukov, décoré quatre fois, mais en tant que vainqueur de la Deuxième Guerre mondiale.

L'œuvre écrite —souvenirs et ouvrages politiques— de Brejnev contribue à son culte. Cette œuvre accueillie « avec un immense intérêt par le peuple soviétique et toute l'humanité progressiste », « lue, relue et étudiée passionnément », « école de vie pour chaque nouvelle génération soviétique [56] », a valu à son auteur le prix Lénine de littérature le 22 avril 1979 (ce qui est anormal car ce prix ne devait être décerné qu'en 1980); des tirages fabuleux (la trilogie des souvenirs de Brejnev a déjà été tirée 180 fois avec un tirage global de 18 millions d'exemplaires et l'ensemble de son œuvre a été tirée à 65 millions d'exemplaires [57]). Enfin, bien que le XXe Congrès ait interdit que des monuments représentent des dirigeant vivants, les règles adoptées ont été assouplies en 1973, où le Parti a admis qu'exceptionnellement ceux qui sont « deux fois Héros de l'U.R.S.S. » peuvent être ainsi honorés. Le premier bénéficiaire de cette exception est naturellement Brejnev, dont le buste a été inauguré dans sa ville natale de Dneproderjinsk en mai 1976. En organisant cette cérémonie pour le trente et unième anniversaire de la victoire, le Parti mêlait adroitement le culte de Brejnev et la célébration d'un événement encore mobilisateur, et dissimulait quelque peu le caractère exorbitant de l'honneur rendu une fois de plus au seul Brejnev. La place qui lui est accordée dans la presse est tout aussi révélatrice de ce culte. Elle relève lors des congrès du Parti l'allongement constant des ovations qui vont à lui (vingt-cinq secondes d'applaudissements en 1966, vingt-huit en 1971, quarante-deux en 1976) et qui excèdent de très loin celles que reçoivent ses collègues les plus populaires (Kossyguine, qui se retrouve toujours en seconde position, atteint 11 secondes en 1976); quant aux autres, trois à quatre secondes suffisent à leurs admirateurs. Peu importe pour les journaux que ces applaudissements « véhéments et prolongés » soient dans une large mesure commandés par Brejnev lui-même, puisque c'est à lui que revient de lire la liste des élus, donc de laisser place ou non par le rythme qu'il adopte aux manifestations de sympathie du Congrès. Pour son soixante-dixième anniversaire, la *Pravda* lui consacre six pages entières d'un numéro porté exceptionnellement à huit pages [58]. Quant à ses discours, ils sont très souvent publiés in extenso, quels qu'en soient la longueur et le contenu. C'est ainsi que, lors des élections de 1971 au Soviet suprême, le candidat Brejnev a eu droit à treize colonnes de la *Pravda* pour rendre compte de ses discours, en première page. Ce traitement privilégié tranche avec les cinq colonnes généralement accordées en seconde ou troisième page de la *Pravda* aux principaux membres du Politburo, à l'exception de Kossyguine qui suit de près Brejnev (neuf colonnes en première page) et de Souslov et Kirilenko (six colonnes mais en seconde page) [59]. La place prééminente accordée à Brejnev est d'autant plus remarquable qu'en 1979 elle ne se justifie pas. Aux élections de 1974, Brejnev avait effectivement prononcé de longs discours qui imposaient que lui soient consacrées trois pages de la *Pravda*. La brièveté de sa prestation électorale en 1979 fait qu'elle n'occupe en réalité que la moitié de l'espace qui lui est assigné, et qu'il faut l'entourer de photos. En revanche, le long discours de Kossyguine est coupé, afin que la publication finale soit plus brève que celle du secrétaire général. On voit combien ce formalisme et ce respect des préséances sont révélateurs des hiérarchies politiques [60].

Objet d'un culte officiel, Brejnev est responsable d'une entorse — de taille — aux normes de la vie politique soviétique, dans la mesure où il y a introduit un certain népotisme. Les fondateurs du régime soviétique étaient attentifs à ne pas favoriser leurs proches et à ne pas créer des dynasties. Khrouchtchev avait le premier rompu avec cette réserve et fait jouer à son gendre Adjoubei un rôle qui lui sera reproché lors de sa chute [61]. Si, jusqu'au milieu des années 70, la famille du secrétaire général reste dans l'ombre, depuis lors deux de ses membres connaissent des promotions accélérées, que leurs liens familiaux avec Brejnev expliquent mieux que le déroulement de leurs carrières. Iouri Brejnev, le fils du secrétaire général, spécialiste du commerce extérieur, est délégué en 1976 au XXVe Congrès, honneur que ne justifient ni sa position dans le Parti ni sa position administrative, et nommé quelques mois plus tard ministre adjoint du Commerce extérieur de l'U.R.S.S., chargé des problèmes de transport, puis premier ministre adjoint du Commerce extérieur en mars 1979 [62]. Ces promotions successives d'un homme jeune (il est né en 1933) dans un système politique acharné à accorder des postes ministériels aux hommes d'âge ne sont clairement pas le fait du hasard ni du mérite. Comme son père au demeurant, Iouri Brejnev collectionne les décorations. Autre promotion familiale, discrète elle aussi, celle de Iou M. Tchourbanov [63], gendre de Brejnev, qui à quarante-quatre ans est promu premier ministre adjoint aux Affaires intérieures de l'U.R.S.S., en remplacement du général Papoutine [64] dont la mort coïncide mystérieusement avec l'invasion de l'Afghanistan en décembre 1979 [65]. Cette rapide progression des éléments mâles de la famille Brejnev vers des postes élevés de l'administration soviétique est en opposition avec la tendance générale des enfants des dirigeants à s'orienter plutôt vers des carrières parapolitiques ou intellectuelles. Ce qui est remarquable ici, c'est que le népotisme est un phénomène rare dans la classe politique soviétique, et qu'il apparaît tardivement dans la période brejnevienne.

Brejnev semble ainsi accumuler toutes les manifestations du pouvoir personnel que son Parti a si sévèrement condamnées en 1956. Mais si le « culte de la personnalité » et le népotisme peuvent ainsi se donner libre cours, n'est-ce pas parce qu'ils traduisent la position de pouvoir exceptionnelle de Brejnev? Ici encore, le changement survenu par rapport à 1964, et même par rapport à l'époque stalinienne, semble désigner Brejnev comme l'homme le plus puissant de toute l'histoire soviétique. Les pouvoirs qu'il a concentrés progressivement dans ses mains n'ont pas de précédent.

En devenant secrétaire général du Parti en 1966, il acquiert en principe le contrôle du Parti tout entier. Il a en effet une autorité prépondérante sur le Politburo, dont il est depuis 1976 couramment désigné comme « chef [66] », titre totalement irrégulier car le secrétaire général n'a aucun droit à diriger le Politburo. Mais cette appellation et le fait d'être toujours placé en tête de la liste du Politburo, même lorsque prévaut l'ordre alphabétique [67] pour en désigner les membres, soulignent l'autorité personnelle du secrétaire général sur cet organe. Son autorité sur le Secrétariat est plus normale; il a officiellement le contrôle de ses réunions et de son ordre du jour, le contrôle aussi de toutes les nominations dans le Parti et hors du Parti, par la Nomenclature [68]. Toute la bureaucratie soviétique relève ainsi de l'autorité du Secrétariat général; cet instrument avait permis dans le passé à Staline de manipuler complètement le Parti et de le réduire à une passivité complète.

Sans doute la séparation des pouvoirs du gouvernement et du Parti, décidée une première fois en 1953 pour affaiblir Malenkov, une seconde fois en 1964, a-t-elle été maintenue. Mais cette séparation des pouvoirs a dans une large mesure perdu sa signification, parce que Brejnev s'est emparé de la politique internationale et qu'aux yeux du monde extérieur il est devenu le vrai chef de l'État soviétique; parce que aussi, en 1977, il reçoit le titre de chef d'État.

La politique extérieure a depuis 1956 été un moyen pour les dirigeants soviétiques d'affirmer leur autorité. Khrouchtchev avait obtenu de ses collègues de devenir *aussi* chef du gouvernement en 1958, en invoquant qu'un chef de Parti était mal placé pour négocier avec des chefs d'État non communistes [69]. Au début de la période postkhrouchtchevienne, un partage du domaine international paraît être la réponse raisonnable à ce problème. Le chef du gouvernement traite avec les chefs d'États non communistes, tandis que le chef du Parti se réserve les relations avec les États communistes et le Tiers-Monde, que l'U.R.S.S. classe dans une catégorie particulière.

Mais, sur ce plan aussi, la situation évolue au début des années 70, où Brejnev remplace progressivement sur la scène Kossyguine. Dès 1971, la part de relations qu'il entretient avec le monde non communiste représente près du tiers de ses activités. Il abandonne au chef de l'État, Podgorny, une partie des relations avec le Tiers-Monde et prend en charge les interlocuteurs les plus importants du monde occidental, ceux qu'intéresse la détente : États-Unis, France, Allemagne. En 1974, près des deux tiers de son activité extérieure sont consacrés au monde occidental, le reste doit assurer la cohésion du monde communiste et les liens avec quelques pays du Tiers-Monde jugés proches de l'U.R.S.S. Avec la chute de Podgorny, à la fin de 1976, Léonid Brejnev reste maître de toute la politique extérieure soviétique.

C'est à ce point qu'il va assumer une charge nouvelle : celle de l'État. La présidence du Praesidium du Soviet suprême a été longtemps une fonction purement formelle, dont le titulaire était à l'écart de toute responsabilité. Mais Podgorny s'était efforcé d'utiliser cette fonction pour sauvegarder une part de pouvoir. En y élisant Brejnev en 1977, ses collègues ont résolu le problème, déjà posé par Khrouchtchev, du statut international de celui qui incarne la politique extérieure soviétique. Mais, en même temps, ils ont évité de placer entre les mains du chef du Parti l'appareil gouvernemental, qui représente sans aucun doute un instrument réel de pouvoir. Ainsi évitaient-ils de reconstituer une puissance politique condamnée, et évocatrice de mauvais souvenirs. Ainsi évitaient-ils aussi de déposséder Kossyguine, dont la popularité se manifeste à chaque congrès du Parti et repose sur une compétence économique toujours soulignée. Les conditions dans lesquelles Brejnev a été porté à la tête de l'État soviétique ne sont d'ailleurs pas totalement claires. Brejnev a été élu président le 16 juin 1977, lors de la réunion du Soviet suprême, sur la proposition de Souslov, qui a invoqué l'intérêt supérieur de l'État [70]. Revenant deux ans plus tard sur cette élection [71], Souslov a précisé que la décision de proposer

Brejnev à ce poste avait été prise lors du plénum du Comité central de mai 1977. Mais à lire le compte rendu que fait la *Pravda* de ce plénum[72], on constate que, si elle rapporte l'éviction de Podgorny, elle est muette sur le problème de sa succession. Ces contradictions témoignent soit que les décisions politiques prises en U.R.S.S. sont souvent tardivement annoncées à l'ensemble du Parti, soit encore que le niveau auquel elles sont prises n'est pas toujours le Comité central.

Plus que la fonction de chef de l'État qui est de prestige, ce sont les pouvoirs militaires de Brejnev qui méritent de retenir l'attention car, ici, on entre dans le problème des relations entre le pouvoir civil et l'armée.

C'est à partir de 1974 que l'on décèle dans les préoccupations et le cursus de Brejnev un véritable « tournant militaire ». Dans son discours du Nouvel An, où il dit sa volonté de poursuivre une politique de coexistence, Brejnev insiste en même temps, à trois reprises, sur les impératifs de la défense et sur la nécessité de renforcer le potentiel militaire soviétique[73]. A partir de ce moment, Brejnev, dont le passé militaire est essentiellement lié aux services politiques de l'armée, va franchir à vive allure tous les degrés de la hiérarchie militaire, pour atteindre en deux ans la direction suprême. En avril 1975, pour le trentième anniversaire de la victoire, le maréchal Gretchko, ministre de la Défense, le nomme général d'armée[74], lui épargnant le passage par le rang intermédiaire de général colonel. En mai 1976, il est nommé maréchal de l'U.R.S.S., et ses compatriotes découvrent incidemment, au hasard d'un communiqué, qu'il est aussi président du *Conseil de défense de l'État*[75], ce qui en fait le chef suprême des armées soviétiques et lui permet de coiffer la totalité du *complexe militaro-industriel*[76]. Dès lors, tout va contribuer à renforcer la stature militaire de Brejnev. Ses activités de guerre sont valorisées, à la fois dans son œuvre propre *(Malaïa Zemlia)* et dans les commentaires qui sont faits de son passé[77]. Aux décorations civiles qu'il collectionne, Brejnev ajoute à cette époque les plus hautes décorations militaires. Un sabre en or, rarissime décoration appelée les *armes de l'honneur,* lui est décerné pour ses soixante-dix ans en décembre 1976; puis, le 20 février 1978, le Praesidium du Soviet suprême, qu'il préside, lui confère la décoration militaire suprême, l'*ordre de la Victoire*[78], réservée en principe à ceux qui ont occupé des « postes de commandement au niveau le plus élevé » et dont les activités sur le front « ont radicalement changé la situation militaire[79] ». Le moins que l'on puisse dire est que le passé militaire de Brejnev ne répond guère à ces critères. Mais c'est bien comme chef suprême des armées, couvert d'honneurs et de titres, qu'il effectue une tournée d'inspection des troupes de Sibérie et d'Extrême-Orient, suivi du ministre de la Défense. Ses inspections des unités les plus avancées de l'U.R.S.S. (fusées à Novosibirsk, base navale de Vladivostok, etc.), l'insistance mise par la presse à souligner que le voyage concerne, avant tout, la défense et la sécurité de l'U.R.S.S. [80], tout montre l'importance du rôle militaire de Brejnev.

Ainsi, après une période de relatif effacement, au cours des années soixante-dix, Brejnev a-t-il soudain entrepris d'accumuler les pouvoirs, les honneurs et les hommages, au point de devenir à la fin de la décennie « la personnalité politique, étatique et militaire dominante de notre époque [81] », l'homme qui établit le lien avec Lénine, par-dessus toute l'histoire soviétique [82].

Cette émergence de Brejnev au sommet de la pyramide politique soviétique, qui le désigne à l'attention mondiale comme le véritable maître de l'U.R.S.S., peut-elle être tenue pour la réalité de la vie politique soviétique ou bien pour une image déformée du réel? Il est remarquable que cette concentration des pouvoirs, dont l'U.R.S.S. connaît des précédents, s'est opérée sans que la stabilité du système politique soit affectée. Lorsqu'il s'est attribué tous les pouvoirs, Staline a imposé ses décisions à ses collègues en les déshonorant, puis en les liquidant. Il a dominé sans conteste un Parti terrorisé par les purges permanentes qu'il subissait. Lorsque à son tour il a tenté de s'imposer à ses pairs, Khrouchtchev a dû, autant qu'il le pouvait, modifier la composition de l'équipe dirigeante du Parti; et ses pairs, peu disposés à se laisser dominer, puis éliminer, s'en sont débarrassés en peu d'années.

La montée de Brejnev vers les responsabilités suprêmes ne ressemble en rien à ces précédents. Sans doute le renouvellement des organes dirigeants en est-il un aspect; mais on y reviendra, il a des traits particuliers qui tranchent avec les crises politiques du passé. De surcroît, les figures les plus prestigieuses du système politique soviétique, Kossyguine, Souslov, loin d'être affectées par ces changements, semblent y avoir largement contribué. Enfin, la durée du pouvoir brejnevien — en 1980 il est déjà resté au pouvoir deux fois plus longtemps que Khrouchtchev, près de trois fois plus longtemps que Lénine, et sa longévité politique semble s'apparenter à celle de Staline —, cette durée suggère un certain consensus. Deux questions se posent ici :

— Tous les éléments du pouvoir de Brejnev qui ont été décrits

— culte de la personnalité, concentration des pouvoirs — sont-ils en développement constant et réel?

— Quel équilibre existe-t-il dans les relations entre ce dirigeant tout-puissant et l'appareil du Parti qui l'entoure et qui l'a élu?

Il est un domaine précis où l'on ne peut mettre en doute les effets réels du culte de Brejnev, c'est celui des avantages concrets qui l'accompagnent. Brejnev se situe incontestablement hors du commun, c'est à ce statut particulier qu'il doit de pouvoir pratiquer le népotisme sans encourir les critiques. Mais il convient ici de prendre la mesure de ce privilège. Les carrières en U.R.S.S. peuvent se défaire aussi vite qu'elles se font; et, parce qu'elles sont fondées sur une décision politique, nul ne peut en garantir la stabilité. Adjoubei, dont Khrouchtchev avait assuré la fortune, a connu une chute rapide. Quant au reste, Brejnev tire de ses diverses fonctions et décorations des bénéfices matériels que l'on ne peut évaluer. Un exemple éclaire cette difficulté à préciser les revenus des dirigeants soviétiques, celui des droits d'auteur. C'est à sa position politique que Brejnev doit les fabuleux tirages de son œuvre littéraire. Il est impossible d'évaluer, même approximativement, les droits qu'il en retire, mais sa seule *Trilogie*, dont le tirage officiel dépasse 10 millions d'exemplaires, devrait rapporter un minimum de 500 000 roubles. (Il faut rappeler ici que le salaire annuel moyen en U.R.S.S. est en 1980 inférieur à 2 000 roubles.) Un silence complet pèse sur ce problème, et sur l'usage qui peut être fait de ces sommes. Mais il est évident que le pouvoir en U.R.S.S., s'il n'est pas à l'origine lié au capital, peut avoir des incidences financières considérables, dont tout l'entourage de Brejnev bénéficie. Sans doute l'austérité originelle des dirigeants soviétiques, les appels fréquents lancés par Brejnev lui-même à l'économie lui inter-disent-ils d'introduire dans son existence des changements par trop voyants. Son seul luxe apparent est l'utilisation du parc de voitures que lui ont offert des chefs d'État étrangers. Mais ce qui reste d'aspirations égalitaires en U.R.S.S. est largement battu en brèche par les fortunes qui s'édifient grâce au pouvoir.

Au-delà de ces inégalités matérielles évidentes, il est contes-table d'analyser sans nuances la portée, la signification du culte dont Brejnev est entouré. Car les nuances existent et modifient, lorsqu'on les prend en considération, les contours du personnage et son poids politique. Tandis que ses collègues saluaient en Staline un homme hors du commun, « le plus grand homme de tous les temps [83] », aux vertus personnelles incomparables, les hommages rendus à Brejnev insistent surtout sur des qualités humaines qui sont celles de l'homme moyen et sur son aptitude à la collégialité. Ce sont ses plus fervents laudateurs, justement, qui éclairent de ces traits inattendus les portraits qu'ils brossent de leur guide. Ce qu'il a d'exceptionnel, dit Edouard Chevarnadze au XXV° Congrès, c'est sa modestie : « Il ne joue pas au surhomme, et n'essaie jamais de se substituer à autrui. » Son mérite premier, c'est « d'avoir établi de bons contacts humains dans le Parti », « d'y avoir créé une bonne atmosphère de travail et d'y avoir développé les consultations et la coopération [84] ». Périodiquement d'ailleurs — et surtout au moment où le culte de Brejnev ou encore ses prérogatives progressent —, le Parti, sur lequel il a autorité, réaffirme l'importance du principe collégial.

« Le secrétaire général du Parti n'est pas un chef, il ne peut ordonner. Il n'est que le premier des pairs d'une direction collective élue par les communistes [85]. »

On peut ainsi faire une double lecture de tous les textes qui fondent le culte de Brejnev. D'un côté, il y a l'abondance de ces textes, le nombre considérable de fois où il est cité, applaudi, salué pour ses qualités, la place que la presse accorde à ses moindres gestes. Mais, en regard, il y a le contenu de ces louanges, qui fait de Brejnev un homme de grand mérite sans doute, mais un homme représentatif de la classe politique qui l'entoure : fils de travailleurs [86], promu par le Parti aux plus hautes charges et attaché, à cause de cela, à défendre les intérêts du Parti. Rien dans ces éloges, dans cette terminologie ne dessine le portrait d'un chef charismatique. Le chef charismatique, Max Weber l'a bien décrit, se sent, s'affirme investi d'une mission dont il est seul comptable. C'est pourquoi sa légitimité ne dépend de personne, et l'attitude des masses à son égard ne compte guère [87]. Radicalement différente est la légitimité de Brejnev, telle qu'elle se dégage de son culte. Il n'a aucune mission à revendiquer, il n'est que le mandataire des communistes, et son autorité repose sur la confiance qu'ils lui accordent. Ce héros ordinaire est à l'image de ses pairs : des hommes âgés, qui affirment continûment en politique intérieure et extérieure leur souci de stabilité et de sécurité. De même que son culte est quelque peu ambigu, de même les pouvoirs concentrés par Brejnev ne sont pas, aussi clairement qu'il y paraît de prime abord, les instruments d'un pouvoir total. La charge de secrétaire général du Parti — qu'au demeurant les statuts ne définissent guère — comporte des éléments de pouvoir considérables. Mais, même dans cette charge, Brejnev semble disposer d'un pouvoir restreint par la présence continue depuis 1964, au Politburo et au Secrétariat, de collègues, tel Kossyguine, à qui des responsabilités gouvernementales assurent aussi une grande autorité. Depuis 1964, les dirigeants soviétiques se sont apparemment scindés en deux groupes : ceux qu'aucun changement n'atteint et qui représentent une permanence, ceux dont la carrière plus brève restreint l'autorité. Les permanents sont précisément ceux qui partagent le passé de Brejnev, qui ont sensiblement la même histoire et le même profil politique que lui. Cette similitude de destin et de longévité politique leur assure, dans leur domaine, une considérable autorité.

Il est significatif qu'à maintes reprises Brejnev, pour des raisons de santé, mais parfois sans que celles-ci puissent être invoquées, ait été remplacé par ceux qui appartiennent à ce groupe d'anciens. Le plénum du Comité central qui s'est tenu en avril 1979 illustre le partage des tâches qui parfois s'opère dans les organes dirigeants. Il est de règle dans ces plénums que les questions importantes d'organisation soient traitées par le secrétaire général du Parti. Le plénum d'avril avait à exposer les propositions du Politburo pour le travail du nouveau Soviet suprême. Bien que la voix du Politburo soit en ces circonstances représentée par le secrétaire général du Parti, il ressort clairement des informations de la *Pravda* que le secrétaire général s'est borné à introduire rapidement le débat et que Souslov s'est exprimé au nom du Politburo [88]. Cette substitution d'un dirigeant à Brejnev s'est confirmée quelques jours plus tard, le 18 avril 1979, lors de la session inaugurale de la dixième législature du Soviet suprême. Ici encore, c'est Souslov qui propose à l'approbation des députés la réélection de Brejnev comme chef d'État, mais aussi, empiétant nettement sur les prérogatives de Brejnev, l'élection du vice-président, Vassili Kouznetsov, et de tout le Praesidium [89]. Ces propositions, privilège du secrétaire général, et ici les procédures avaient toujours été respectées dans les législatures antérieures [90], témoignent non d'une défaveur qui soudain pèse sur Brejnev, mais d'une coopération au sein du Politburo. L'élection d'un vice-président pour assister Brejnev s'est aussitôt traduite dans les faits. C'est Kouznetsov qui a présidé, la veille de la session d'ouverture du Soviet suprême, la session commune du *Conseil des Anciens* des deux assemblées, et la réunion du Praesidium sortant [91].

En maintes autres occasions, Brejnev est remplacé par ses

pairs, ce qui eût été impensable à l'époque de Staline et qui, sous Khrouchtchev, eût clairement signifié un revers politique. A la fin des années 70, ce partage des tâches entre les figures les plus prestigieuses du Politburo correspond bien à l'affirmation constante de collégialité qui sous-tend tous les compliments adressés à Brejnev.

On entrevoit ainsi ce qu'est le pouvoir réel de Brejnev. Les pouvoirs qui sont entre ses mains lui ont été remis par ses pairs, et non arrachés à eux. S'il a été choisi par ses pairs, c'est délibérément, en fonction de critères objectifs et d'une volonté commune de définir les limites du pouvoir personnel. Les critères objectifs sont liés à sa carrière. De tous les successeurs potentiels de Khrouchtchev, Brejnev était le seul qui eût une expérience politique d'une telle ampleur, professionnelle et géographique. Il est, avant tout, un homme de l'appareil du Parti, où s'est déroulée toute sa carrière. Il y a œuvré dans tous les domaines — cadres, agriculture, industrie, armée. Par ailleurs, il a à son actif trois types d'expérience, qui recouvrent tous les niveaux géographiques du pouvoir en U.R.S.S. : responsabilité d'une région (Dnepropetrovsk), de républiques (Ukraine, Kazakhstan, Moldavie), responsabilités au centre. Ainsi, aucun aspect sectoriel ou régional-national de l'U.R.S.S., aucun problème de coordination ou de différence ne lui était inconnu. Il suffit de regarder les biographies des dirigeants soviétiques pour constater que Brejnev est à cet égard un cas exceptionnel parmi ses pairs. A ce choix qui relève de la nécessité, le « meilleur choix », s'est ajouté en 1964 un accord sur un certain nombre d'exigences que Brejnev a toujours respectées :

— ne plus cumuler les pouvoirs du Parti et du gouvernement,

— rétablir la stabilité des emplois,

— restaurer l'autorité de tous les pairs, c'est-à-dire du Praesidium (ex et futur Politburo),

— accepter une certaine division du travail entre État et Parti.

Ces critères et ces exigences dessinent tous les contours d'un système politique stable, avec ses règles. A l'intérieur de ces exigences, Brejnev s'est incontestablement taillé une autorité et des moyens de pouvoir accrus. Ses collègues l'ont laissé libre de pousser ses avantages dans deux domaines. Dans celui du prestige où ils ne gênaient personne (par la multiplication des titres et des décorations) et dont la contrepartie est que Brejnev, pour en diminuer l'éclat, décore à son tour ses collègues, ce qui leur confère aussi de multiples privilèges matériels et sociaux [92]. Par ailleurs, ses collègues lui ont laissé une certaine latitude d'action dans le domaine qui requiert le plus d'activité personnelle, c'est-à-dire celui de la politique étrangère, d'où il a progressivement éliminé Kossyguine et Podgorny. Quant à ses fonctions militaires, elles résultent vraisemblablement, on y reviendra, d'un large consensus du Politburo sur la fonction de pouvoir politique. Mais dans toutes ces manifestations d'autorité, Brejnev a respecté, de toute évidence, le système instauré en 1964, ce qui, par l'exigence de stabilité, limite considérablement ses moyens d'actions.

*
* *

Le système politique soviétique, de prime abord, semble pouvoir être réduit à une dictature personnelle dissimulée derrière l'alibi du Parti et de ses instances dirigeantes, ou encore à une lutte permanente entre l'ambition et les projets de Brejnev et les volontés de ses collègues. Mais à y regarder de près, on s'aperçoit que le système, dans sa structure même, a profondément changé. Lénine a été véritablement le dirigeant charismatique de l'U.R.S.S., hors de toute volonté de pouvoir personnel et en s'efforçant même de dépersonnaliser le pouvoir. Mais, Zbigniew Brzezinski l'a justement souligné, le pouvoir personnel existe dans un système de Parti unique, quand celui qui l'incarne est tout à la fois le chef du Parti, son théoricien et le chef de l'État que ce Parti organise. Tout cela, Lénine le combinait, sans contestation possible, et c'est pourquoi il a pu, après octobre 1917, laisser le Parti aux mains de ses collègues et diriger l'État. Son autorité morale sur le Parti restait prééminente. Staline s'est coulé dans le même type d'autorité à trois faces, en éliminant ou amoindrissant tous ceux qui auraient pu prétendre y faire contrepoids. Mais les successeurs de Khrouchtchev ont pris grand soin (après les tentatives manquées de ce dernier pour restaurer la même unité de direction) de séparer ces fonctions. Peu importe que Brejnev soit chef d'État en même temps que du Parti si le gouvernement, c'est-à-dire la gestion des affaires publiques, de l'économie, la réalisation des projets, est séparé de son pouvoir et si un autre en incarne la hiérarchie. Peu importe que ses collègues vantent ses mérites de théoricien et d'écrivain si le soin de dire l'orthodoxie communiste revient globalement au Parti, et nommément à son porte-parole, Souslov. La personnalisation extrême du pouvoir brejnevien, à laquelle ses collègues ont consenti et contribué, ne coïncide pas avec le véritable pouvoir personnel. Et la stabilité du personnel dirigeant *, le maintien de ses collègues aux fonctions essentielles qui limitent son pouvoir, auquel Brejnev consent, dessinent les véritables traits du système, c'est-à-dire la persistance d'un pouvoir collectif. L'analyse de l'arrière-plan du pouvoir — la relève politique — et son mode de fonctionnement doivent permettre de déterminer quel est le degré de consolidation de ce pouvoir transformé.

* Voir p. 296-297 et p. 298-299, la composition Politburo et du Secrétariat du Comité central depuis 1952.

CHAPITRE IV

LE VIVIER POLITIQUE

Les dirigeants de l'U.R.S.S. — par leurs très grands pouvoirs et leur longévité — retiennent l'attention, et par là même, contribuent à donner de l'organisation politique une image déformée. Pourtant, les systèmes communistes, et celui de l'U.R.S.S. en premier lieu, plus que les systèmes libéraux, ont développé en arrière du pouvoir central, à tous les niveaux, une bureaucratie immense dont l'organisation et la coordination sont essentielles à leur fonctionnement. A cette exigence, il y a plusieurs raisons. L'immensité du territoire soviétique et les différences entre populations, sans doute. Mais, bien davantage, la nature du système lui-même. L'organisation communiste de la société place sous l'autorité d'un parti unique, hautement centralisé, toutes les activités collectives et individuelles. Pas de partis dans le domaine politique, pas de marché dans le domaine économique, pas d'organisations dans le domaine social et culturel qui puissent jouer un rôle autonome. L'immensité des tâches qui incombent au Parti et à l'État sur un immense territoire implique un très haut degré de centralisation. Enfin, et ce n'est pas un argument mineur, la tradition politique que les bolcheviks ont adoptée a contribué à les orienter vers un pouvoir bureaucratique. Le modèle d'organisation favori de Lénine, c'est l'Armée. Tous ses écrits en témoignent. Le développement économique au début du XXe siècle, et c'est l'ambition des bolcheviks, a été réalisé dans le cadre de sociétés militaires, la Prusse et le Japon. Et le système soviétique, dès ses premières années, se militarise rapidement, dans ses principes organisationnels, dans la structure qu'il impose à la société.

Le pouvoir des dirigeants se manifeste par cette bureaucratie, qui assure l'encadrement de la société et l'application des décisions prises au sommet, qui est aussi, et cela est essentiel, le vivier politique d'où montera la nouvelle direction de l'U.R.S.S.

Le peuple communiste

Le Parti, colonne vertébrale du système soviétique, est tout à la fois organe de décision et organe administratif, qui tantôt se confond, tantôt participe à la gestion de l'U.R.S.S. à tous les niveaux et dans toutes les sphères d'activité. C'est pourquoi il importe d'abord d'en définir brièvement l'organisation et les principes directeurs.

Un premier trait de l'organisation du Parti communiste de l'U.R.S.S. est qu'il coïncide exactement avec l'organisation territoriale et politique du pays [1]. L'U.R.S.S. est divisée en *républiques nationales* (14), en *régions (Oblast)*, en *villes*, en *districts (raïons)*, urbains ou ruraux. La première entité, ou république nationale, correspond à la volonté des fondateurs de l'U.R.S.S. de reconnaître — temporairement au moins — les différences nationales et l'aspiration des groupes nationaux à voir ces différences se traduire en différences statutaires. Pour la même raison, il existe deux autres types de formations politico-territoriales en U.R.S.S., la *république autonome* et le *territoire (Krai)*, dont la dimension et l'organisation politique sont celles des régions, mais où l'on reconnaît certains droits particuliers aux groupes nationaux qui en forment la majorité. Dans cet ensemble, quatre républiques se détachent, la Russie (R.S.F.S.R.), l'Ukraine, le Kazakhstan et la Biélorussie. En raison de leur taille, elles sont subdivisées en *régions, républiques autonomes* ou territoires [2]. Les autres républiques n'ont pas, pour la plupart, de telles subdivisions, car elles ont tout simplement la dimension d'une région de Russie. L'organisation du Parti coïncide avec ce découpage territorial, et l'on trouve à chaque niveau une organisation correspondante du Parti, avec un ensemble d'institutions — un comité, un bureau et un secrétariat. Les institutions locales du Parti sont organisées sur le modèle des organisations centrales, elles ont des attributions similaires, seuls varient les noms, la taille et l'ampleur des responsabilités. Ce qui importe c'est que, du centre de l'Union soviétique — Moscou — au dernier village, on retrouve les mêmes institutions exécutives — un bureau du Parti et un secrétariat — et que, du centre à la base, un réseau de relations rigides soit établi, dont Lénine a posé les règles dans le concept de *centralisme démocratique*[3]. Aux termes de ce concept, l'organisation du Parti va dans deux sens : la base, par la règle des élections à tous les niveaux, envoie jusqu'au sommet ses représentants et a, à tous moments, le droit de recevoir d'eux des comptes rendus d'activité. En sens inverse, du sommet partent le contrôle de toutes les activités de la base et le pouvoir de décision. Cette organisation, caractérisée à la fois par la centralisation et la capacité à pénétrer dans les lieux les plus éloignés, a un niveau particulièrement important car il sert de relais entre le centre et les organisations inférieures, c'est la *région*. Par sa taille, sa composition humaine, ses tâches économiques, la région est un véritable État en réduction. Ce n'est pas un hasard si un des meilleurs spécialistes américains de l'U.R.S.S., Jerry Hough, a vu dans la région l'équivalent du département français et comparé le premier secrétaire de l'organisation communiste régionale — l'*Obkom* — aux préfets français[4].

Le Parti communiste est conçu en U.R.S.S., même si rien ne le stipule dans la Constitution, comme le vivier politique où le système puise tous ses cadres. Ce vivier est, par définition, le lieu où se rassemblent les « meilleurs » citoyens de l'U.R.S.S., les plus conscients, et le critère essentiel de recrutement — en théorie du moins— est un haut degré de conscience politique et d'adhésion au système. A considérer la composition actuelle du Parti et les chances de promotion qu'il offre à ses membres, on peut mesurer l'évolution du système soviétique et saisir ses tendances actuelles.

Conçu par Lénine comme un parti de professionnels de la révolution, que représente désormais le Parti par rapport à la société? Dans quelle mesure en est-il un reflet fidèle? Que signifient aujourd'hui conscience politique et fidélité au système? La composition du Parti est révélatrice à cet égard.

Le Parti communiste est devenu — il faut y insister — un parti de masse : plus de 16 millions de membres[5], 10 % de la population active. Ces chiffres suggèrent que par l'adhésion au Parti communiste un certain degré de participation politique est assuré. Cependant, à comparer l'évolution du recrutement du Parti, d'un congrès à l'autre, on constate un ralentissement et un changement sociologique. La croissance rapide des effectifs du Parti, qui a caractérisé les années 1952 à 1965, appartient désormais aux tendances du passé. De 1961 à 1966, le Parti s'est accru chaque année de 760 000 membres; de 1966 à 1971, 600 000 nouveaux membres seulement ont été acceptés annuellement, et en 1976 la moyenne tombe à 450 000 [6]. Des raisons naturelles expliquent ce recul. La population soviétique, jadis en rapide accroissement, connaît comme toutes les populations des pays industrialisés un net recul démographique. Surtout, l'U.R.S.S. a payé dans les années 70 le prix de la Seconde Guerre mondiale. La génération décimée se constate dans la baisse importante du nombre de jeunes de 20 à 30 ans, qui en 1959 représentaient 18,5 % de la population totale de l'U.R.S.S., mais en 1970 n'en sont plus que 12,8 % [7], or, c'est précisément dans cette tranche d'âge que le Parti recrute la majorité de ses nouveaux adhérents.

Enfin, à partir du milieu des années 60, le Parti se fait plus rigoureux dans ses procédures d'admission et contraint ses membres à suivre, une fois admis, un enseignement politique plus lourd que par le passé. Si l'on y ajoute que la procédure d'échange des cartes au début des années 70 a donné lieu à un examen approfondi des qualités et de l'activité des membres et qu'au terme de ces vérifications 347 000 communistes ont été expulsés du Parti [8], on comprend pourquoi le Parti progresse désormais plus lentement.

Mais plus intéressante est la modification de la composition sociale du Parti. Tous les congrès de l'époque poststalinienne ont répété qu'il fallait rapprocher le Parti de la société en l'ouvrant davantage aux ouvriers. A comparer les chiffres (cf. tableaux page 105) indiquant la structure sociale du Parti, on constate à la fois les progrès accomplis dans le sens de l' « ouvriérisation » et leurs limites.

La juxtaposition de ces tableaux montre d'emblée : que le Parti fait une place excessive à la catégorie large et imprécise des *employés* [9]; que la classe ouvrière y reste sous-représentée, en dépit d'un léger progrès; que le seul groupe dont la place dans la société soviétique et la représentation communiste semble coïncider à peu près est la paysannerie.

Mais, ici comme en d'autres cas, les chiffres traduisent des réalités quelque peu tronquées. Tout d'abord, pour ce qui concerne la catégorie des paysans, à qui le Parti ne fait nullement la part si belle qu'il y paraît. S'il y a désormais un certain équilibre entre le groupe paysan et sa représentation communiste, c'est par suite d'un transfert statistique d'une importante fraction de la paysannerie dans le groupe des ouvriers. En effet, une des constantes de la politique agricole de l'U.R.S.S. au cours des années 70 a été la multiplication des *sovkhozes* (fermes d'État) au détriment des *kolkhozes* (coopé-

I. Composition sociale de l'U.R.S.S. (%) [10]

Années	Ouvriers	Paysans	Employés
1959	48	31	20
1976	61,2	16,4	22,4

II. Composition du P.C.U.S. (%) [11]

Années	Ouvriers	Paysans	Employés
1961	33,9	17,6	48,5
1971	40,1	15,1	44,8
1976	41,6	13,9	44,4

ratives paysannes) [12]. Cette modification structurelle de la campagne, qui place désormais plus de la moitié de la population paysanne sous l'autorité d'un employeur commun qui est l'État, entraîne le transfert statistique des paysans de leur catégorie initiale à celle des ouvriers. La campagne emploie toujours beaucoup de monde, mais sous des appellations différentes. Donc une première conclusion s'impose, c'est que la campagne reste très sous-représentée dans le Parti.

Une seconde distorsion entre les chiffres et leur traduction concrète découle de ce que le classement dans une catégorie professionnelle des membres du Parti ne tient pas toujours compte de leurs activités réelles; que de surcroît le Parti retient fréquemment dans ses statistiques l'activité d'un individu au moment où il entre dans ses rangs et « oublie » par la suite l'évolution de sa carrière. La première réserve est particulièrement importante, s'agissant du recrutement paysan. A y regarder dans le détail, on constate que les communistes, issus en théorie de la paysannerie, sont pour moitié techniciens (tractoristes, etc.) et pour moitié seulement des paysans travaillant la terre, alors que les premiers représentent 1/5e de la main-d'œuvre rurale et les seconds 4/5e.

Quant au second point, il est impossible d'en mesurer les implications réelles sur la définition sociale des origines des membres du Parti. Mais maints indices suggèrent que les hommes les mieux insérés dans l'appareil, comme Brejnev, doivent à un épisodique passage dans la production de figurer encore dans la catégorie des ouvriers. C'est pourquoi il est hasardeux de chercher à comparer avec précision la société et le Parti.

En revanche, on pénètre dans un territoire plus sûr dès lors que l'on se réfère à des critères non professionnels, tels le sexe, l'âge, le militantisme et l'éducation, qui permettent de mieux saisir comment et pourquoi l'on devient communiste en URSS. L'égalité des sexes, principe fondamental du droit soviétique, n'apparaît guère à considérer le Parti et, ici, aucun transfert statistique n'est pensable. Le Parti compte, en 1976, 3 793 859 femmes [13], soit moins du quart du peuple communiste. Sans doute y a-t-il ici un progrès par rapport au passé puisque en 1966, la part des femmes dans le Parti était de 20,6 % [14]. Mais si l'on compare le poids respectif des hommes et des femmes dans la société soviétique, on constate qu'une femme a, en 1959, cinq fois moins de chances qu'un homme d'entrer au Parti, et en 1974 quatre fois moins de chances. L'égalité des sexes, vue dans cette perspective, relève nettement plus de la théorie que du réel.

L'âge moyen des membres du Parti est difficile à évaluer, car les données publiées en U.R.S.S. sont imprécises. Mais on peut, en revanche, comparer la répartition par classes d'âge du Parti et de la population. La juxtaposition des données connues permet de constater deux faits importants. D'abord que le Parti est avant tout représenté dans le groupe des 30-60 ans et qu'il accorde peu de place aux moins de 30 ans, particulièrement à ceux qui se situent entre 18 et 25 ans. C'est un Parti de la maturité. La deuxième remarque est que, au sein de chaque groupe d'âge, de dix ans en dix ans, la moyenne d'âge du Parti est légèrement plus élevée que celle de la population. En 1971, le Parti avait décidé d'élever légèrement l'âge d'admission de ses membres et cette mesure se traduit par un vieillissement général.

Ce recrutement tardif est d'ailleurs lié à un autre change-ment : la place accrue du Komsomol dans le parcours du militant. De tout temps, l'organisation des jeunesses communis-tes, qui accueillait dans ses rangs les « meilleurs » adolescents, a été considérée comme une voie d'accès au Parti. Mais, jusqu'en 1972, cette voie d'accès était loin d'être prioritaire, et le pourcentage de komsomols admis au Parti variait de 40 à 50 %. En 1972, on constate un changement net puisque, depuis lors, 70 % des nouveaux admis viennent du Komsomol. Il est juste de noter que, ici encore, les femmes se heurtent à un barrage et que leur passage par le Komsomol ne suffit pas à leur ouvrir les portes du Parti plus largement [15].

Mais ce qui est peut-être le plus caractéristique du Parti aujourd'hui, ce sont ses exigences en matière d'éducation. Les progrès de l'éducation en U.R.S.S. ont été constants, et le Parti se présente de plus en plus en avant-garde d'une société éduquée. En 1956, là où 2,9 % de la population soviétique détenait des diplômes d'enseignement supérieur, la part de ces diplômés dans le Parti était de 11 %, soit environ quatre fois plus que dans la société [16]. En 1977, l'écart diminue légèrement puisque, pour un pourcentage global de 8 % de diplômés, le Parti en compte 25 %, soit trois fois plus [17]. Si cet écart se réduit, cela tient au progrès général de l'éducation en U.R.S.S. et au progrès — relatif — des ouvriers dans le Parti. Mais ceci ne doit pas dissimuler que le fait d'être passé par l'enseignement supérieur devient un élément très important pour l'admission au Parti, dans la mesure surtout où les « diplômés » commencent à constituer un groupe impor-tant dans le Parti.

Une dernière inégalité dans la composition du Parti communiste, qui n'est plus sociale cette fois, tient aux différences nationales, caractéristiques de l'U.R.S.S. Le Parti n'a jamais recruté également dans tous les groupes nationaux et, jusqu'au début des années 60, les écarts ont été de l'ordre de 1 à 5 dans la représentation des nations, les Russes ou les Géorgiens, ou encore les Juifs, étant les mieux représentés, et les Kirghizes, par exemple, les moins représentés [18]. Ces différences s'expliquent à la fois par des raisons historiques (l'implantation socialiste a été fort ancienne en Géorgie, les Juifs ont fondé la première organisation sociale-démocrate en Russie, le *Bund)* et par la position centrale dans tout le système politique des Russes, pour les nations favorisées. En sens inverse, on conçoit que des peuples attachés à leur religion, longtemps étrangers au marxisme, ou encore largement ruraux et peu éduqués, soient venus tardivement au Parti. Mais, dans le cours des deux dernières décennies, une longue éducation commune [19], l'égalisation progressive des modes de vie et la volonté de rendre plus égale l'intégration au Parti ont incontestablement amélioré la représentation des nations. En 1976, l'écart entre les groupes les mieux représentés (les Géorgiens) et les plus faiblement (les Moldaves) n'est plus que de 1 à 3.

Ces progrès incontestables de toutes les nations dans le P.C.U.S. ne peuvent cependant déboucher sur une représentation équitable, ni éviter des distorsions dont la signification politique est évidente. On peut prévoir que les peuples les plus mal représentés, ceux de la périphérie islamique, le restent longtemps encore, en dépit des efforts faits pour améliorer leur position. Mais le Parti s'efforce, en même temps, d'augmenter toutes les représentations nationales et de limiter la croissance de ses effectifs. Or les populations des républiques musulmanes ont une croissance démographique largement supérieure à celle de l'U.R.S.S. [20], largement supérieure surtout à celle des peuples qui ont les plus hauts niveaux d'éducation. Ainsi, ces peuples progresseront plus vite qu'ils n'entreront au Parti, qui restera donc déséquilibré. Deux autres facteurs ajoutent à ce déséquilibre, dont les peuples périphériques sont victimes. La politique de recrutement adoptée — critères intellectuels de sélection et critère géographique — favorisant les grandes capitales et les métropoles économiques situées dans la partie européenne de l'U.R.S.S., permet aux Slaves d'être globalement les mieux représentés. De 1961 à 1976, leur part dans la population soviétique passe de 75,8 à 72,8 %, mais dans le Parti ils représentent encore 80,2 % des militants (au lieu de 81,2 %).

On voit ainsi ce qu'est le peuple communiste, et ce qui y conduit l'individu. Idéalement, c'est le *Parti du peuple tout entier* dont il doit refléter la composition et les progrès. Dans la réalité, c'est un parti qui contrôle soigneusement son développement et où la cooptation est un principe intangible qui permet d'orienter les choix. Être ouvrier est théoriquement un élément décisif pour entrer au Parti. Mais la place accordée désormais aux recrues venues du Komsomol témoigne qu'un tri s'opère parmi les ouvriers aussi, dont seuls les plus éduqués politiquement, les plus actifs, ceux qui ont déjà franchi la barre d'une première sélection, pourront prendre place parmi les postulants à l'entrée au Parti. Ouvriers et paysans sont d'ailleurs triés en fonction de leur technicité. Ce sont des spécialistes, des gens occupant déjà un certain rang dans leur métier, que le Parti choisit de préférence au travailleur de la base. Et si les employés (catégorie qui recouvre avec les *spécialistes* le secteur tertiaire) ont de très grandes chances d'entrer au Parti, le kolkhozien n'en a en revanche que de minimes. Mieux vaut aussi être homme que femme, avoir plus de 30 ans, de préférence autour de 40 et plus, et être passé, cela est décisif, par l'enseignement supérieur. En 1976, le tiers des diplômés soviétiques de l'enseignement supérieur se retrouve dans le Parti. Mieux vaut enfin être slave, ou vivre à Moscou [21]. La contradiction entre les objectifs répétés et les faits est éclatante. Le Parti communiste, en élargissant ses rangs, loin de devenir un parti de masse, se ferme aux masses et tend à accueillir ceux qui, dans chaque catégorie professionnelle, ont déjà commencé leur ascension. Les « damnés de la terre » sont par définition exclus de ce Parti, qui ouvre la voie de l'ascension sociale. Pour s'y engager, il faut déjà avoir quelques chances de pouvoir monter dans l'échelle du succès.

L'Aktiv : pépinière de cadres

Mais tous ces traits, qui dessinent un Parti de masse ouvert en réalité à ceux qui s'y situent le plus haut, s'accusent encore davantage dès lors que le regard se déplace de la base du Parti vers ses degrés plus actifs. Le Parti comporte en effet trois catégories d'acteurs : le *militant* ordinaire, dont on a vu déjà qu'il n'était pas si simple de le devenir, l'*activiste* et le *cadre permanent*.

L'*activiste* est un des rouages essentiels, et trop facilement oublié, du système soviétique. Il exerce, pour le compte du Parti qui l'a élu à de telles responsabilités, une activité particulière à temps partiel, non rémunérée. Il l'exerce soit au sein des institutions permanentes, des organisations de base du Parti dans l'entreprise (comité, secrétariat de cellule, etc.), soit encore au sein de l'appareil même du Parti ou de l'État. Ce volontariat apparent n'en est pas un, car il dépend du Parti qu'un militant passe dans cette catégorie où de nombreux postes relèvent de la *Nomenclature*. L'organisation interne du Parti, la hiérarchie complexe des postes dépendant d'une élection, permet de comprendre les besoins du Parti en cadres et la place qu'y tiennent les activistes. Le tableau de la page suivante met en regard la hiérarchie des organisations du Parti et la hiérarchie de ceux qui en assurent le fonctionnement.

De ce tableau découlent deux constatations. Le Parti compte (chiffres du XXVᵉ Congrès, 1976 [22]) 4 311 144 élus, c'est-à-dire que plus du quart des membres du Parti y exercent des responsabilités. Deuxième fait frappant, la masse des élus se situe à la base du Parti et, plus on monte dans la hiérarchie, plus le nombre de responsables se restreint. La pyramide des cadres, très large à la base puisqu'on en trouve 24 % dans les organisations primaires, se rétrécit immédiatement ensuite. On voit là la différence de responsabilités et de prestige qui sépare un organisateur de groupe *(Partgrouporg)*, chargé d'animer une organisation sur un lieu de travail où le nombre trop faible de militants interdit la mise sur pied d'une organisation de base, et le premier secrétaire d'une région, qui regroupe sous son autorité un nombre considérable d'organisations communistes des catégories I, II, III et doit coordonner et contrôler leurs activités. Sur le plan des responsabilités générales, le *Partgrouporg* ou encore le secrétaire de l'organisation de base ont pour champ d'action leur entreprise, leur atelier ou leur équipe; mais le secrétaire d'*Obkom* agit dans le cadre d'une région qui est tout à la fois unité politique et unité économique.

On conçoit dans ces conditions que l'activisme soit réservé aux échelons inférieurs où le communiste peut concilier ses activités personnelles et ses activités politiques : 90 % des activistes sont employés aux niveaux I et II, 9 % atteignent le niveau III, 1 % le dépassent.

Ce qui pour un activiste est décisif, c'est précisément de passer au niveau III, car ici de nombreux postes sont réservés, *ex officio*, à des membres permanents de l'appareil. Ici aussi, on

LES ORGANISATIONS DU PARTI [23]

Nombre	Organisations	Nombre d'élus	% des membres du Parti
	- I -		
528 894	Groupes du Parti	2 002 200	12 %
400 388	Organisations d'atelier		
	- II -		
390 387	Organisations de base	1 892 700	12 %
	- III -		
2 857	Comités de district rural		
571	Comités de district urbain	385 532	2,46 %
813	Comités de ville		
10	Comités d'arrondissement national		
	- IV -		
150	Comités de région (dont 2 de villes)		
6	Comités de territoire	30 201	0,19 %
14	C.C. des républiques		
	- V -		
1	Commission centrale de contrôle du P.C.U.S.	85	0,0005 %
1	C.C. du P.C.U.S.	426	0,0027 %

retrouve les tendances élitaires qui n'ont cessé de se développer dans le Parti et la distorsion entre l'appel à intégrer des ouvriers et les chances de promotion que leur offre le Parti. Dans les organisations de base, le portrait humain, intellectuel et social de l'activiste recoupe assez bien celui du militant ordinaire. Les ouvriers, les femmes, les moins de trente ans, ceux qui n'ont pas de diplômes universitaires y sont en nombre. Mais aussitôt qu'on atteint le niveau suivant, l'activiste change de visage. C'est plutôt un homme, il a plutôt la quarantaine que la trentaine, il est passé par la filière de l'enseignement supérieur, et c'est rarement un ouvrier. Ici, les titulaires de postes de *Nomenclature* dans les entreprises ou les fonctionnaires du Parti tiennent une place considérable.

Les entraves apportées à l'avancement des activistes ne doivent pas dissimuler la place qu'ils tiennent dans le système. Animateurs du Parti à la base, ils contribuent à repérer dans leur entourage ceux que le Parti va coopter. Ce sont eux aussi qui assurent la première formation idéologique des nouveaux militants et qui font de l'agitation parmi ceux qui ne sont pas membres du Parti. Eux enfin qui mobilisent l'entreprise entière autour des buts de production qui lui sont assignés et qui font peser leur contrôle, à ce stade, sur les travailleurs mais aussi sur ceux qui dirigent. Par l'intermédiaire des millions d'activistes des organisations de base, le Parti contrôle de l'intérieur toutes les organisations, les institutions et bureaucraties qui ne se confondent pas avec lui et qui sont réparties sur l'espace soviétique. Nul, par ce biais, n'échappe à l'œil du Parti. Les activistes sont un des éléments centraux du contrôle du « Grand Frère » sur la société qu'Orwell avait si parfaitement décrite dans *1984*.

L'*Aktiv* remplit donc plusieurs fonctions [24]. Il permet au Parti de fonctionner avec un effectif de permanents relativement réduit par rapport à l'ensemble de ses cadres. Il assure une certaine participation du militant à la gestion de la vie économique et politique, aux niveaux inférieurs. Il est instrument de contrôle de la société, mais aussi des responsables. Enfin, il est une pépinière du système politique. L'*Aktiv* joue-t-il pleinement son rôle? Il est, de toute évidence, un complément de l'appareil du Parti et un instrument de contrôle. Mais son droit de contrôle est limité par la compétence des activistes dans un domaine déterminé. Un ouvrier peut-il entrer en conflit avec un responsable d'entreprise nommé à ce poste en fonction de ses compétences? A l'inégalité de compétences s'ajoute une autre limite : le Parti prêche tout à la fois qu'il faut contrôler les responsables de l'économie et affermir leur autorité. Entre ces injonctions contradictoires, les élus des organisations de base sont souvent dans une situation difficile.

Un autre domaine où l'activisme ne remplit pas pleinement sa fonction, c'est en tant que pépinière de cadres du système. Sans doute certains élus de la base réussissent-ils à franchir tous les barrages, pour passer des responsabilités bénévoles au statut de permanent de l'appareil, ou encore aux postes de la *Nomenclature*. Mais, pour y prétendre, il faut en général remplir des conditions précises, de formation intellectuelle notamment. En fait, la carrière d'un militant dès qu'il entre au Parti, se dessine : vers une ascension continue ou vers la zone étendue de l'activisme bénévole, dont les chances de sortir sont relativement minces. *L'Aktiv* se présente ainsi sous un double aspect, séduisant et repoussant, pour le militant ambitieux. C'est un moyen d'accéder à des postes de plus ou moins grande responsabilité, de sortir de l'anonymat militant; mais à moins de remplir certaines conditions, le monde de l'activisme est pour la plupart de ceux qui y entrent un monde déjà clos.

Les hommes d'appareil

Enfin, au-dessus de l'*Aktiv*, se situe la catégorie, combien recherchée, des permanents de l'appareil, salariés à plein temps et pour qui les chances de promotion existent véritablement dans le Parti, mais aussi dans toutes les structures administratives ou intellectuelles de l'U.R.S.S. Cette qualification de « permanent », mauvaise traduction du terme russe *apparatchik,* ne doit pas être comprise à la lumière de ce qu'elle recouvre dans les partis communistes qui ne sont pas au pouvoir. Dans ce dernier cas, le permanent vit dans un système fermé, dans une contre-société où il reproduit — à blanc — les fonctions d'un pouvoir auquel il n'atteint pas [26]. Le permanent d'un Parti au pouvoir se trouve dans une situation diamétralement opposée. La société s'organise autour de lui et sur son modèle, toutes les fonctions du pouvoir sont assumées par les permanents et refusées à la société environnante.

Le rôle des fonctionnaires permanents du Parti est facile à déterminer, mais leur importance numérique l'est moins car, sur ce point, le Parti reste discret. Lors du XXVe Congrès, les statistiques publiées indiquaient que 8,6 % des membres du Parti étaient employés dans les appareils du Parti, de l'État, de l'économie et dans diverses autres bureaucraties[25]. Ces 8 % représentent 1 349 700 membres, mais qui ne sont jamais clairement répartis entre les diverses institutions qui les emploient. Les évaluations du nombre de permanents sont, pour cette raison, extrêmement variables, allant de plus de 400 000[26] à 200 000[27], voire à un petit peu plus de 100 000[28]. S'il est presque impossible de porter un jugement précis sur ce point, il reste que l'on peut évaluer avec vraisemblance le nombre de militants émargeant au budget du Parti (à plein temps, mais aussi à temps partiel), 4 à 500 000 personnes seraient dans ce cas.

L'activité des vrais permanents s'exerce non plus à l'échelon de l'entreprise, mais à celui d'un ensemble territorial. Quelle que soit la dimension de cet ensemble — du district à la république —, l'ampleur des tâches qui leur incombent constitue le trait principal de leur activité. Ce sont vraiment les « dirigeants » au niveau territorial, dans la mesure où ils y sont responsables de la mobilisation sociale, où ils supervisent le fonctionnement de toutes les institutions, où les succès et échecs de l'économie sont leur affaire, où surtout, par le système de la Nomenclature, ils contrôlent la sélection de tous ceux qui ont, dans les secteurs les plus divers, des responsabilités réelles. A tous les niveaux, un secrétaire est précisément chargé des *problèmes d'organisation,* c'est-à-dire de sélection des cadres et de contrôle des organes du niveau inférieur.

Les « préfets » du Parti[29]

Tous ces pouvoirs se rassemblent et s'affirment à l'échelon territorial le plus important, celui de la *région.* Là, parmi les permanents, existe un groupe restreint, situé juste derrière les dirigeants centraux, qui joue un rôle décisif et représente presque à coup sûr le milieu où se recrutera demain la relève politique. Ce sont les premiers secrétaires régionaux, républicains et territoriaux. Par le champ des compétences, la position au sommet d'une pyramide d'organisations, le cursus et les qualités requises pour y atteindre, les membres de ce groupe émergent de la masse encore interchangeable des permanents et retiennent l'attention. Le rôle de ces secrétaires tient, en premier lieu, à l'importance de l'organisation qui les a élus, l'organisation régionale du Parti, qui reproduit et prolonge, on l'a déjà souligné, l'organisation du Parti au sommet. Les organisations de république ou de région tiennent, comme le Parti communiste de l'U.R.S.S., des congrès pour les premières (tous les quatre ans), des conférences pour les secondes (tous les deux ans), dont la fonction principale est de dresser le bilan des activités communistes et générales, à ce niveau, et surtout d'élire les organes exécutifs du Parti : Comité central pour les républiques, Comité régional (ou *Obkom)* pour les régions. Dans les deux cas, ce sont de véritables assemblées, à l'image du Comité central du Parti communiste de l'U.R.S.S. Quelques exemples de comités élus en 1976 en témoignent : entre 240 et 200 membres dans les comités centraux des grands partis, tels ceux du Kazakhstan (240 dont 179 membres titulaires et 61 candidats) ou d'Ukraine (265 dont 191 membres titulaires et 74 candidats); les effectifs sont légèrement moins élevés ailleurs : en Géorgie (192 dont 60 candidats) ou encore en Moldavie (149 dont 43 candidats [30].) La taille des comités des grandes régions n'est pas moins importante. Ainsi, le Comité régional de Leningrad compte, en 1979, 130 membres et 44 candidats, auxquels il faut ajouter les 26 membres de la Commission de contrôle [34]. Même si Leningrad ou Moscou représentent des cas extrêmes, les comités de région plus modestes dépassent presque toujours la centaine d'élus. Ces assemblées regroupent (à l'image du C.C. du Parti de l'Union) des représentants de l'élite régionale : appareil du Parti, de l'État, des entreprises, de l'armée, de la police, des institutions syndicales ou culturelles.

Les comités républicains ou régionaux n'ont pas une grande activité, hors de la tenue des plénums, qui manifestent publiquement la mobilisation du Parti. C'est en définitive, comme partout en U.R.S.S., aux organes permanents, bureau et surtout secrétaires, que reviennent les véritables pouvoirs. Le bureau des comités, républicains ou régionaux, a une taille moyenne de 15 à 16 membres (14 au Kazakhstan, 15 en Ukraine, 13 au Tadjikistan, 17 dans la région de Leningrad, 13 au Comité de la ville de Moscou) [31]. Mais ici encore intervient le problème de la périodicité des réunions. Le bureau siège au minimum deux fois par mois à ce niveau, mais la permanence ce sont les secrétariats qui l'assument. A l'intérieur du secrétariat, deux responsables ont une qualification précise, le *premier* et le *second;* les autres sont secrétaires tout court, même si leurs fonctions ne sont pas toujours interchangeables. C'est le *premier* secrétaire qui est le vrai responsable à son niveau, comparable aux préfets si l'on veut entrer dans le cadre d'un système de référence connu, mais aussi aux *gouverneurs* de l'ancien régime russe.

Par leur petit nombre — 170 (148 secrétaires de régions, 2 de villes alignés statutairement sur les régions, 6 de territoires et 14 de républiques) —, les premiers secrétaires sont, à l'exception des dirigeants centraux, les seuls qui se prêtent à l'analyse. Leurs biographies sont publiées, leurs activités recensées. Ils constituent un corps suffisamment cohérent pour pouvoir être examiné globalement.

Que là se situe la relève du pouvoir, c'est l'évidence, il suffit pour s'en convaincre de regarder la composition des organes dirigeants de l'U.R.S.S. Les premiers secrétaires représentent le groupe le plus important du Comité central élu en 1976 (36 % de ses membres [32]). Le Politburo fait largement place aux premiers secrétaires en exercice dans des régions ou républiques très importantes (7 sur 23 en 1978). A étudier la biographie des membres du Politburo, on constate que la plupart, les deux tiers — à commencer par Léonid Brejnev —, ont exercé les fonctions de premier secrétaire pendant au moins cinq ans et que c'est aussi le cas des trois quarts des membres du Secrétariat. Un regard sur la composition passée des organes dirigeants de l'U.R.S.S. témoigne de l'importance constante de cette fonction. Les hommes qui ont occupé aux côtés de Staline une place centrale dans le système politique — tels Molotov, Khrouchtchev, Kaganovitch, Mikoian, Kirov, Jdanov — ont tous été, à un moment donné, premiers secrétaires. Ces hommes, à qui leur statut vaut d'office des postes dans les organes suprêmes du pouvoir soviétique, sont très loin de ressembler aux « sans grades » du Parti ou aux activistes de la base. Ils ont pour la plupart (8 sur 10) suivi un enseignement supérieur complet. Cette éducation supérieure, qui est de manière croissante leur caractéristique, est de plus adaptée à leurs fonctions ultérieures. Longtemps, nombre de premiers secrétaires avaient reçu un enseignement supérieur agricole. Désormais, même si les diplômés des écoles d'agronomie ou de génie rural restent encore nombreux, c'est la formation industrielle qui l'emporte. Il est vrai que même les régions jadis spécialisées dans l'agriculture s'orientent toujours plus vers des activités industrielles, et que le premier secrétaire se heurte partout dans ses tâches de contrôle économique au problème de l'industrie. Dans cette formation axée prioritairement sur les deux grands secteurs de l'économie, il reste peu de place pour d'autres domaines et l'on trouve seulement quelques titulaires de diplômes d'enseignement.

Avant d'atteindre à ces postes élevés de l'appareil, la plupart des premiers secrétaires en exercice ont eu une expérience professionnelle, souvent de brève durée. Mais à y regarder de près on constate que, si une part d'entre eux vient réellement de la production — agriculture ou industrie —, les plus nombreux ont gagné leurs galons dans d'autres appareils — gouvernement, soviets, Komsomol —, voire dans l'enseignement [33].

Cette primauté des *hommes d'appareil* sur les professionnels est un phénomène relativement récent. A l'époque stalinienne, la très rapide rotation des cadres et l'habitude prise, dès les débuts du régime soviétique, de « parachuter » des cadres du centre vers les régions et de déplacer les communistes compétents au gré des besoins tiennent lieu de règles de recrutement. Après 1952, tout au contraire, on entrevoit mieux les principes qui ont présidé aux nominations à ces postes décisifs. La volonté de rationaliser l'économie soviétique a conduit Khrouchtchev à faire de la *compétence* et des *besoins de l'économie* les grands critères de sélection de ces hauts dirigeants [34]. Dès lors le Parti cherche dans ses rangs, souvent à la base, des militants ayant derrière eux un long passé professionnel et les propulse sans transition aux postes élevés. Mieux encore, dans sa politique de recrutement, il introduit ce critère de choix et coopte, pour en faire d'emblée des responsables, les spécialistes qu'il tient pour nécessaires à sa politique. Mais cette évolution de la politique du Parti ne s'est pas faite sans dommages. La promotion à ces postes, rares et enviés, d'hommes étrangers à l'appareil a provoqué la rancœur de tous ceux qui espéraient, au terme d'une lente ascension, atteindre par là les postes du pouvoir suprême. De plus, la pénétration de spécialistes dans le Parti a créé deux catégories distinctes de dirigeants élevés, entraînant par là des tensions considérables au sein du groupe, mais aussi entre les membres de ce groupe et leur entourage. Tandis que les professionnels de l'appareil tendaient à s'identifier à lui, les nouveaux venus s'identifiaient plus aux élites spécialisées dont ils étaient issus [35].

A ce changement s'en est ajouté en 1962 un autre, encore plus générateur d'hostilité parmi les permanents, celui qu'entraînait la réforme du Parti. En divisant le Parti à tous ses niveaux en deux organisations calquées sur l'organisation économique — industrie et agriculture —, Khrouchtchev espérait sans doute rendre l'appareil plus fonctionnel sur le plan économique. Mais surtout, il comptait briser les résistances de tous les professionnels du Parti, en doublant leurs effectifs et en nommant aux postes ainsi créés une élite de spécialistes. Les premiers secrétaires, mais aux niveaux inférieurs tous les responsables victimes de la division ont réagi de même, se sont trouvés en compétition avec les dirigeants économiques et privés de la moitié de leurs responsabilités antérieures. Cette division, qui réduisait les tâches et l'autorité de tous les permanents, était particulièrement ressentie par les secrétaires d'*Obkom,* dont l'autorité totale sur une région était ainsi abolie [36].

De là probablement le changement qui s'opère après la chute de Khrouchtchev, sur deux plans, et qui dessine le nouveau profil de ces proconsuls communistes.

En premier lieu, sous Brejnev, le recrutement des cadres permanents — c'est le cas des premiers secrétaires, mais aussi des autres cadres du Parti à l'échelon régional et aux échelons inférieurs — tend à s'effectuer à l'intérieur de l'appareil. De manière croissante, les cadres sont choisis en fonction de leur cursus dans l'appareil, quel que soit leur passé professionnel [37]. Cependant, l'élévation constante des exigences intellectuelles du Parti, le caractère professionnel de la formation reçue par les jeunes communistes font que ces critères de recrutement assurent la promotion des communistes compétents. Les premiers secrétaires (et ils sont à l'image des autres permanents recrutés) doivent à cette nouvelle politique de s'identifier avant tout à l'appareil du Parti dont ils sont issus, plus qu'aux élites spécialisées. Et, en même temps, la formation reçue, l'expérience professionnelle qu'ils ont souvent leur confèrent une compétence qui leur permet, dans l'accomplissement de leur tâche, de se sentir en position d'égalité avec les élites spécialisées, voire de peser sur elles [38].

Le second changement, et par ses conséquences le plus important, découle de la volonté d'assurer des carrières stables aux élites communistes. Après l'arbitraire stalinien, les cadres du Parti aspiraient à la stabilité de l'emploi. Or, loin de leur assurer cette stabilité, la politique de Khrouchtchev a condamné les cadres à une insécurité permanente. A sa formation stalinienne, aux fonctions organisationnelles qu'il a occupées dans le Parti, Khrouchtchev devait une conception autoritaire et personnelle de ses rapports avec l'appareil. Il s'est senti dès son accession au pouvoir un droit de « patronage », d'intervention dans les nominations qu'il a constamment exercé, pratiquant ainsi une politique contradictoire. D'un côté, il affirmait sa volonté de décentraliser la responsabilité et la gestion des affaires. De l'autre, il ne cessait de manipuler les cadres politiques et de montrer par là même que, s'agissant du choix des hommes, la décision centralisée restait à l'honneur. La situation des premiers secrétaires permet de mesurer l'ampleur de cette contradiction.

Au XXe Congrès, moins de trois ans après la mort de Staline, 39 premiers secrétaires de la république de Russie, c'est-à-dire plus de la moitié, ont été changés. Cinq ans plus tard, au XXIIe Congrès, il ne reste plus, des hommes en place à la mort de Staline, que deux premiers secrétaires (ceux des lointaines républiques autonomes de Tuva et du Daghestan). Tous les autres postes ont changé de titulaire, et souvent plusieurs fois, puisque 33 postes ont connu deux titulaires successifs, 16 en ont eu 3, et 2 en ont eu 4.

Sans doute tous ces changements ne sont-ils pas impopulaires. Certains cadres trop liés au stalinisme disparaissent sans provoquer autour d'eux d'émotion excessive. Beaucoup de promus ne sont pas étrangers à l'appareil, mais sont des compagnons de Khrouchtchev, qui ont travaillé à ses côtés lorsqu'il dirigeait le Parti ukrainien de 1938 à 1949 ou l'organisation de Moscou de 1949 à 1950. Il était inévitable et normal que Khrouchtchev fasse monter des cadres proches de lui, qui constituaient un groupe sur lequel il puisse s'appuyer. En se faisant l'avocat de la décentralisation, il pouvait de surcroît donner à ce groupe des pouvoirs importants qui le satifassent. Et ceci explique qu'en 1957, lorsque Khrouchtchev est menacé d'expulsion du Praesidium par ses pairs, il puisse faire appel à un Comité central renouvelé, où les hommes d'appareil qui lui doivent leur promotion lui apportent un soutien sans réserve. C'est à ce moment que la politique de Khrouchtchev a dérapé et que ses initiatives novatrices lui ont aliéné le soutien des cadres régionaux, fidèles au départ. A peine nommés, ceux-ci ont pu constater que leur emploi était précaire. Les règles de rotation édictées en 1961 [39] en limitaient d'office la durée. De plus, à partir de 1958, parce que son pouvoir croît, qu'il se dépense dans des domaines divers et notamment en politique étrangère, Khrouchtchev abandonne progressivement les problèmes d'organisation du Parti — c'est-à-dire de nomination — aux mains de ses collègues. Aristov, jusqu'en 1960, puis Frol Kozlov jusqu'en 1963 vont s'emparer de ce problème, procéder à leur tour à des parachutages de cadres, mettre en place des hommes qui ne doivent plus grand-chose à Khrouchtchev mais qui se sentent menacés par une politique minant leurs positions, et qui lui est pleinement attribuée. Maître de l'appareil, de ceux qui le

119

composent en 1957, Khrouchtchev le dresse contre lui dès le début des années 60. Sa chute découle logiquement de cette révolte de l'appareil qu'il n'a pas perçue. Son appel déçu au Comité central en 1964 en témoigne.

Les premiers secrétaires avaient trois sujets d'amertume en 1964 : la diminution d'autorité qu'entraînait la réforme de 1962, la confusion totale créée par la « réformite » permanente de l'époque khrouchtchevienne, et par-dessus tout, l'insécurité des emplois. Ces griefs ont été suffisamment explicités pour que la direction du Parti s'en fasse l'écho [40]; elle affirme que les responsables régionaux doivent être assurés de la sécurité de leur emploi et commence par rendre aux organisations leur unité [41].

En 1964, l'équipe qui s'installe au pouvoir devait faire un choix difficile. Il lui fallait rassurer les cadres, surtout ceux du niveau régional et républicain dont le poids dans le Comité central est décisif. Mais on ne pouvait rassurer tout le monde à la fois. Khrouchtchev, en divisant le Parti en deux, avait en effet doublé les responsables à chaque niveau. Qui placer à la tête des organisations réunifiées ? Que faire des perdants de cette nouvelle réforme, qui devait en toute hypothèse susciter des rancœurs ? Fallait-il, enfin, en « récupérant » le plus grand nombre possible de cadres de l'époque de Khrouchtchev, s'interdire de promouvoir de nouveaux venus, de constituer un encadrement lié à la nouvelle direction ?

A ces questions difficiles, l'équipe au pouvoir, et d'abord Brejnev, responsable du Parti, a apporté des réponses graduées qui constituaient, mises bout à bout, une politique de cadres d'une extrême cohérence. Le Parti entreprend, après 1964, de combiner une politique de *stabilité* et d'*ouverture,* qui rassure les cadres sur leur avenir et permet la montée de nouvelles équipes. Après avoir réunifié les organisations du Parti, le pouvoir central procède systématiquement au changement des responsables régionaux. Mais il le fait par étapes, en faisant passer dans la plupart des cas les cadres à d'autres emplois, surtout en opérant ces changements au nom d'une ouverture, nécessaire à la promotion d'éléments « jeunes ». Ces changements n'ont pas été opérés dans la confusion, mais annoncés au Parti comme une mesure de réorganisation et d'assainissement des carrières, préludant à leur stabilisation. Ce programme, présenté par Brejnev au XXIIIe Congrès [42], sera exécuté entre 1966 et 1971, année où commence la période de stabilisation. Quand on examine la situation des premiers secrétaires régionaux de Russie, on constate que ce corps est, en 1980, constitué de quatre groupes, correspondant aux périodes de recrutement. Un premier groupe de 17 secrétaires est celui des rescapés de la période khrouchtchevienne, tous nommés (à deux exceptions près [43]) entre 1960 et 1964; le second groupe, plus restreint — 5 membres —, est composé de premiers secrétaires nommés entre la chute de Khrouchtchev et le XXIIIᵉ Congrès. Au vrai les changements ont été plus importants que ne le montrent les chiffres puisque en quelques mois 11 postes ont changé de titulaires, mais seuls 5 secrétaires issus de ce mouvement sont restés en place jusqu'à maintenant. Le troisième groupe, le plus nombreux — 22 personnes —, est formé de secrétaires promus dans les années 1966-1971 qui séparent les XXIIIᵉ et XXIVᵉ Congrès. Ici encore, les mouvements ont été de plus grande amplitude : 32 pour ces cinq années, dont plus des 2/3 sont encore en place. Ensuite, une certaine stabilité s'instaure : 19 postes changent de titulaires de 1971 à 1976, dont 18 sont toujours en place. Enfin, entre le XXVᵉ Congrès et le printemps 1980, 13 nouveaux venus complètent ce tableau. On voit à quel point le corps des premiers secrétaires s'est renouvelé puisque, sur 75 postes examinés, 17 seulement sont occupés par des hommes placés par Khrouchtchev. Pour plus des 3/4, les premiers secrétaires doivent leur avancement à l'équipe actuelle.

En même temps, ceci montre à quel point les dirigeants du Parti ont atteint les deux objectifs qu'ils s'étaient fixés. L'ouverture, incontestable, s'est accompagnée d'une sécurité d'emploi réelle pour ceux qui accédaient à ces postes. Depuis 1971, outre le fait que le taux de rotation des cadres a considérablement baissé, les raisons de ces rotations ont aussi changé. A examiner le destin des secrétaires qui quittent leur poste, on constate que des causes naturelles (retraite, mort) expliquent une vingtaine de mutations. Nombre de partants (plus de la moitié) sont envoyés à Moscou, où ils prennent place dans les organes centraux du Parti (1/3), dans des postes gouvernementaux (2/3). Peu d'entre eux, désormais, disparaissent sans qu'on puisse retrouver leur trace. Sans doute tous ne bénéficient-ils pas ensuite de promotions égales. Si certains cursus sont spectaculaires [44] et propulsent des premiers secrétaires vers le Politburo ou le Secrétariat, si être nommé à un grand ministère ou dans une grande ambassade de pays occidental représente une promotion certaine, un ministère moyen ou une ambassade dans un petit pays du Tiers-Monde constituent des voies de garage. Mais, dans la plupart de hypothèses, l'envoi d'un haut cadre régional à Moscou représente des avantages certains, notamment par le mode de vie que ce transfert implique et les possibilités éducatives qu'il donne aux enfants des secrétaires.

Le recrutement des premiers secrétaires ne s'est pas seulement régularisé, les méthodes employées par l'équipe brejnevienne accusent aussi un changement considérable par rapport aux pratiques antérieures, faisant place aux aspirations exprimées. Le Parti laisse désormais une plus grande latitude d'action aux organisations intéressées pour choisir leurs responsables. Sans doute les organes centraux sont-ils maîtres, en dernier ressort, des promotions; mais ils substituent la « supervision » et un certain pouvoir d'influencer à la décision centralisée pure et simple. La conséquence en est que les premiers secrétaires sont désormais recrutés *localement* [45]. A l'époque de Khrouchtchev, à peine plus de la moitié des premiers secrétaires avaient fait carrière dans l'appareil de leur région. L'équipe actuelle ne recourt plus qu'exceptionnellement aux promotions externes (une sur dix environ) et laisse les organes locaux pousser leurs propres cadres. Seule la proportion des premiers secrétaires envoyés de Moscou reste à peu près stable (un pour douze) pour les deux époques. Désormais, les carrières se déroulent dans un cadre à peu près homogène, que les secrétaires d'Obkom connaissent bien. Cette continuité géographique tranche avec les parachutages permanents du passé, où l'on voyait le même cadre se faire une spécialité des secrétariats d'Obkom nationaux et passer de l'Obkom de Tachkent, dans les années cinquante, au P.C. de Lituanie dans la décennie suivante (ce qui est par exemple le cas de B.V. Popov, élu enfin, en 1967, premier secrétaire de l'Obkom d'Arkhangelsk où il s'est stabilisé). L'accroissement des responsabilités locales dans la nomination des premiers secrétaires correspond à une exigence réelle des organisations du Parti, que l'on constate en lisant l'accueil fait à Brejnev au XXIVᵉ Congrès lorsqu'il insiste sur cette tendance nouvelle de la sélection des cadres. Grâce à cette politique, les cadres régionaux peuvent prévoir leur avenir. Ils savent qu'un poste de premier secrétaire qui se libère ouvre des possibilités de promotion en priorité aux fonctionnaires de rang à peine plus faible dans sa région. L'ordre de succession pour ce poste est désormais le suivant :
— second secrétaire du même Obkom,
— président du conseil exécutif du soviet local.
Après ces deux emplois qui conduisent presque à coup sûr au

poste de premier secrétaire, trois autres fonctions permettent d'y postuler, mais avec bien moins de chances de succès : un autre secrétariat du même Obkom et enfin le premier puis le second secrétariat d'un autre Obkom.

En définitive, dans les années brejneviennes, le corps des premiers secrétaires et, plus généralement, la direction régionale du Parti ont obtenu la stabilité qu'ils souhaitaient et la possibilité de prévoir l'évolution des carrières individuelles. De ces certitudes, les cadres régionaux tirent une autorité accrue, des solidarités avec l'ensemble de l'appareil dans lequel ils sont insérés et des compétences étendues pour l'ensemble des promotions dépendant de leur propre nomenclature. Le pouvoir central ne pouvait en effet avoir deux politiques distinctes, l'une qui reconnaisse la compétence des échelons régionaux du Parti pour nommer leurs cadres, l'autre qui fasse intervenir trop lourdement le pouvoir central dès lors que la nomenclature est en jeu.

Ces secrétaires plus rassurés, ancrés dans leur milieu géographique, peuvent se constituer, plus que dans le passé, des clientèles puisqu'ils ont pour eux la durée dans leur fonction et un certain degré d'autonomie dans les nominations. Le développement du clientélisme local et régional est sans aucun doute une caractéristique du Parti brejnevien.

Si l'on tente en définitive de définir les premiers secrétaires de 1980, on voit nettement ce qui les rattache à leurs prédécesseurs et ce qui les en différencie. Ils constituent un corps politique exclusivement composé d'hommes [46]. Aucun poste de premier ou second secrétaire de région, de république, de république autonome, de région autonome ou de territoire n'a ni n'a eu de titulaire femme. Cette continuité dans le refus de laisser les femmes accéder à des postes importants du Parti mérite d'être soulignée. Une autre permanence tient à l'équilibre des nationalités dans la répartition des postes de premiers secrétaires. Les Russes occupent une place prééminente. Ils sont présents dans toutes les régions russes, où parfois ils cèdent la place à des Ukrainiens (7 en 1980); dans les territoires nationaux, en règle générale, le premier secrétaire vient de la nationalité titulaire, tandis que le second secrétaire est systématiquement un Russe. Mais, dans deux cas — région autonome des Karatchaï-Tcherkesses et république autonome des Tchetchènes-Ingouches —, cet ordre est inversé et des Russes se trouvent aux postes de premiers secrétaires, tandis que les seconds secrétaires sont nationaux. Ces cas sont d'autant plus significatifs que les premiers secrétaires — russes — de ces territoires nationaux ont été récemment nommés, à une époque où la règle inverse avait à peu près partout prévalu [47].

Mais si, à certains égards, la composition de ce corps n'a pas changé, elle s'est modifiée sur un point important : l'âge moyen des premiers secrétaires. La stabilité dont ils jouissent, leur recrutement presque systématique à l'échelon suivant de l'appareil régional ont eu pour conséquence un vieillissement. En 1965, 20 % d'entre eux avaient plus de 55 ans. Désormais, près de 60 % se situent au-dessus de cet âge, les moins de quarante ans sont absents et l'âge moyen est de 58 ans. Le passé communiste de ce groupe est dans l'ensemble fort homogène. La plupart de ses membres sont entrés au Parti durant et après la Seconde Guerre mondiale, lorsque les purges et les pertes de la guerre ont largement ouvert les portes du Parti et des possibilités promotion aux nouveaux venus. Quant à ceux qui sont entrés au Parti avant 1939, ils ne sont plus que deux; à l'autre extrémité, le nombre des recrues de la période postérieure au stalinisme ne croît pas très vite et ne dépasse pas 15 % des effectifs.

Mais cette analyse de la politique destinée à rassurer et à stabiliser le corps des premiers secrétaires de région perd toute valeur dès lors que l'on sort de la République russe et que les choix des dirigeants soviétiques concernent les nationalités. Ici, la situation est toute différente, caractérisée par l'instabilité permanente, dans un climat de purges véritables. Le corps des hauts dirigeants nationaux du Parti se divise en deux groupes, les premiers secrétaires des partis républicains (ce qui n'existe pas en Russie) et les secrétaires des régions, là où il y en a, ou des républiques autonomes et régions autonomes. Le nombre de responsables est à peine plus élevé que celui de la Russie : 94 personnes dont 14 premiers secrétaires de partis républicains, 72 premiers secrétaires de régions [48], 4 secrétaires de républiques autonomes, 3 de régions autonomes et 1 secrétaire pour le comité de la ville de Kiev qui a un statut particulier [49].

Si l'on considère la longévité politique des premiers secrétaires républicains, on constate que, sur un groupe de 14, 3 seulement étaient en poste avant la chute de Khrouchtchev, tous élus d'ailleurs après 1953 [50], 6 premiers secrétaires ont été élus entre 1964 et 1971, et 5 depuis le XXIV⁰ Congrès. Mais ce taux de rotation, déjà élevé en lui-même, n'est rien comparé au taux de renouvellement des premiers secrétaires régionaux des républiques. Sur les 25 régions d'Ukraine, une seule a conservé un premier secrétaire élu avant 1964, les 24 autres ont changé de premier secrétaire, parfois à plusieurs reprises. Au Gorkom (comité urbain) de Kiev, le premier secrétaire élu en décembre 1964, dans le premier mouvement qui a suivi la chute de Khrouchtchev, a été déplacé en 1979. Au Kazakhstan, où le premier secrétaire de la république, Kunaev, est entré en fonctions dans les semaines qui ont suivi la chute de Khrouchtchev, une seule région sur 19 a conservé le premier secrétaire élu en 1959. On peut avoir une idée de l'instabilité des situations politiques au Kazakhstan en constatant qu'en mars-avril 1978, en l'espace de dix semaines, 5 premiers secrétaires de région y ont été démis [51]. En Uzbekistan, si la région autonome des Karakalpaks conserve son premier secrétaire, les 11 régions administratives ont changé de titulaires depuis 1968 dont 6, donc plus de la moitié, ont été déplacés depuis 1976. En Biélorussie, dans les 6 régions les premiers secrétaires ont été déplacés, et deux fois consécutives dans 2 régions. Un changement tout aussi complet a été effectué en Turkménie, au Tadjikistan, en Kirghizie, en Géorgie et en Azerbaïdjan. Ceci signifie que, sur les 94 hauts fonctionnaires communistes des républiques, 88 ont été changés dans la période brejnevienne. On est très loin ici de la stabilité qui règne en Russie. Mais le plus grave, pour ces républiques, est que cette rotation des cadres ne s'est pas effectuée dans une période de changement général comme en Russie, qu'elle ne s'est pas accomplie non plus sous les auspices de l'ouverture et du renouvellement. Les années 1976-1980 ont été marquées par des changements continuels. Les premiers secrétaires démis ont été fréquemment accusés de mauvaise gestion dans les meilleurs cas [52], mais bien plus souvent d'abus flagrants de pouvoir [53], de prévarication [54]. Les mutations de ces premiers secrétaires régionaux ne sont au demeurant qu'un aspect de la rotation constante des cadres républicains qui, s'accomplissant dans un climat de scandales, semble relever de la purge assez systématique des cadres nationaux. Dans deux grandes républiques notamment, en Ukraine et au Kazakhstan, les évictions et déplacements d'un emploi à l'autre ont été d'une extraordinaire fréquence dans la dernière décennie et ont affecté tous les postes élevés — secrétaires d'Obkom, comités centraux nationaux, ministères. La conséquence de ces mouvements étendus est que le remplacement des cadres n'a pu s'effectuer dans l'ordre relativement logique et local que l'on peut déceler en Russie. Au Kazakhstan, au printemps 1978, on assiste à un véritable ballet de premiers secrétaires passant d'une région à l'autre [55], et à aucun moment les seconds secrétaires d'un Obkom dont le supérieur immédiat est déplacé ne le remplacent : ils vont remplir un poste vacant dans une autre région.

En décembre 1979, au Kazakhstan encore, on voit un autre mouvement peu commun : la nomination d'un second secrétaire de république, A. G. Korkine, poste de grande importance, à un poste de premier secrétaire de région, ce qui est une chute caractérisée [56]. Ceci indique aussi que les postes de premiers secrétaires régionaux des républiques n'ont pas un statut aussi prestigieux que celui de leurs homologues de Russie. Ces différences statutaires, on les constate d'abord à regarder la composition du Comité central de l'U.R.S.S. Le groupe compact des premiers secrétaires que l'on y trouve n'est pas également réparti pour toutes les républiques soviétiques. Les premiers secrétaires de la R.S.F.S.R. sont presque tous (71 sur 75) élus aux instances suprêmes. En 1976, 57 d'entre eux sont membres votants du Comité central, 13 en sont candidats et 1 est élu à la Commission centrale de contrôle. La position des premiers secrétaires républicains est nettement moins favorable puisque, sur un corps de 94 premiers secrétaires, on trouve 44 élus. Encore sont-ils moins bien placés que leurs émules de Russie. Si tous les premiers secrétaires républicains (14) sont élus d'office membres votants au Comité central, les secrétaires de régions et de formations nationales autonomes de rang équivalent n'ont que 17 élus (14 élus au XXVᵉ Congrès, auxquels se sont ajoutés 3 candidats promus membres votants lors des plénums d'octobre 1976 et octobre 1977 [57]). Les autres élus sont répartis entre les candidats du Comité central, 12 (dont il ne reste que 9 après les promotions de 1976 et 1977), et les 4 membres de la Commission centrale de contrôle. Dans la hiérarchie du Parti, le poids des premiers secrétaires d'Obkom russes est incontestablement prééminent et l'appartenance à ce corps garantit, presque à coup sûr, un siège au Comité central.

On voit donc que ce qui caractérise le corps des premiers secrétaires d'Obkom russes c'est leur accès direct et automatique aux postes suprêmes du Parti. L'autorité locale qu'ils en retirent en est accrue : ils sont les représentants incontestés du pouvoir central, auprès duquel ils peuvent, de surcroît, plaider au sommet tous les dossiers. A cet égard, ils n'ont d'équivalents que les premiers secrétaires des partis républicains, dont la place, à part entière, est assurée au Comité central, et, à un moindre degré mais se différenciant malgré tout de leurs collègues, les premiers secrétaires de région des deux autres républiques slaves — Ukraine et Biélorussie —, que l'on trouve en majorité aux postes votants du Comité central. Cependant, leur accès au centre du pouvoir passe malgré tout par la médiation des responsables du Parti républicain, ce qui les met en position légèrement moins favorable que leurs collègues de Russie.

La position privilégiée des secrétaires régionaux pour l'accès aux plus hauts postes est évidente dès lors qu'on regarde non plus le Comité central, mais les organes restreints que sont le Politburo et le Secrétariat. Au Politburo, sans doute quelques premiers secrétaires de république trouvent-ils place d'office. Car cet organe doit immanquablement refléter la composition du Parti. Mais le Secrétariat n'accueille que ceux qui sont passés par la filière des premiers secrétariats régionaux de Russie, avec une exception pour l'Ukraine. Cette exception, la carrière de Léonid Brejnev ou celle de son ancien collaborateur en Ukraine, Tchernenko, l'attestent. Nombre de ceux qui occupent des postes au Secrétariat (Brejnev, Kirilenko, Tchernenko) ou qui y sont passés récemment (Katouchev, Riabov) ont acquis leur expérience sur le terrain, en dirigeant des appareils régionaux.

La Nomenclature [58]

Une des fonctions principales que remplissent ces dirigeants qui doivent se pencher sur l'ensemble des problèmes régionaux est la sélection des cadres, tant de l'appareil communiste que pour tous les autres domaines de l'activité économique et sociale. La *Nomenclature,* de leur niveau, leur donne à cet égard un pouvoir considérable qu'ils exercent avec d'autant plus d'autorité que la stabilité dont ils jouissent désormais, leur connaissance du milieu régional et la volonté du pouvoir central d'opérer de manière rationnelle leur donnent des moyens et des critères de choix que n'avaient pas toujours leurs prédécesseurs.

La Nomenclature — parce qu'elle est entourée de mystère par le pouvoir soviétique qui n'en publie jamais la composition — est souvent présentée comme un élément central, impérieux du système soviétique, hors de quoi aucune autorité, aucune latitude d'action n'existe. Il importe à ce point de voir ce qu'elle est dans les intentions, mais aussi dans la réalité.

Depuis sa naissance, le système soviétique a considéré que la sélection et l'affectation des cadres *(poddor i rasstanovka kadrov)* ne pouvaient échapper au contrôle du Parti [59]. Cette préoccupation a conduit d'ailleurs à des pratiques différentes selon les époques. Dans les années staliniennes, la Nomenclature a été largement centralisée et les postes laissés à des échelons régionaux ont été limités. Depuis 1956 au contraire, un grand effort de décentralisation a été accompli et la ventilation entre les nomenclatures des divers niveaux du Parti s'est accentuée. La nomenclature est par définition le droit de regard dont dispose le Parti sur l'attribution d'un poste jugé important. Cette nomenclature couvre les postes politiques, administratifs, intellectuels, etc. Au vrai, il existe divers types de nomenclature. La plus importante, celle où se situe le pouvoir véritable de confirmer ou infirmer une nomination, est celle du Parti. Chaque échelon du Parti, du Comité central au comité de district (mais pas au-dessous), a une liste de postes qui relèvent de sa compétence. Plus le poste est important, plus élevé est l'organe dans la nomenclature duquel il se situe. A la nomenclature du Parti s'ajoutent aussi des nomenclatures particulières. Chaque administration a la sienne mais, dans ce cas, tout poste qui figure dans cette nomenclature extérieure au Parti doit être soumis à l'approbation de l'organe du Parti de niveau correspondant. De toute manière, les postes d'importance figurent sur la nomenclature du Parti [60].

Si, à chaque niveau du Parti, il y a une nomenclature propre, cela n'implique pas pour autant qu'un comité n'ait connaissance que de sa nomenclature. Outre son droit de regard sur les nomenclatures extérieures au Parti, chaque comité possède une seconde liste, une liste « pour information » nommée *Uchetnaia Nomenklatura* [61], où son approbation n'est pas nécessaire mais où il doit être tenu informé de tous les mouvements de personnel. Par cette liste complémentaire, le domaine de compétence sur les personnes et leurs carrières de chaque échelon du Parti est étendu. De plus, cela permet aux responsables de chaque nomenclature d'avoir une connaissance approfondie d'individus qui ne sont pas *ex officio* sous leur regard et d'y puiser, le cas échéant, des responsables pour leur propre nomenclature. Ils se constituent ainsi, en marge des cadres qui leur sont proposés, une « réserve professionnelle ».

Si les règles générales qui organisent la Nomenclature sont connues, son contenu ne l'est guère, car là commence le mystère. Le pouvoir soviétique ne publie jamais la nomenclature du Comité central, et ce n'est que par estimations approximatives, en tenant compte aussi d'informations dispersées et de témoignages, que les experts occidentaux ont estimé à environ 40 000 postes la nomenclature du Parti [62]. Jerry Hough [63], dans son ouvrage sur les *Préfets soviétiques,* a rassemblé les quelques données connues sur des nomenclatures particulières. A Moscou en 1958, le comité de ville et les comités de district de la région « coiffaient » à eux seuls 17 000 postes, dont 9 000 postes du Parti, 3 000 postes de l'administration économique et 1 200 dans les soviets. En 1966, le comité de ville de Riga avait 662 postes sur sa nomenclature, ainsi répartis : organisation du Parti et soviets : 253; industrie : 107; administration et finances : 85; travail idéologique : 83; éducation : 71; construction et services municipaux : 61. Ces exemples épars montrent cependant les secteurs privilégiés où se concentrent l'attention du Parti et sa vigilance, et suggèrent ce que peut être la hiérarchie des emplois en U.R.S.S. La direction politique et la gestion administrative représentent plus de la moitié des postes de nomenclature; l'économie suit; l'éducation, associée comme il se doit au travail idéologique, tient aussi une grande place, tandis que la construction et les services municipaux, dont dépend largement le bien-être des citoyens, sont quelque peu à l'arrière-plan. On voit ici ce qui détermine l'inscription d'un poste à la Nomenclature : c'est l'importance que le Parti y attache. La liste des postes non politiques relevant de la nomenclature a certainement varié dans le temps, en fonction des priorités du Parti. Le niveau auquel chaque poste est rattaché est lui aussi dépendant du poids du poste, et ce niveau de décision rejaillit sur le statut du titulaire. Relever de la nomenclature du Comité central confère à celui qui est nommé à un tel poste une autorité et un prestige dont ne jouissent pas ceux qui relèvent de nomenclatures inférieures [64]. Ceci explique l'imbrication extrême des nomenclatures, à un même échelon territorial et au sein d'un même organisme. Les cadres du Parti à l'échelon régional ne relèvent pas tous du Comité central et, pour nombre d'entre eux, c'est le comité de leur Parti qui tient leur sort en main. Au sein d'une même entreprise, on voit se mêler les divers niveaux de la Nomenclature. Le directeur d'une grande entreprise peut relever de la nomenclature du Comité central, ses collaborateurs immédiats de la nomenclature de l'Obkom et les chefs d'atelier d'une nomenclature de district. Ce qu'il importe de comprendre, c'est que ce système couvre aussi bien les postes dont le titulaire est nommé (poste économique par exemple) que les postes soumis à élection dans les organisations primaires du Parti, les soviets, les syndicats ou toute autre organisation sociale. Mais, dans les deux cas, le poids des responsables de la Nomenclature n'est pas le même. Les nominations à des postes « professionnels » font intervenir des critères de compétence, d'efficacité, qui sont parfois diversement interprétés par le Parti et l'organe économique — ou intellectuel — où se situe le poste. Dans ce cas, le Parti est appelé à entériner ou contredire un choix qui est le fruit d'un dialogue entre lui et l'administration intéressée.

La situation est beaucoup plus simple dès lors qu'il s'agit des postes « électifs », où le nom du candidat à l'élection est « recommandé » par le Parti, qui a ici un pouvoir absolu. Les statuts du Parti sont formels sur ce point. La responsabilité du Parti est en premier lieu de ne pas laisser les élections se dérouler « de manière non organisée » et, dans les critiques adressées aux responsables du Parti évincés de leur poste, l'une des plus fréquentes est leur mauvaise organisation de la sélection des candidats aux élections ou bien des cadres nommés.

La responsabilité des premiers secrétaires de région est à cet égard considérable car les postes importants qui ne figurent pas sur la nomenclature du Comité central sont inscrits dans leur propre nomenclature. Les efforts de décentralisation, la volonté de trouver des candidats appropriés ont conduit le Parti à donner une compétence étendue dans ce système au niveau régional. Parce qu'ils ont fait carrière dans la région, les premiers secrétaires en connaissent généralement bien les candidats potentiels aux postes de nomenclature. Leurs qualifications intellectuelles et professionnelles leur permettent de discuter utilement avec les responsables des administrations lors des nominations. Et leur stabilité politique leur donne du poids pour imposer leurs préférences sur place, mais aussi au centre.

Si les postes de nomenclature sont malaisés à déterminer, on sait mieux par contre ce qui fait qu'un individu a des chances d'occuper un tel poste. Les candidats les mieux placés sont, dans l'ordre croissant, les membres du Parti et du Komsomol, engagement qui garantit déjà une attitude politique « responsable » et dont les organisations du Parti ont conscience puisqu'il s'agit d'individus qu'elles ont cooptés; être *activiste* est une condition encore plus favorable, mais moins que le fait d'avoir été placé par le Parti dans la catégorie des cadres promouvables *(Rezerv na vydvijenie* [65]*)*. Ce qu'est cette réserve, le Parti lui-même l'explique lorsqu'il donne des instructions pour qu'on y puise plus largement les futurs dirigeants. Elle ne doit pas, dit le responsable adjoint du département « Organisation » au Comité central, qui est orfèvre en la matière, être réduite aux seuls seconds des postes à pourvoir. Il faut chercher de bons responsables parmi le corps des activistes : 4 300 000 élus du Parti, dont il faut d'abord retenir les 400 000 cadres répartis dans les organisations communistes — du district au niveau républicain —, les élus aux soviets, enfin les membres du Komsomol [66]. Ainsi, ce qui ressort clairement de ces instructions c'est que, pour avoir des chances réelles d'accéder aux postes de la Nomenclature, il faut se trouver à l'intérieur du système. Longtemps, l'appartenance au Parti fut le critère essentiel d'entrée dans le système. Mais l'évolution des années post-khrouchtcheviennes est caractérisée par la combinaison de la fidélité politique et de l'éducation, qui est déjà un trait marquant du Parti par rapport à l'ensemble de la population. Ceux qui accèdent aux postes de nomenclature sont plus instruits que la moyenne de la population active et aussi plus instruits que les membres ordinaires du Parti. A l'intérieur de la Nomenclature, l'éducation est aussi un élément de différenciation puisque les fonctionnaires du Parti ont, de manière toujours plus évidente, un niveau d'éducation supérieur à celui des cadres de Nomenclature de même niveau. Il est significatif qu'en 1976 — et cette tendance se confirmera vraisemblablement dans l'avenir — 47,8 % des secrétaires des organisations primaires du Parti avaient reçu une éducation supérieure, 99,2 % des secrétaires de district et de ville se trouvaient dans le même cas, enfin 99,4 % des secrétaires régionaux et territoriaux [67]. L'éducation est ainsi devenue un critère absolu de promotion sociale, tant professionnelle que politique. La progression à l'intérieur du Parti passe par un diplôme d'enseignement supérieur, que possèdent, en 1976, 70 % des secrétaires du Parti à tous les niveaux.

Être sur une nomenclature signifie donc que l'on se situe dans une catégorie particulière, caractérisée par plusieurs traits : il vaut mieux être homme, d'un niveau d'éducation supérieur à la moyenne, d'un âge qui tend à s'élever en raison de longues études et de l'entrée désormais plus tardive au Parti.

Relever de la Nomenclature, c'est appartenir à l'élite, reconnue comme telle et dotée de privilèges connus, privilèges matériels sans doute, mais par-dessus tout accès à l'éducation, ce qui implique la possibilité pour ce groupe de se perpétuer.

Si le pouvoir soviétique est explicite s'agissant de reconnaître l'existence et l'utilité de la Nomenclature, il l'est infiniment moins dès lors qu'il est question de la position privilégiée des membres du Parti dans la nomenclature et des privilèges qui y sont attachés.

« Les communistes n'ont pas de droits spéciaux en U.R.S.S. Tout poste de l'État, de l'économie, des organisations culturelles ou de n'importe quelle institution peut être occupé et l'est, indifféremment, par un communiste ou par un non-communiste.

Le seul critère est la qualification personnelle et professionnelle. Les communistes et les personnes étrangères au Parti voient récompenser de la même manière leurs mérites dans le travail ou des créations exceptionnelles dans le domaine de la littérature et des arts. Les communistes n'ont aucun privilège sous forme de salaire ou de statut social », déclarait le 20 août 1978 un commentateur de la radio soviétique, tandis qu'un de ses collègues corrigeait légèrement ce tableau idéal d'une société égalitaire :

« Mais les communistes ont quelques devoirs particuliers. C'est le devoir d'un membre du Parti de prendre une part active à la vie politique, à l'administration de l'État, au développement économique et culturel. »

En résumé, si les communistes n'ont aucun titre particulier à occuper prioritairement les postes de responsabilité, ils doivent « convaincre les autres que la politique du Parti est juste. Et pour cela ils doivent prendre une part active dans sa mise en œuvre. Le seul privilège d'un membre du Parti est de travailler plus et mieux que quiconque, d'être un exemple, en étant au cœur de la vie publique [68] ».

Ces définitions quelque peu contradictoires situent bien le problème. Le devoir des communistes est tout de même d'animer la vie soviétique dans tous les domaines d'activité et, pour cela, d'assumer des responsabilités.

La Nomenclature, qui donne accès au vivier politique et y ajoute une dimension professionnelle, qui dessine les contours d'une classe dirigeante politico-économico-culturelle [69], est parfois mise en question, pour des raisons purement techniques, mais aussi pour « moraliser » le système soviétique. Le grand défaut technique du fonctionnement de la Nomenclature est qu'elle prolonge le Parti dans sa composition et sa formation, qu'elle est par là même plus conservatrice que dynamique. Le Parti, en dépit de la place qu'il accorde à l'éducation, n'a pas encore tenu compte des changements d'orientation de l'élite en général. Tandis que se développe dans la société une large intelligentsia technique, le Parti privilégie la formation politique. Cette intelligentsia ne trouve pas place dans le Parti, ne trouve pas place non plus dans la Nomenclature. André Sakharov, dans ses diverses propositions destinées à rendre vie au système soviétique, a suggéré la suppression de la Nomenclature et réclamé que l'on nomme les spécialistes en fonction de critères professionnels uniquement, que l'élection de tous les fonctionnaires soit une règle. Il va de soi que ces propositions se heurtent à l'hostilité du Parti, qui défend vigoureusement son droit à être une voie privilégiée de promotion sociale et à contrôler l'accès aux postes de commandement selon ses propres critères.

Les conséquences de cette politique apparaissent nettement dans la composition politique des divers secteurs d'activité et dans la part respective accordée à l'intérieur de chacun d'entre eux aux communistes et aux non-communistes. Les communistes occupent près de 70 % des postes pour l'ensemble des institutions soviétiques (Parti, État, économie, etc.), 18 % des postes dans le domaine de la science, 13,9 % dans celui de la production industrielle, 12 % dans la production agricole, 9 % dans le commerce, 7,7 % dans les services d'intérêt public (services communaux, etc.). C'est donc la bureaucratie, d'où tout est contrôlable, qui est leur domaine privilégié, et l'on peut constater, si l'on additionne les communistes présents dans toutes les bureaucraties et les non-communistes nommés à des postes de nomenclature pour des raisons de compétence, que le Parti a totalement investi les centres de décision et d'administration, laissant au milieu qui lui est extérieur les tâches d'exécution [70].

*
**

Le pouvoir communiste est-il celui d'une élite? Et ce terme d'élite, quel contenu a-t-il, s'agissant de l'U.R.S.S.? Couvre-t-il le petit groupe de quelques centaines de personnes qui, au Kremlin, incarne la direction du Parti, dans ses organes permanents, et le Comité central qui les a élues? Peut-on l'étendre à une catégorie particulière de cadres ou au Parti tout entier? Qu'y a-t-il de commun entre un petit groupe replié sur lui-même, aux pouvoirs considérables, et un Parti de 16 millions de membres insérés dans la société, même s'ils ont pour rôle d'en être la partie la plus dynamique? Qu'est-ce qui, dans les réponses que l'on peut apporter à ces questions, caractérise le Parti de l'ère brejnevienne?

On peut, sans aucun doute, appliquer au Parti tout entier la notion d'*élite,* même si elle recouvre beaucoup de sens différents et prête par là à confusion. Si l'on tient que l'élite est « un groupe défini par ses fonctions, qui a un statut particulier au sein de la société [71] », alors, clairement, le Parti constitue une élite au sein de la société soviétique. Élite insérée dans la société parce qu'elle en pénètre tous les secteurs d'activité, de manière inégale, selon l'importance qu'elle leur accorde, mais élite qui a, au sein de la société, une fonction spécifique, celle d'être l'incarnation et le substitut de la société civile. Même s'il s'élargit, s'il représente une plus grande part de la société, le peuple communiste ne se confond pas avec elle. Et ce souci de conserver au Parti son caractère élitaire explique probablement pourquoi — passé la phase d'accroissement des effectifs — la direction a adopté une stratégie limitant strictement l'accès au Parti.

Ouverture du Parti puis fermeture, ce sont là deux traits de la direction actuelle. Par les purges permanentes, Staline modifiait constamment les effectifs du Parti. Mais ces variations étaient de peu d'importance, dans la mesure où le Parti stalinien n'était qu'une bureaucratie parmi d'autres, dont le statut privilégié en théorie était mis en question dans la pratique. Khrouchtchev avait, tout en même temps, ouvert les portes du Parti et cherché à l'insérer dans une société où la participation des citoyens à la vie publique se développait. A son époque, l'élite déborde largement le cadre du Parti. Pour la direction actuelle, l'élargissement du Parti correspond au désir de le faire coïncider avec les élites dont une société moderne a besoin. Mais, en même temps, les restrictions apportées à cette ouverture marquent la volonté de conserver une ligne de démarcation précise entre Parti et société, qui laisse intact le statut privilégié, extraordinaire du Parti communiste. C'est la première fois depuis la mort de Lénine que la vocation du Parti à ne pas être confondu avec la société est si nettement marquée. En ce sens, l'équipe brejnevienne peut légitimement invoquer la continuité qui l'unit à Lénine.

A partir de là, il faut souligner plusieurs traits qui caractérisent cette élite et en marquent les distances par rapport à la société. Le peuple communiste ne constitue pas un groupe homogène, mais il est lui-même différencié dans ses tâches, ses statuts, ses chances de promotion. Son homogénéité n'existe que par rapport au monde qui lui est extérieur. Mais, au sein du Parti, de nombreux éléments créent des différences, dont certaines peuvent être dépassées — éducation, cursus antérieur, etc. —, dont d'autres, et d'abord l'origine nationale et le sexe, déterminent de manière souvent définitive les possibilités d'avancement dans la hiérarchie du système. Le monde clos du communisme a, dans sa propre sphère, ses mondes juxtaposés et, si, globalement, le peuple communiste occupe une place première par rapport à la société, tous les communistes sont loin d'être égaux et de pouvoir le devenir.

Une deuxième remarque est que ce système de promotion des

élites fonctionne en circuit fermé. Ici aussi, l'époque brejnevienne aura été déterminante en restaurant des mécanismes que Khrouchtchev avait en partie mis en question. Le sommet de la hiérarchie politique s'organise en définitive à partir des appareils régionaux. Là, l'armée puissante des secrétaires régionaux peut peser sur les choix ultimes, parce que d'elle dépend la sélection des délégués au congrès du Parti, qui éliront le Comité central, lui-même électeur des organes suprêmes du pouvoir et devant qui ces organes suprêmes sont en théorie responsables. Étant donné que le système électif se réduit à des choix autoritaires, où les premiers secrétaires dépendent du Comité central, produit lui-même d'une liste élaborée au sommet, il s'instaure en fin de compte un équilibre entre ces organes suprêmes et leur base, les appareils régionaux. Tout le pouvoir circule des uns aux autres, en passant par les fictions électorales des assemblées. L'évolution du système dépend en dernier ressort des relations qui s'instaurent entre les trois niveaux : appareils régionaux, Comité central, organes restreints du sommet, qui peuvent se réduire au dirigeant suprême. Khrouchtchev avait tiré de ce système la conclusion qu'il pouvait en faire jouer chaque élément contre les autres, pour accroître sa part personnelle de pouvoir. Mais les divers acteurs de ce jeu ont réagi en évinçant Khrouchtchev. Il revient à ses successeurs d'avoir compris les solidarités qui existaient au sein de ce système de pouvoir circulaire et d'avoir stabilisé les situations de chaque groupe et leur poids respectif. C'est probablement à cette compréhension aiguë de la hiérarchie du peuple communiste, à ce sens d'un pouvoir fait d'équilibres que l'équipe actuelle doit sa longévité politique. Ici aussi, la génération des dirigeants brejneviens a retrouvé la voie tracée par Lénine. Mais constater le léninisme de Brejnev et de ses collègues, constater qu'ils ont réussi à stabiliser et à normaliser les pouvoirs de l'élite ne résoud nullement les problèmes posés par la nature et les dimensions de ce pouvoir. En d'autres termes, l'élite au sommet exerce-t-elle un pouvoir total, inchangé, également réparti dans tous les domaines et incontesté?

CHAPITRE V

LA VICTOIRE DES GESTIONNAIRES

Le pouvoir, qu'il a confisqué à la société au lendemain de la révolution, le Parti le conserve jalousement, cela ne fait aucun doute. Mais quel est ce pouvoir? Et qu'en fait-il? Aucun système politique autoritaire ne peut durablement rester immuable, parce qu'il doit s'adapter aux changements des hommes qu'il incarne et à un environnement social qui se transforme. La disparition de Lénine, puis de Staline a inéluctablement mis en question la légitimité des dirigeants. Nul ne pouvait après Lénine en appeler à la légitimité charismatique du fondateur du système, ni après Staline à la légitimité fondée sur la violence et le grand dessein d'une révolution radicale de la société. L'œuvre critique de Khrouchtchev a ébranlé, en dépit de ses efforts, une autre source de légitimité, celle d'un Parti infaillible. Les successeurs de Khrouchtchev ont dû faire face à la tâche redoutable de légitimer l'autorité de leur Parti par une idéologie affaiblie et de tenter de rendre vie au système idéologique et politique en les soumettant à l'épreuve de la rationalité et de la compétence, pour tenir compte des progrès intellectuels et des besoins matériels de la société. Leur entreprise peut en définitive se résumer à cette proposition : comment moderniser le système sans pour autant en affaiblir les sources de légitimité? Comme Khrouchtchev en 1956, ils tendent à le rationaliser, à dégager de nouvelles normes. Mais, à la différence de la situation existant en 1956, l'équipe de 1964 s'est rassemblée autour de plusieurs points d'accord explicites : la nécessité de préserver un pouvoir collectif, de maintenir tous les problèmes et les crises éventuelles sous le contrôle des organes les plus élevés du Parti, de donner enfin au système des règles qui lui permettent de fonctionner sans à-coups. Le consensus de 1964 est, on le voit, infiniment plus positif que celui qui s'est formé à la mort de Staline. Les successeurs de Khrouchtchev se sont débarrassés de lui pour préserver et institutionnaliser un système politique dont ils ont défini les traits essentiels. Ce consensus est essentiellement *politique.* C'est du système, du pouvoir qu'il s'agit, et de ses relations avec la société. Toutes les hésitations des années poststaliniennes sur l'intervention possible de la société dans les changements politiques ont fait place à une certitude : le pouvoir doit être préservé de toute intervention sociale. Ce que les successeurs de Khrouchtchev rejettent avant tout, c'est la confusion qu'il avait introduite dans le système politique. Confusion entre les divers niveaux de pouvoir, confusion entre le Parti et ce qui lui était extérieur.

Ses successeurs ont, à la différence de Khrouchtchev, une expérience étendue : celle des erreurs commises — ébranlement idéologique, divisions dans la classe dirigeante, mécontentement du Parti —, celle de la force qui découle, pour eux, d'un accord dans l'équipe dirigeante. Ils savent que la décision prise collectivement leur permet d'atteindre à une vie politique dédramatisée qui assure leur sécurité. La chute de Khrouchtchev est en effet un événement *politique,* le premier de l'histoire soviétique où menaces et violence ouverte ou déguisée n'aient plus eu de part. Pour les successeurs, il s'agit d'abord de consolider cet acquis et d'institutionnaliser la vie politique. Cette institutionnalisation couvre trois domaines. Celui du pouvoir à son niveau le plus élevé, où il faut définir les relations entre les personnes et régler une fois pour toutes le problème du pouvoir personnel. Un second domaine est celui de l'équilibre des diverses bureaucraties et de leurs relations avec le sommet du pouvoir. Enfin, reste le problème difficile de la dévolution du pouvoir. Un système politique ne fonctionne normalement, n'atteint sa maturité que s'il ne bute pas périodiquement sur les problèmes de succession, de passage d'une équipe à une autre, et éventuellement d'une génération politique à la génération suivante. Sur tous ces points, le système soviétique a fonctionné jusqu'en 1964 sans règles, au gré des solutions imaginées devant l'obstacle par ceux qui progressaient vers le pouvoir. La conséquence de cet empirisme politique est que le système soviétique a longtemps compensé l'absence de règles par la violence, mettant en péril la vie de la classe politique mais aussi celle du système tout entier.

Lorsqu'ils éliminent Khrouchtchev, en octobre 1964, ses collègues entendent mettre fin non seulement à ses innovations, mais aussi à toute tentative de pouvoir personnel. Le maître mot de la période qui suit cette éviction est le « retour à la direction collégiale », dont le principe semble servir de fil directeur à cette équipe [1]. Dans le même temps, les successeurs de Khrouchtchev se heurtent à deux données irréductibles de la vie politique. En premier lieu, il y a les ambitions personnelles, d'autant plus difficiles à supprimer que le pouvoir collégial, en dépit des affirmations pieuses, n'a jamais été en U.R.S.S. qu'une formule de transition, depuis 1917. La réalité du pouvoir soviétique a été constamment caractérisée par la montée d'un dirigeant, dissimulé derrière la collégialité et protégé par le silence des textes. La deuxième donnée politique, dépassant, cette fois, le cadre soviétique, est la personnalisation du pouvoir, qui caractérise la scène politique internationale et les relations internationales contemporaines. Comment l'U.R.S.S., qui depuis 1956 joue un rôle actif dans les relations internationales, peut-elle échapper à cette tendance? Quel pouvoir collégial peut se faire entendre des chefs d'État qui, de manière croissante, personnalisent leur politique et leurs échanges? Il était clair dès 1964 que l'avenir de l'équipe qui se met en place au Kremlin dépendait largement de la manière dont elle s'accommoderait des ambitions personnelles de la plupart de ses membres, de la manière aussi dont elle saurait combiner un certain degré de personnalisation du pouvoir avec le maintien d'un pouvoir collégial.

La direction collégiale de 1964 était peu spectaculaire. Pas de personnages hauts en couleur comme les grands rivaux de 1953, Khrouchtchev, Malenkov et Béria, dont les fortes personnalités — physiques et morales — et les dissemblances éclataient. Rien de tel en 1964, mais bien plutôt une apparente grisaille. Il n'est pas étonnant que les experts qui contemplaient avec étonnement le succès paisible de cette équipe mal connue aient prédit avec un bel ensemble qu'il s'agissait d'une équipe de transition. Pourtant, ce Politburo peu spectaculaire recèle quelques personnalités plus marquées que les autres, soit en raison de leurs attributions, soit en raison des appareils qu'elles peuvent manipuler.

En théorie, la direction collégiale regroupe deux pouvoirs équilibrés, qui doivent rester séparés et autour desquels s'ordonne l'ensemble du Politburo, appelé alors Praesidium : le pouvoir du Parti et le pouvoir gouvernemental. Si le gouvernement a un seul animateur, Kossyguine, dont les compétences économiques d'administrateur de l'industrie sont reconnues depuis 1941, le pouvoir du Parti est en de mutiples mains. Sans doute, le Secrétariat, lieu central du système, est-il dominé par Léonid Brejnev, que Khrouchtchev avait parfois présenté comme son successeur. Mais ses fonctions de coordinateur ne couvrent pas tout. L'autorité idéologique est séparée, pour le première fois depuis longtemps, de l'autorité organisationnelle. Celui qui l'incarne, Mikhaïl Souslov, est entré au Parti sous Lénine en 1921, au Politburo sous Staline en 1947[2]. Il représente au sommet du Parti une continuité dont peu d'hommes — à l'exception de Mikoïan, dont l'influence n'est pas grande, et de N. Chvernik, qui a déjà soixante-seize ans[3] — peuvent se prévaloir. Il a survécu aux purges staliniennes et à l'élimination des staliniens ensuite, et a été pendant plus de trente ans le premier expert de son parti en problèmes idéologiques. La stabilité de son statut, la permanence de ses fonctions lui assurent en 1964 une position particulière. Il détient et détiendra constamment un des symboles du pouvoir : la rigueur idéologique. Aux côtés de Brejnev, un autre organisateur le concurrence sur son propre terrain, Nicolaï Podgorny, de longue date responsable au Secrétariat des problèmes de structure et d'organisation du Parti[4]. Les deux hommes ont en commun leurs fonctions présentes dans l'appareil du Parti et une longue expérience régionale dans la plus importante république non russe : l'Ukraine. Chacun y avait un fief, Brejnev dans la région industrielle de Dniepropetrovsk, Podgorny dans celle tout aussi importante de Kharkov. L'un avait ensuite dirigé la Moldavie, l'autre l'Ukraine. L'expérience de Brejnev était avant tout celle d'un homme de parti, intéressé, par ses fonctions, à l'industrie lourde et aux industries de défense; celle de Podgorny était l'expérience d'un professionnel de l'industrie légère, happé en raison de ses compétences par l'appareil du Parti. Enfin, en retrait de ces quatre hommes qui semblent détenir les principaux pouvoirs du Parti et de l'État, un autre personnage se profile dès 1964, Alexandre Chelepine. Sans doute, lors de la mise en place de la direction collective, il n'en fait pas partie car il n'est pas membre du Praesidium, qui polarise l'attention. Mais il a derrière lui, à quarante-six ans, une carrière fulgurante et bien remplie[5], qui, à bien des égards, le différencie de ceux qui en sont membres. Il est d'abord plus éduqué que la plupart d'entre eux, qui ont fait des études techniques rapides; Chelepine a fait de véritables études supérieures, littéraires et historiques, de surcroît à la prestigieuse université de Moscou. Sa carrière, contrairement aussi à la plupart de celles de ses collègues, est une véritable carrière d'homme d'appareil, sans expérience économique ni régionale, tout entière menée à Moscou. C'est le Komsomol qui a été son premier lieu d'activité. Comme premier secrétaire de l'organisation des jeunesses communistes il a, en 1954, quand le pouvoir soviétique se lance à l'assaut des terres vierges, mobilisé des « volontaires » pour accomplir ce grand dessein. L'énergie qu'il y déploie lui vaut d'être appelé à quarante ans à la tête du département du Comité central chargé des problèmes organisationnels des républiques, puis d'être nommé la même année président du Comité pour la sécurité d'État ou K.G.B. Même si la gérontocratie ne caractérise pas encore le système soviétique, sa carrière étonne par sa rapidité et ses succès continus. Du K.G.B. il passe au secrétariat du Comité central, avec, selon toute vraisemblance, un domaine de compétence lié aux problèmes de sécurité, et est l'année suivante vice-président du Conseil des ministres.

Quand Khrouchtchev est éliminé, cet homme de quarante-six ans cumule des pouvoirs différents. Il a trois fonctions officielles : secrétaire du Comité central, président du Comité de contrôle du Parti et de l'État créé en 1962, vice-président du Conseil des ministres. Ces fonctions lui assurent une puissance considérable. Chef du K.G.B., il a utilisé cet instrument pour renforcer sa position auprès des dirigeants suprêmes. En 1961, lorsque Khrouchtchev veut relancer la déstalinisation, Chelepine est l'un de ses plus ardents partisans. Au XXIIe Congrès, il prend la parole contre les staliniens, qui sont alors les « anti-Parti », et invoque contre eux des documents dont le K.G.B. a la garde [6]. En utilisant la police pour lancer une purge, il ne fait que reprendre la tradition de la police stalinienne, mais habilement il souligne ce qui l'en sépare. Il n'est pas lié au passé stalinien. En 1956, il a contribué à diffuser le *Rapport secret* au Komsomol, et en 1961 il met le pouvoir policier au service du Parti contre le stalinisme et contre ses excès. En quittant le K.G.B., il n'a pas coupé tous ses liens avec lui, il y laisse comme remplaçant Semitchasny, qui a été son collaborateur au Komsomol et qui lui doit deux promotions : la direction du Komsomol d'abord, celle du K.G.B. ensuite. La collaboration passée des deux hommes, l'aide apportée à la montée de Semitchasny, les fonctions de contrôle sur le K.G.B. au Comité central, tout permettait à Chelepine, même lorsqu'il ne coiffe plus le K.G.B., de garder avec cet organe des liens étroits qu'il utilisera en octobre 1964 pour assurer au groupe qui évince Khrouchtchev l'aide de la police. Ses fonctions de président du Comité de contrôle sont aussi d'une importance exceptionnelle. Grâce au Comité, il exerce un contrôle sur toute l'administration. Faut-il rappeler que ce sont là les fonctions qu'exerçait Staline en 1922 à la tête du *Rabkrin* (Inspection ouvrière et paysanne)?

Grâce à ce cumul de fonctions, Chelepine est le seul en 1964 — au moment où le Parti décide que les pouvoirs d'État et du Parti doivent être définitivement tenus séparés — à figurer dans les deux hiérarchies. Ses collègues ne peuvent que reconnaître cette puissance et le service qu'il leur a rendu en neutralisant le K.G.B. Ils le nomment, lors du plénum de novembre 1964, membre plein du Comité central, sans qu'il soit jamais passé par le stade de candidat [7].

Plus encore, lorsqu'il faut expliquer la chute de Khrouchtchev aux alliés égyptiens que cet événement affole, c'est Chelepine qu'on leur délègue le 23 novembre 1964 [8] pour les rassurer. Parce qu'il a été proche de Khrouchtchev et qu'il peut aux yeux des alliés incarner une certaine continuité.

Dans l'équilibre des forces qui existe en octobre 1964, rien ne prédispose Brejnev à devenir la personnalité la plus voyante, sinon la plus puissante du Praesidium. Avec l'entrée de Chelepine, on peut estimer que la moitié du Praesidium (il comptait dix membres en octobre 1964 et passe à onze en novembre avec l'arrivée, outre de Chelepine, de Piotr Chelest, premier secrétaire du P.C. ukrainien, ce qui compense la disparition de Kozlov, très malade depuis 1963 [9]) constitue la véritable équipe de direction, par les grandes responsabilités de ses membres et les appareils ou les fonctions qu'ils représentent. C'est au sein de cette équipe restreinte que des changements successifs dans la position des personnes vont, en peu d'années, créer un équilibre du pouvoir entièrement différent. Ces changements s'effectueront au cours de crises répétées, dont les deux traits caractéristiques seront qu'elles se passeront à l'intérieur du Praesidium, sans mettre en jeu des appareils plus importants, et qu'elles se dérouleront de manière *politique,* c'est-à-dire pacifiquement et, dans l'ensemble, en préservant l'honneur des intéressés. Ce qui, dans la vie politique soviétique, constitue un nouveau pas dans l'institutionnalisation du système.

La première crise se déroule à la fin de 1965 et a pour conséquence un affaiblissement simultané des positions de deux personnages en apparence tout-puissants, Podgorny et Chelepine.

L'affaiblissement de Podgorny s'est accompli par deux moyens : les subordonnés, qui ont été associés à ses activités passées et lui permettaient de contrôler la sélection des cadres du Parti [10], sont déplacés et soumis à la critique; puis celle-ci s'attaque à la gestion du Parti de Kharkov, ex-fief de Podgorny et qui reste à ce titre un de ses points d'appuis [11]. Cette mise en question de l'organisation de Kharkov s'effectue d'autant plus aisément que la direction du Parti s'emploie à le reconstruire, qu'il faut liquider les erreurs accomplies à l'époque de Khrouchtchev, que cette remise en ordre ne peut être confondue avec des règlements de compte. Ceci n'est au demeurant qu'un prélude à l'élimination directe de Podgorny, réglée au plénum du Comité central de décembre 1965. Anastase Mikoïan présente alors sa démission, en invoquant son âge — soixante-dix ans — et sa santé; son départ laisse vacante la présidence du Praesidium du Soviet suprême, poste où est aussitôt élu Podgorny. Passer du secrétariat du Comité central, où s'organise la vie politique de l'U.R.S.S., à un poste sans pouvoirs réels représente un recul politique considérable. Mais il est remarquable, car cela rompt avec la tradition politique de l'U.R.S.S. où les chutes sont spectaculaires, que la direction collective ait pris grand soin de rendre la chute de Podgorny honorable.

Par la suite, Mikoïan soulignera cette volonté de donner un tour « légal » à des compétitions de pouvoir. Dans des confidences à des proches, il dira que sa démission a été la conséquence d'une résolution secrète adoptée par le Comité central dans les mois qui ont suivi la chute de Khrouchtchev et qui imposait la retraite à tous les dirigeants atteignant soixante-dix ans [12]. Si cette résolution a véritablement existé, il est clair qu'elle n'a servi qu'une fois, pour permettre au Parti de se débarrasser simultanément de Mikoïan et de Podgorny.

Au même moment, Chelepine, autre « homme fort » du Praesidium, va aussi être affaibli par une mesure purement administrative. Le plénum de décembre supprime la Commission de contrôle du Parti et de l'État [13], d'où il régnait en superviseur sur l'administration, lui enlevant par là même son poste et la vice-présidence du Conseil des ministres qui y était attachée. Sans doute Chelepine reste-t-il membre du Secrétariat, mais il l'est désormais au même titre que les autres, sans attributions exorbitantes. Au demeurant, sa chute n'est qu'entamée. En juillet 1967, il quitte le Secrétariat pour la présidence du Conseil central des syndicats, poste aussi dénué de pouvoirs que la présidence du Soviet suprême offerte à Podgorny. Le mois précédent, son ancien collaborateur Semitchastny a été éliminé du K.G.B. Chelepine est ainsi privé de tous ses liens avec les bureaucraties où se situe le pouvoir réel [14].

L'affaiblissement des deux hommes coïncide avec d'autres changements dans l'organisation et la composition des organes dirigeants. Le XXIIIᵉ Congrès, réuni au début de 1966, qui rend au Praesidium son titre plus prestigieux de Politburo, a aussi restauré le Secrétariat général du Parti — supprimé à la mort de Staline — et y a porté Brejnev. Progressivement, le Parti semble se restructurer autour de celui-ci, par les fonctions qu'il lui donne et par l'arrivée dans les organes dirigeants de quelques hommes liés à sa carrière en Ukraine et en Moldavie. Le plus important changement ici est l'arrivée au Secrétariat de Kirilenko, membre votant du Praesidium de Khrouchtchev [15], qui hérite des fonctions d'organisation et de sélection détenues récemment encore par Podgorny. Kirilenko est, à bien des égards, un double de Brejnev [16]. Né comme le secrétaire général du Parti en 1906, entré comme lui au Parti en 1931, ingénieur dans l'industrie aéronautique, il a derrière lui une double carrière professionnelle et d'appareil dont une grande partie s'est déroulée sur les lieux mêmes où dominait Brejnev, à Zaporojie et Dniepropetrovsk. Comme Brejnev, il est un spécialiste des problèmes de l'industrie lourde et de défense. Aux postes décisifs du ministère de l'Intérieur et du K.G.B., on voit aussi apparaître, une fois évincés les anciens titulaires, des hommes comme Chtchelokov (ministre de l'Intérieur de l'Union en septembre 1966), dont la carrière a été étroitement liée à celle de Brejnev [17].

Ce mouvement a, en moins de deux ans, modifié la composition du Politburo et du Secrétariat, mais de manière fort insidieuse. Du Politburo de Khrouchtchev, qui comptait 18 membres (12 votants et 6 suppléants) au Politburo élu au XXIIIᵉ Congrès et qui compte 19 membres (11 et 8), il reste 12 personnes. A y regarder de près, les changements ne sont pas dramatiques. Des 4 membres votants qui ont disparu, 2 ont été éliminés par la force de la nature (Kuusinen est mort peu avant la chute de Khrouchtchev et Kozlov peu après) et 2 septuagénaires (Chvernik et Mikoïan) ont pris leur retraite. Chez les suppléants, 1 seul éliminé, Efremov. Le nouveau Politburo s'est apparemment contenté de remplacer les disparus (Kirilenko, Chelepine, Chelest, premier secrétaire d'Ukraine, Mazourov, premier vice-président du Conseil des ministres, qui siège *ex officio* au Politburo et y gagne un poste de membre votant, enfin Arvid Pelche un vieux bolchevik de soixante-sept ans, entré au

Parti en 1915, qui y représente après le départ de Mikoïan et de Chvernik la continuité avec le Parti de Lénine).

Les changements sont plus nets parmi les suppléants où, des 4 nouveaux venus, 3 au moins présentent des particularités dignes d'être relevées. Deux premiers secrétaires républicains, Macherov (Biélorussie) et Kunaev (Kazakhstan), accentuent le poids « régional » du Politburo. De surcroît, Kunaev et un autre « entrant », Oustinov, sont des hommes dont la carrière a été associée à l'industrie lourde, proche des intérêts de Brejnev [18].

Les changements du Politburo sont, on le voit, importants mais discrets. Les secrétaires du Comité central y passent de 4 à 6 et leur représentation est dans l'ensemble rajeunie puisque, sous Khrouchtchev, 2 des 4 secrétaires membres de Praesidium (Khrouchtchev et Kuusinen) avaient atteint ou dépassé soixante-dix ans. Le poids des premiers secrétaires républicains est augmenté puisqu'ils passent de 4 à 5. Mais, dans le même temps, les principaux changements affectent le corps des suppléants. Les disparitions dues à la mort ou au grand âge, le rajeunissement certain du corps des secrétaires donnent à ce renouvellement un aspect pacifique. Il s'est aussi effectué avec l'accord complet du Parti, et ceci tient à deux éléments : la politique générale des cadres poursuivie par la direction collégiale, que le XXIII⁰ Congrès permet de mesurer, et le souci de tout présenter sous l'étiquette d'une *direction collective*.

Après le plénum de remise en ordre de novembre 1964, la tâche politique prioritaire que s'est assignée l'équipe dirigeante est en effet de rendre justice aux cadres déplacés par Khrouchtchev et de les apaiser; c'est au niveau des secrétaires d'Obkom — compte tenu du poids des titulaires au Comité central — que le problème se pose de la façon la plus urgente. Des solutions ont été, on l'a vu, vite trouvées, qui ont calmé les colères.

La direction collégiale distingue deux hommes de ce corps et assure leur promotion au centre. Koulakov, premier secrétaire du territoire de Stavropol, devient chef du département de l'agriculture au Comité central; Ivan Kapitonov (ex-premier secrétaire de l'Obkom d'Ivanovo) est placé à la tête du département du C.C. chargé des organes du Parti pour la république de Russie. L'un et l'autre se retrouveront très vite au secrétariat du Comité central. Ainsi sont rapidement effacées les amertumes créées par Khrouchtchev et la nouvelle équipe qui a devant l'appareil du Parti lié son sort à l'idée de sa stabilisation [19] s'est ainsi assuré le soutien du groupe le plus nombreux du C.C. en lui garantissant la stabilité de l'emploi.

A cette politique mesurée et apaisante s'ajoute une attitude extraordinairement « collégiale » au sommet. Non seulement les changements qui s'opèrent au Politburo et au Secrétariat sont accomplis sans drame apparent (au XXIIIᵉ Congrès, Podgorny, pourtant rétrogradé, est applaudi « longuement et bruyamment » tout autant que Souslov et Kossyguine [20]), mais, et c'est la nouveauté de cette époque, les perdants restent associés au pouvoir et conservent le moyen de lutter. Plus encore, ni Chelepine ni Podgorny ne s'inclinent, ne tombent dans l'oubli politique. Tout au contraire, ils s'efforcent, des postes seconds où ils sont relégués, de jouer un rôle politique et de donner par leur activité un contenu réel à des fonctions jusqu'alors assez vides. En politique étrangère, le Politburo se présente collectivement sur la scène internationale. Dans les négociations avec les pays du Moyen-Orient, et d'abord avec l'Égypte, on en a maints témoignages. Tant que vécut Nasser, on vit au Caire tour à tour Kossyguine, Gromyko, Podgorny, chacun expliquant qu'il n'est que le représentant du Politburo, seul responsable de la politique étrangère. Les délégations arabes venues en U.R.S.S. sont généralement reçues par le Politburo dans sa majorité. En 1968, lors de la crise tchécoslovaque, tout indique qu'une responsabilité collective se dessine pour les décisions à prendre. Cette insistance sur le pouvoir collégial a précisément permis à Podgorny, représentant du chef de l'État collectif qu'est en droit, à cette époque, le Praesidium du Soviet suprême, de personnaliser le pouvoir de l'État soviétique. De 1967 à 1976, Podgorny jouera un rôle croissant dans les démarches exérieures de l'U.R.S.S., et c'est lui qui en 1971 signe avec l'Égypte le premier traité bilatéral d'amitié qui unit un pays non communiste à l'U.R.S.S. De même, Chelepine, dès lors qu'il est relégué aux syndicats, s'efforce d'en faire un instrument de pouvoir et, en 1967, il semble représenter une force dont la direction collective tient compte [21].

La seconde crise de « succession » de l'après-Khrouchtchev survient à la fin de la décennie. Aussi peu dramatique que la première, elle aura pour conséquence de montrer plus clairement où se situe le centre du pouvoir. Cette crise remonte à l'année 1967, où les successeurs de Khrouchtchev doivent faire face aux difficultés internationales héritées de leurs prédécesseurs. Dans le bilan de son action qu'ils avaient pu faire en 1964, parmi de nombreuses faiblesses, il restait une zone de succès, la politique de progression au Moyen-Orient. La position soviétique en Égypte et en Syrie, si elle ne rachetait pas le conflit avec la Chine ni les tensions dans l'Est européen, témoignait cependant que tout n'avait pas été vain de l'activité internationale de Khrouchtchev. C'est pourquoi l'effondrement rapide, totalement imprévu en U.R.S.S., des États arabes en juin 1967 y a été vivement ressenti. On sait que le Politburo s'est alors divisé et que Brejnev, parce qu'il est secrétaire général, a dû faire face à des critiques graves, à la mise en question de toute la politique poursuivie dans la région depuis 1964 [22]. Il a dû aussi se battre sur la définition de la politique à venir : poursuivre l'engagement soviétique ou l'abandonner. Et il a dû accepter que l'armée contrôle dans le futur une politique dont les livraisons d'armements étaient l'argument principal. A peine passé l'orage arabe, arrive le printemps tchécoslovaque. Le choix qu'il impose : intervenir militairement ou non, divise une fois encore les tenants des méthodes fortes et ceux qui souhaitent poursuivre une politique modérée. Il faut se garder d'ailleurs de la vision simpliste d'un clan « dur » ou interventionniste et d'un clan « conciliateur » que ces deux épisodes suggèrent. S'il est clair en effet qu'aussi bien en Égypte qu'en Tchécoslovaquie il y a eu opposition entre ceux qui souhaitent défendre les positions soviétiques et ceux qui veulent offrir de l'U.R.S.S. une image conciliante, les interventionnistes sont loin d'être chaque fois les mêmes. Ceux qui prêchent en 1967 que l'U.R.S.S. doit rester présente dans les pays arabes, c'est-à-dire les armer de nouveau et les contrôler, sont précisément ceux qu'inquiète en 1968 l'idée d'intervenir en Tchécoslovaquie. Car ils pensent qu'une telle intervention fera peur aux États arabes. Ce n'est pas un hasard si le seul chef d'État du Tiers-Monde, et probablement du monde non communiste, à avoir été informé quelques heures avant l'invasion des intentions soviétiques en Tchécoslovaquie a été Nasser [23]. Ce n'est pas un hasard non plus si, en 1968 comme en 1967, au-delà du débat intérieur, le Politburo affiche de manière éclatante ses solidarités. Lorsque, après la défaite arabe, Podgorny se rend au Caire pour rouvrir le dialogue avec une Égypte qui accuse l'U.R.S.S. de l'avoir abandonnée, Brejnev l'escorte à l'aéroport. Manifestation inhabituelle dans ce cas [24]. En 1968, tous les textes disent : « le Politburo a décidé », et les déclarations personnelles sur la Tchécoslovaquie manquent. Dissimulant ses divisions sur ces deux problèmes, le Politburo est moins discret dès lors qu'il s'agit de problèmes internes. Le plénum de décembre 1969, qui discute de problèmes économiques, atteste l'existence d'un véritable groupe de mécontents — Chelepine, Mazourov, Souslov, Chelest —, qu'unit une même hostilité au secrétaire général. Leurs critiques portent sur les priorités économiques, mais on y retrouve probablement la volonté de Chelepine de regagner le terrain perdu en s'associant à Souslov, que la crise idéologique inquiète, et à Chelest, responsable de l'Ukraine, qui est hostile aux priorités dont bénéficie la Sibérie au détriment de sa république [25] et à un tournant de la politique extérieure vers la détente qui affaiblit les républiques périphériques. Un indice de la crise qui ronge le Politburo est le renvoi du XXIVe Congrès à une date tardive non statutaire. Le XXe Congrès avait posé que la périodicité régulière des congrès était indispensable pour assurer le fonctionnement normal du Parti. Cette entorse aux principes de 1956 témoigne des difficultés que traverse la direction [26].

La collégialité institutionnalisée

Mais, dès ce moment, s'esquisse la solution de la crise. Elle passe par une affirmation du rôle du secrétaire général et par des changement successifs dans la composition de l'équipe dirigeante. Comme Khrouchtchev, c'est à la politique extérieure que Brejnev doit en 1970 de renforcer sa position. Jusqu'alors, la politique extérieure de l'U.R.S.S. a été tournée vers le Tiers-Monde et les pays communistes et a servi de terrain d'action aux représentants de l'État, Podgorny, ou du gouvernement, Kossyguine. La réorientation de la politique extérieure vers le monde occidental et la détente introduisent Brejnev dans le circuit de la politique extérieure et lui permettent d'y jouer un rôle personnel. Parce que Brejnev s'occupe de politique extérieure à l'heure de la détente, on en a généralement conclu qu'il était l'auteur de cette politique.

A regarder de plus près le cours des événements, on constate qu'il va surtout s'en faire le porte-parole. Mais il est fort hasardeux d'en déduire qu'il en a été l'initiateur ou qu'elle traduit ses préférences. À l'origine de l'ouverture à l'Ouest, on trouve la politique du général de Gaulle, à une époque où la politique étrangère est plutôt affaire de gouvernement en U.R.S.S. et est conduite par Kossyguine. En 1969 encore, lorsqu'il s'agit de régler un incident avec la Chine, c'est Kossyguine qui communique par un téléphone rouge semi-désaffecté avec Mao [27]. Mais en 1970, lorsque la détente s'affirme, Brejnev renforce sa position au détriment de Kossyguine. Critiqué pour les options économiques du Politburo en

1969, il se fait critique à son tour, au XXIVᵉ Congrès en 1971, de la politique économique suivie et qui est du ressort de Kossyguine [28]. C'est Brejnev qui présente au Congrès un plan destiné à résoudre tout à la fois les problèmes économiques « des individus, des groupes, et de la société tout entière [29] ».

Cet avantage de Brejnev, la politique internationale le souligne. Dans la phase préparatoire des Salt, puis dans la guerre indo-pakistanaise de 1971, c'est Brejnev qui est l'interlocuteur privilégié du président Nixon et qui adopte alternativement une attitude intransigeante et une attitude conciliante. C'est avec Brejnev que Nixon échange en janvier 1972 une correspondance peu amène de part et d'autre sur le Vietnam [30]. C'est lui surtout qu'il a pour interlocuteur à Moscou en mai 1972. A ce moment, il ne fait plus de doute que la politique extérieure de l'U.R.S.S. est incarnée par Brejnev. La volonté de la personnaliser apparaît autant du côté soviétique que du côté américain. Si Nixon propose en exemple à leurs relations bilatérales le souvenir des relations de Roosevelt et Staline, Brejnev lui fait savoir que, dans l'échange de cadeaux entre gouvernements, il souhaiterait que soit prise en compte sa passion des voitures de luxe [31]. Mais, pour autant que s'établissent ces relations personnelles, Nixon n'a jamais l'impression de trouver en face de lui un seul interlocuteur, et la manière dont se relaient et se complètent Brejnev, Kossyguine et Podgorny [32] le conduit à conclure à l'existence d'une équipe que domine, pour des raisons d'âge et de caractère plus expansif et conciliant, le secrétaire général du Parti. Si Nixon entrevoit des différences dans les comportements, jamais, dans cet âge d'or de la détente, il ne considère que Brejnev en soit le garant personnel.

Sa place dans le jeu politique, Brejnev la doit en définitive à son respect de la direction collégiale, où, tout en prenant du poids, en disposant d'appuis croissants au Comité central, il n'introduit pas de changements brutaux. La mini-crise de 1970 se règle sans qu'on en voie les vaincus, même si Brejnev en est le vainqueur.

Dans les années qui suivent, à partir de 1973 surtout, le Politburo et le Secrétariat vont progressivement se renouveler. Mais, ici encore, les changements s'opèrent graduellement, hors de tout climat de crise, conclusions, en général, d' « affaires » ponctuelles. Au Politburo, les sept exclus des années 70 avaient pour la plupart quelque raison de l'être. Mjavanadze, parce qu'il est accusé de malversations graves, perd la direction du Parti géorgien et par là même son siège au Politburo. Chelest et

Voronov, adversaires déclarés d'une politique étrangère d'ouverture, que Brejnev défend au nom du Politburo [33] et qui y a de toute évidence un support majoritaire, disparaissent sans bruit de cet organe en avril 1973. Le départ de Polianski en 1977 et celui, plus tard, de Mazourov s'effectuent sur un fond de difficultés agricoles. La longue résistance de Chelepine et de Podgorny donne la mesure de ces crises atténuées. Politiquement en recul dès 1965, Chelepine ne disparaît de la scène politique qu'en 1975, après un peu glorieux voyage en Angleterre. Le dédain que lui manifestent les syndicats anglais, plus sensibles à son passé policier qu'à ses fonctions de direction syndicale, fournit enfin un prétexte au Politburo pour constater qu'il représente mal les syndicats soviétiques. Podgorny lui aussi finit par être évincé. Mais c'est un homme de soixante-quinze ans que ses collègues envoient à la retraite [34].

A contempler la composition des deux organes du sommet, Politburo et Secrétariat, et leurs variations, on peut en définitive tirer plusieurs conclusions. En dépit des changements de personnes qui semblent fréquents, c'est la stabilité qui caractérise la période brejnevienne. Dans les années 1923-1930, le Politburo légué par Lénine a été totalement renouvelé, à l'exception d'un seul membre, Staline. De 1953 à 1962, le Politburo hérité de Staline a vu disparaître tous ses membres, à l'exception de deux — Khrouchtchev et Mikoïan [35]. En revanche, du Praesidium qui existe à la disparition de Khrouchtchev, on retrouve six membres en 1980 parmi les membres votants, dont quatre détiennent depuis 1964 les positions décisives — Brejnev, Kossyguine, Souslov, Kirilenko. La permanence des vrais responsables du pouvoir, de ceux qui représentent le Parti, le gouvernement et l'idéologie, est particulièrement remarquable. Si le Secrétariat a connu de nombreuses allées et venues, ici aussi, ce qui s'impose par-delà les faveurs subites et les chutes, c'est la stabilité du groupe le plus important, celui des secrétaires qui sont en même temps membres du Politburo. Trois sur quatre — Brejnev, Souslov, Kirilenko — ont préservé continûment ce statut, qui assure des moyens de contrôle exceptionnels sur l'appareil du Parti.

Cette stabilité d'un groupe, associé de très longue date à l'appareil central mais aussi à des « fiefs » régionaux ou républicains, limite la signification des mouvements qui ont affecté épisodiquement la composition de ces deux organes [36].

Une seconde conclusion concerne la nature des crises qui ont entraîné ces changements. A aucun moment de l'ère brejnevienne il n'y a eu de crise politique ouverte, marquée par des affrontements tels qu'en a connu le stalinisme, ou les épisodes dramatiques de la lutte de Khrouchtchev contre les « anti-Parti » en 1957 ou 1961. Les crises feutrées de l'ère brejnevienne sont caractérisées soit par l'érosion — très lente — des positions de Chelepine et Podgorny, c'est-à-dire par un règlement tardif du problème de la succession de 1964 qui a finalement assuré le triomphe d'un groupe dont ces deux hommes étaient exclus, soit par une série d'évictions dispersées, qui permettent d'ouvrir le sommet de l'appareil à deux catégories d'hommes : les représentants des fiefs régionaux dont la carrière a été liée de très près à celle du secrétaire général (Tchernenko, Kunaev, Chtcherbitski) et les représentants d'autres appareils, on y reviendra. Mais aussi bien en 1965 qu'en 1970, 73-75 ou 78 — moments des principaux changements — il n'y a de débat ouvert ou de signes que la direction du Parti est engagée dans des luttes graves. Dans chaque cas, la direction semble expulser un corps mal ou moyennement intégré.

Une troisième conclusion touche au caractère « normalisé » de ces mouvements de personnes, qui témoignent aussi de pratiques politiques nouvelles. Sans doute certains dirigeants éliminés le sont-ils dans le cadre d'une critique de leur politique. Mais cette critique reste modérée. Polianski quitte le Secrétariat en 1977 parce que les résultats de la politique agricole dont il est responsable sont mauvais [37]. Mais Polianski ne se trouve pas directement accusé, et sa position s'affaiblissait depuis 1973. Les deux seuls exclus qui auront fait l'objet de vives attaques sont Mjavanadze, dont la corruption est de notoriété publique [38], et Chelest, dont les positions nationales bruyantes sont en opposition avec les thèses intégratrices du Parti après le XXIVᵉ Congrès [39]. Les autres exclusions semblent être souvent le résultat de positions faiblissantes. C'est le cas de Chelepine qui, lors des élections au Soviet suprême en 1974, est contraint d'échanger une circonscription électorale urbaine de prestige contre une circonscription rurale. Son éviction définitive en avril 1975, effectuée sans bruit lors d'un plénum qui n'est annoncé qu'à posteriori [40], semble ainsi sanctionner l'échec du voyage en Angleterre.

Le fait le plus remarquable de cette période est non seulement le caractère feutré des crises, mais surtout la dédramatisation du statut d'exclu. La chute politique sous Staline impliquait la mort ou dans le meilleur des cas la perte de liberté et le déshonneur; Khrouchtchev s'était efforcé de lui donner un caractère déshonorant aussi (les « anti-Parti » étaient des « fractionnistes » et, pour la plupart, taxés de « complicité avec Staline »). Mais dans les années 70 Mazourov se retire en invoquant une santé déficiente [41], Podgorny a demandé à prendre sa retraite. Et le sort ultérieur des exclus n'est pas toujours la « mort politique ». Outre qu'ils conservent les avantages matériels dont ils avaient joui lorsqu'ils étaient en fonction, ils sont parfois promus à d'autres fonctions (Polianski a été nommé ambassadeur au Japon), parfois aussi ils deviennent des retraités honorables. C'est ainsi que pour le soixante-deuxième anniversaire de la Révolution, en novembre 1979, Podgorny a été présent aux cérémonies du Kremlin [42]. La présence d'un dirigeant de haut rang démis peu auparavant aux festivités qui regroupent la classe politique soviétique témoigne de mœurs politiques nouvelles. On peut aussi inscrire dans ces innovations le fait que les dirigeants soviétiques connaissent désormais de longues périodes d'absence inexpliquées sans que pour autant se multiplient les spéculations sur leur destin politique. A l'automne 1976, Kossyguine a été absent de toutes les manifestations politiques — du Parti et du gouvernement — pendant quatre-vingt-sept jours et a réapparu ensuite, sans explication aucune. Ces périodes d'absence, de même que la réapparition de Podgorny, témoignent avant tout de la confiance qu'a l'équipe dirigeante en sa capacité à se maintenir.

Apaisement, stabilité et consensus, tels sont en définitive les grands traits des relations politiques entre dirigeants à l'époque brejnevienne. L'ère des luttes impitoyables entre personnes semble révolue, au profit de ces solidarités qui se perpétuent.

Armée et Parti : conflit ou coopération?

L'évolution des modes de relations entre dirigeants accompagne un changement plus profond : la représentativité nouvelle des organes suprêmes du Parti.

Le Comité central assure de longue date la représentation des groupes spécifiques : bureaucratie du Parti, institutions, régions. La stabilité qui règne dans ce corps fait que chaque groupe tend à y perpétuer sa place. Jusqu'au début des années 70, cette fonction de représentativité était étrangère à la composition du Politburo, dans la mesure où le poids des personnes y était déterminant. Mais à examiner les changements qui y sont survenus, on constate que là aussi, plus que des individus, ce sont désormais des bureaucraties qui sont installées et dont les intérêts s'expriment. Ce tournant vers une plus grande représentativité du bureau politique date de 1973. On y voit entrer alors les responsables des trois corps étroitement associés à la politique extérieure : le ministre des Affaires étrangères, Gromyko, le ministre de la Défense, le maréchal Gretchko, et le président du K.G.B., dont les fonctions couvrent aussi la sécurité du territoire et l'espionnage, Andropov. Si, depuis 1973, des hommes ont changé au sommet, les bureaucraties qu'ils représentent y ont une place stable. Et ceci pose d'emblée le problème du poids de ces bureaucraties, armée et police surtout, dans les organes dirigeants et dans la prise de décision. Derrière les responsables de ces corps en effet existent des appareils qui ont longtemps — c'est le cas de la police — exercé une activité autonome en U.R.S.S. et dont la capacité à redevenir un corps agissant de sa propre initiative ou pesant de manière décisive sur le Parti est un des problèmes du pouvoir soviétique. L'hypothèse d'un pouvoir militaire ou d'une pression croissante de l'armée sur le pouvoir civil resurgit aussi périodiquement en U.R.S.S. Et les années 70, où l'U.R.S.S. accède au statut de puissance globale par une politique extérieure toujours plus active, laissent place au développement de l'action de l'armée et du K.G.B. L'entrée de leurs responsables, en 1973, au sommet de l'appareil dirigeant est-elle le signe de cette progression? Quelle est la capacité de l'appareil politique d'endiguer des ambitions collectives, beaucoup plus pesantes que les ambitions personnelles? D'autant que les ambitions collectives sont renforcées par l'évolution générale de la politique soviétique.

La place de l'armée dans la société politique soviétique doit être évaluée en fonction de plusieurs éléments. La représentation plus ou moins grande des militaires dans les divers appareils, sans doute; mais aussi en fonction de ce que sont ces militaires, du ton des relations entre pouvoir civil et pouvoir militaire, enfin des objectifs internes et internationaux de l'U.R.S.S. Le poids des militaires dans l'appareil de l'État et du Parti est à première vue impressionnant. Au Soviet suprême de l'U.R.S.S., les militaires ont une représentation à peu près constante depuis le début de l'ère brejnevienne : 56 députés en 1962 et 1966, 58 en 1970, 56 en 1974 et 55 en 1979 [43]. Par rapport à la masse totale des élus, qui oscille d'une législature à l'autre entre 1 442 et 1 517 députés, la part des militaires est pratiquement inchangée, allant de 3,9 % en 1962 à 3,6 % en 1979. Les élus du peuple, puisque le Soviet suprême est élu au suffrage universel, sont pratiquement tous désignés à cette dignité en raison des fonctions qu'ils occupent. Le corps des députés issus de l'armée correspond à trois groupes qui tous sont systématiquement représentés : 1) les titulaires des plus hauts postes du ministère de la Défense et les commandants des grandes régions militaires, des forces stationnées en Europe de l'Est et de la marine; 2) les « maréchaux » survivants de la Seconde Guerre mondiale; 3) les militaires représentant les minorités nationales de l'U.R.S.S. [44].

Dans le Parti, où se situe le pouvoir réel, la représentation de l'armée est plus spectaculairement assurée, on l'a vu avec les 30 élus du Comité central de 1976.

Avec un représentant au Politburo, le ministre de la Défense, ou 3 si l'on tient compte des titres militaires (Brejnev, Oustinov, Andropov), l'armée semble être un corps privilégié au sein du pouvoir politique.

Ces indices quantificatifs s'éclairent quand on passe des chiffres à l'histoire récente des relations entre le Parti et l'armée. Histoire qui, dans les années brejneviennes, ne suit pas une ligne droite mais s'infléchit progressivement.

Après la chute de Khrouchtchev, l'armée, qu'il avait déçue et mécontentée, prend immédiatement une importance nouvelle. Non qu'elle ait joué un rôle dans son élimination, qui fut essentiellement un acte politique, mais sa neutralité a servi les adversaires de Khrouchtchev. Comme dans d'autres domaines, les successeurs dénoncent ses choix, et par là donnent satisfaction à l'armée sur la question centrale des priorités économiques.

Devant le Soviet suprême réuni en décembre 1964, Kossyguine déclare : « Le Parti communiste et le gouvernement ont décidé de renforcer le potentiel économique et de défense du pays, en renforçant l'industrie lourde [45]. » Dans cette proposition présentée solennellement sous la double autorité du Parti et du gouvernement, ce que Kossyguine rejette implicitement c'est la décision, hérétique aux yeux de l'armée, et de combien de « mangeurs d'acier » — prise par Khrouchtchev le 10 octobre 1964 —, d'abandonner l'éternelle priorité du secteur A. L'année suivante, Kossyguine est plus explicite encore dans ce rejet des positions khrouchtcheviennes dont il dit : « Économiser sur les dépenses militaires c'est aller à l'encontre des intérêts de l'U.R.S.S. [46]. » L'armée peut s'estimer satisfaite sur ce point. La politique économique qui limitait les investissements militaires est abandonnée, et intérêt militaire et intérêt national deviennent synonymes.

Mais le conflit larvé entre armée et pouvoir civil, né au début des années 60, loin de s'apaiser, va s'aiguiser. Forte des assurances qu'elle reçoit, forte de l'idée aussi que les périodes de transition sont propices à de telles démarches, l'armée tente de s'imposer comme force autonome. De novembre 1964 à 1967, une lutte presque ouverte — les luttes de personnes sont bien effacées par ce conflit entre appareils — oppose les deux pouvoirs, Parti et gouvernement étant unis dans une même volonté de limiter la montée des ambitions militaires. Cette opposition, on la constate sur deux terrains : celui de la politique étrangère, celui du contrôle politique de l'armée. Les deux domaines se confondent au demeurant, car, dans les deux cas, ce que cherche l'armée c'est à affirmer son autonomie et son droit à participer aux décisions prises.

L'opposition sur la politique étrangère éclate dès les premières semaines d'installation de la direction collégiale. Celle-ci affirme d'emblée [47] son attachement à la politique de coexistence pacifique — qui, dit Brejnev, est un élément central de l'héritage de Lénine — et souligne que, pour atteindre à une réduction des tensions internationales, « l'Union soviétique est prête à développer les relations soviéto-américaines ». Les États-Unis sont alors présentés comme « patrie de nombreux Américains attirés vers la paix et las de la guerre froide ».

Au même moment, le chef suprême de l'armée, le maréchal Malinovski, ministre de la Défense, prend des positions bien différentes. Sur la place Rouge, lors du défilé militaire du 7 novembre, puis à la réception qui suit, il affirme que les États-Unis sont le centre de l'impérialisme mondial, qu'ils menacent l'U.R.S.S. et la paix. Ces déclarations sont en tel désaccord avec le discours de Brejnev que la *Pravda* qui les publie censure les propos anti-américains de Malinovski [48].

Le second sujet de conflit entre armée et Parti, autonomie de l'armée ou soumission au pouvoir politique, est apparu aussi dès la chute de Khrouchtchev. Dans les jours qui suivent, le maréchal Malinovski obtient que soit nommé chef d'état-major le maréchal Zakharov, écarté de ce poste en 1963 par Khrouchtchev pour s'être opposé à sa politique militaire, et notamment à sa volonté de contrôler l'armée. Un concours fortuit de circonstances favorables rend ce poste disponible, au moment même où se met en place la nouvelle direction [49]. Cette nomination prend très vite son sens, car Zakharov, comme il l'avait fait sous Khrouchtchev, va se faire l'avocat de la responsabilité du commandement militaire dans tous les domaines, soulignant combien l'intervention du Parti est inappropriée aux exigences de l'armée et combien dans le passé elle a été dommageable aux intérêts de l'U.R.S.S. [50]. « L'armée aux militaires », telle est la revendication exprimée clairement par les militaires professionnels. A cette exigence le Parti répond en essayant de renforcer le poids de l'Administration politique de l'armée *(Glavnoe Polititcheskoe Upravlenie Sovetskoï Armii i Voennoego Flota),* en portant son chef, le général Epichev, au rang de membre titulaire du Comité central, lors du plénum de novembre 1964. Par cette promotion, le chef des services de contrôle politique de l'armée atteint soudain à une égalité statutaire avec le ministre de la Défense. Deux volontés se heurtent alors. Une armée sûre d'elle qui, dans une période internationalement difficile — en février 1965 les raids aériens américains sur le Nord-Vietnam se développent —, tire argument du contexte international, de la solidarité que l'U.R.S.S. affiche avec le Vietnam [51] pour défendre le poids de l'armée dans la nation, ses responsabilités, son importance dans les choix politiques. De là découlent le rôle unique du commandement militaire [52] et l'importance des investissements dans ce secteur [53]. Face à l'armée, le Parti, qui s'exprime dans cette période initiale par son intermédiaire militaire, l'Administration politique de l'armée, est infiniment moins net dans ses positions. La lecture comparée du journal qui exprime les vues de l'armée professionnelle, *Krasnaia Zvezda (L'Étoile rouge),* et de l'organe de l'autorité politique de l'armée, *Kommunist Voorujonykh sil (Le Communiste des forces armées),* témoigne de ces volontés inégales. Sans doute *Kommuniste Voorujennikh sil* se réfère-t-il à Lénine pour affirmer que « la principale source d'organisation de l'armée soviétique est la direction du Parti communiste [54] », que le « commandement unique » exigé par les militaires ne peut être admis que « dans la perspective du Parti [55] ». Le potentiel de défense d'un pays ne réside pas seulement pour cet organe dans les armements dont il dispose, mais dans le moral, c'est-à-dire la formation idéologique de la nation [56]. Si jusque-là les cadres politiques de l'armée soutiennent des positions contraires à celles des professionnels, au-delà commencent les hésitations. Les cadres politiques du rang le plus haut partagent en effet la position des militaires professionnels sur la dimension des armées. Aux propositions formulées par Khrouchtchev de réduire les effectifs militaires, l'armée avait réagi violemment, et elle avait été soutenue par ses cadres politiques. En 1963, le général Epichev apporte sa propre contribution au débat, en affirmant que les guerres de son époque exigent des armées de masse et un renforcement de tous les secteurs militaires et de toutes les catégories d'armes [57].

Après la chute de Khrouchtchev, les militaires professionnels ne peuvent que constater que, s'ils sont en désaccord absolu avec le chef politique de l'armée lorsqu'il prône la prééminence de l'autorité du Parti, ils trouvent en lui un allié, s'agissant de définir les besoins militaires. Or les premiers mois du post-khrouchtchevisme sont dominés par les débats sur les priorités économiques et les besoins économiques de l'armée. La discussion sur l'élaboration du plan quinquennal pose un problème de choix. Faut-il accélérer la hausse du niveau de vie des Soviétiques? C'est la suggestion de Kossyguine [58], et Podgorny en explique les conséquences. Il souligne que si, durant une longue période, « le peuple soviétique a accepté des restrictions matérielles dans l'intérêt du développement prioritaire de l'industrie lourde et du potentiel de défense », la richesse sociale et les besoins sociaux mettent désormais au premier plan « les intérêts quotidiens des travailleurs [59] ». Ce souci de privilégier la consommation est loin de faire l'unanimité dans le Parti, et il inquiète considérablement l'armée. C'est pourquoi elle est attentive aux positions traditionalistes dont Souslov se fait l'avocat.

Sans nier que le Parti ait à prendre en compte les besoins sociaux, Souslov affirme, contre Kossyguine et Podgorny, que l'époque des sacrifices n'est pas révolue, parce que « la réalité objective », c'est-à-dire le monde extérieur, impose de poursuivre une politique de renforcement prioritaire du potentiel de défense [60]. On voit ici combien le tableau politique de l'U.R.S.S. est complexe dans cette phase de transition. Le Parti est partagé entre partisans de la traditionnelle priorité à l'industrie lourde et partisans d'une véritable politique de la consommation. L'armée doit, pour défendre ses besoins, s'appuyer sur les premiers. Mais aussi, ce sont ceux qui sont le plus passionnément attachés à la thèse de la mainmise du Parti sur l'armée, que cette dernière conteste. Ce n'est pas un hasard si le général Epichev est — à l'image de Souslov — tout à la fois partisan de contrôler l'armée, ce qui est sa fonction, et défenseur de ses besoins économiques, qu'il juge prioritaires. Pour défendre son droit à l'autonomie, l'armée eût à coup sûr gagné à s'appuyer sur Kossyguine, et sur ceux qui avec lui veulent créer un lien entre la société et le pouvoir par une amélioration rapide du niveau de vie, qui, à cette fin, dans tous les domaines, pratiquent un empirisme dont le Parti centralisateur pourrait faire les frais. Des deux tendances, l'armée choisit en définitive celle qui garantit la satisfaction de ses besoins économiques, de sa capacité de développement, espérant par cet appui gagner une puissance qui lui permette de desserrer l'étreinte du contrôle politique. Ce conflit sur les rapports de l'armée et du pouvoir politique, qui se déroule dans les débuts de la période postkhrouchtchevienne, s'il est moins spectaculaire que les querelles de personnes qui occupent l'avant-scène, est infiniment plus important pour l'avenir du système. C'est là que se jouent les grands choix économiques. Là que s'oriente aussi l'équilibre politique à venir entre le Parti et l'armée.

En 1966, l'armée semble être la gagnante dans cette lutte d'influence. La direction du Parti revient sur les réductions de dépenses militaires annoncées et rétablit le budget de 1965 au niveau initialement prévu [61]. Le XXIIIe Congrès, en dépit d'un ton conciliant et d'une insistance constante sur le thème de la coexistence pacifique, marque un net durcissement par rapport aux positions adoptées en matière internationale depuis 1956. Ce durcissement est clair sur deux points fondamentaux : l'affirmation, en dépit de la coexistence prônée, des besoins prioritaires de la défense soviétique [62] et une délimitation claire du domaine spatio-politique de la coexistence pacifique. Khrouchtchev avait laissé planer le doute sur l'espace où s'appliquait la coexistence. Concernait-elle seulement les relations de l'U.R.S.S. avec le monde développé ou bien aussi les relations de l'U.R.S.S. avec les pays en voie de développement? Les formulations du XXe Congrès, la politique suivie ensuite dans le Tiers-Monde suggéraient que partout la lutte de classe pouvait être reléguée dans des lointains imprévisibles [63]. Les Chinois ne s'y étaient pas trompés qui accusaient l'U.R.S.S. d'avoir abandonné la voie des révolutions. Le XXIIIe Congrès est beaucoup plus net à cet égard : la coexistence pacifique, dira Brejnev, doit s'appliquer aux relations soviéto-américaines (les pays industrialisés rentrent, cela va de soi, sous cette étiquette). Ailleurs, la compétition et les progrès du socialisme international ne seront à aucun moment retardés [64], parce que le progrès de la révolution dans le Tiers-Monde et le destin du camp socialiste sont inséparables. Ainsi, en 1966, au moment où elle commence à se consolider, l'équipe Brejnev indique clairement ses vues sur le monde — coexistence sans doute, mais dans des limites très précises, et ses priorités, c'est-à-dire le renforcement de la puissance soviétique. Pour affirmer ses objectifs, le pouvoir soviétique parle d'une seule voix, celle de son secrétaire général Brejnev, celle de son chef du gouvernement Kossyguine, celle de son armée. Sans doute peut-on noter quelques différences d'accent entre l'armée et le pouvoir civil. Si Brejnev et Kossyguine célèbrent tous deux la coexistence pacifique dans leurs interventions au congrès, les militaires qui s'expriment, le maréchal Malinovski et le général Epichev, oublient tous deux d'évoquer la coexistence pour se consacrer uniquement aux menaces, à la puissance nécessaire de l'U.R.S.S. et à ses moyens [65]. Mais ces différences ne doivent pas dissimuler l'essentiel. Dès sa première manifestation solennelle — les congrès du Parti sont destinés à « publier » la ligne suivie —, l'équipe des successeurs de Khrouchtchev définit une vision politique qu'elle poursuivra sans fléchir dans l'avenir, vision d'un monde où coexistence et progression sont étroitement liées, où le domaine de la coexistence a des limites, tandis que celui de la progression n'en a pas.

L'armée peut-elle être pleinement satisfaite des options du XXIIIe Congrès? En apparence oui. Le monde que décrit le Parti nécessite une armée nombreuse et puissante. La politique sera encore longtemps dépendante de la puissance militaire. Cette place qui lui est reconnue dans les priorités soviétiques, l'armée la trouve dans les institutions. Elle a été représentée au Congrès par 352 délégués, soit 7,1 % du total. Et parmi ces délégués, le congrès en a élu 32 pour la représenter au Comité central. Dans les organes suprêmes, Politburo et Secrétariat, elle voit monter un homme proche de ses intérêts, Oustinov. Il a été, en effet, commissaire du peuple aux Armements en 1941 et est spécialisé depuis lors dans les problèmes d'industrie lourde. Sa nomination au Secrétariat et sa présence parmi les candidats du Politburo, si elles n'y assurent pas la présence directe de l'armée, créent néanmoins une situation plus favorable que celle qui existait depuis l'éviction de Joukov en 1958. Peut-être, à y regarder de plus près, peut-on constater que les progrès de l'armée dans l'appareil du Parti sont bien relatifs. La délégation de l'armée aux congrès n'a augmenté que de 2 membres de 1961 à 1966, tandis que le nombre total de délégués d'un congrès à l'autre avait augmenté de 225 membres. Et si les 32 élus au Comité central de 1966 représentent un progrès numérique, l'élargissement du Comité central à l'issue du congrès réduit en définitive légèrement la représentation de l'armée par rapport à l'ensemble. Mais le point le plus remarquable probablement est que le seul progrès accompli par l'armée ne l'est pas par les militaires professionnels, mais par l'Administration politique. Celle-ci avait en effet un seul élu au Comité central de 1961, le maréchal

Golikov, membre titulaire du Comité central et défenseur très passionné de la thèse de l'autorité prééminente du Parti dans l'armée [66]. En 1966, ce corps est représenté parmi les membres titulaires du Comité central par son chef, le général Epichev, et par deux candidats [67], le responsable de l'administration militaire du district de Moscou et celui des forces stratégiques « missiles ». Sans doute les « politiques » de l'armée ne représentent-ils en 1966 qu'une part mineure de sa délégation au Comité central (3 sur 32), mais leur progrès traduit une tendance, la volonté du Parti de ne pas laisser l'armée hors de son contrôle. A l'issue du congrès, cette tendance est à peine visible et l'armée l'entend à sa manière. Malinovski l'a dit au congrès : le corps des officiers, jusqu'au niveau le plus élevé, est composé à 93 % de membres du Parti ou du Komsomol [68]. L'armée réalise ainsi en elle-même la synthèse entre pouvoir politique et pouvoir militaire, et ceci justifie son autonomie. Forte de cette conviction, des concessions budgétaires obtenues, l'armée bataille pour obtenir du Parti qu'il lui reconnaisse sur tous les plans le droit d'être un corps social spécifique, différent de tous les autres dans la société [69]. Et elle obtient cette reconnaissance dans un domaine où le Parti est très attentif, depuis qu'il a éliminé Khrouchtchev, à ne pas s'affaiblir, le domaine délicat des réhabilitations. Dans le Rapport secret et au cours des années qui ont suivi le XX⁰ Congrès, la réhabilitation des militaires a été exceptionnellement importante. Les grands chefs liquidés par Staline en 1937 (Toukhatchevski, Iakir, Gamarnik, Blücher, etc.) ont retrouvé leur place dans l'histoire soviétique; de même, le rôle joué par le commandement militaire dans la Seconde Guerre mondiale a été réévalué. Mais, à la fin des années 60, l'armée veut aller au-delà de ce que le Parti a accepté, c'est-à-dire du désaveu de Staline. Elle obtient une réhabilitation partielle de Joukov, victime des « purges politiques » de l'ère poststalinienne [70], et surtout, et ceci est exceptionnel, la réhabilitation d'un commandant de corps exécuté à l'époque de Lénine pour avoir « conspiré contre le régime soviétique ». Or, s'il est une limite que le Parti n'entend pas franchir dans l'aveu des erreurs commises, c'est celle qui concerne la période léniniste. Le Parti de Lénine était infaillible, c'est là la garantie de l'infaillibilité du Parti en général. Il ne saurait dans ces conditions y avoir de victimes injustement condamnées sous Lénine. La réhabilitation du commandant Dymenko témoigne de la combativité de l'armée, mais plus encore d'une volonté claire de marquer les défaillances du Parti, et par là le caractère exorbitant de ses prétentions à tout contrôler.

Le bilan des relations Parti-armée est, avant 1967, difficile à établir; il semble néanmoins pencher en faveur d'une autonomie du pouvoir militaire. Le Parti multiplie les déclarations qui affirment la primauté de l'idéologie, de son autorité; mais il est conduit, par ses choix internationaux, ses traditions aussi, à des arbitrages économiques qui renforcent l'armée, lui donnent de l'assurance et la conduisent à être exigeante sur d'autres plans.

Cet équilibre imprécis entre les deux pouvoirs est mis fortement en question par la mort de Malinovski au printemps 1967. Qui lui succédera comme ministre de la Défense? Un militaire comme lui ou un civil? La question est loin d'être facile à résoudre, surtout si l'on se réfère à la tradition politique de l'U.R.S.S. Le Parti a réussi longtemps à dominer l'armée, en la plaçant sous l'autorité de ministres non militaires ou de faux militaires, tel Boulganine, homme d'appareil dont le Parti avait fait un maréchal. L'armée n'a été sous l'autorité d'un homme sorti de ses rangs que pendant douze ans, entre 1955, lorsque Boulganine devenu Premier ministre cède sa place à Joukov qui en 1957 sera remplacé par Malinovski, et 1967. Alors le problème se pose à nouveau. Malinovski aura-t-il pour successeur un militaire? Pour l'armée, la réponse ne fait pas de doute, elle entend conserver les positions acquises dans l'après-stalinisme. Pour le Parti, la réponse n'est pas moins claire, mais elle va en sens inverse. « Le rôle dirigeant du Parti dans la construction de l'armée et dans les forces armées doit croître [71] », car « l'expérience des deux dernières guerres prouve que la direction ne peut être confiée aux seuls militaires [72] ».

Pendant dix jours, un conflit aigu a opposé le Parti à l'armée. Ce conflit, peu apparent parce qu'il impliquait des bureaucraties et non des personnes, représente pourtant la seconde crise grave de la période postkhrouchtchevienne. La discussion, dont on voit les traces dans les publications militaires, porte, au-delà de la nomination du nouveau ministre de la Défense, sur le problème décisif, pour le système, du droit de l'armée à vivre hors de l'autorité du Parti, ou du moins à considérer que ses propres communistes suffisent à incarner l'autorité du Parti. Le Parti a un candidat à la succession, Oustinov, dont les compétences industrielles justifieraient la nomination et qui est véritablement l'homme de l'appareil. Mais, en 1967 encore, la direction politique est incapable d'imposer sa décision à l'armée. Au terme du débat, l'armée a gagné. Son ministre est un militaire de métier, le maréchal Gretchko, dont l'expérience remonte à la guerre civile et qui fait partie des cadres militaires dont l'avancement a été grandement favorisé par les purges staliniennes. Militaire véritable, Gretchko est aussi un communiste de longue date puisqu'il est entré au Parti en 1928, à vingt-cinq ans, et qu'il siège au Comité central depuis 1952 [73].

La victoire des militaires va être encore renforcée dans la période qui suit par deux événements, la guerre israélo-arabe de juin 1967 et la crise tchécoslovaque. En juin 1967, l'armée est bien placée, constatant le sort du matériel militaire soviétique livré aux Arabes, pour dire à son tour que les questions militaires sont trop sérieuses pour être laissées aux non-spécialistes. Devant la défaite subie au Moyen-Orient, le pouvoir politique ne peut qu'admettre avec l'armée la nécessité de renforcer le potentiel militaire soviétique. Les thèses publiées par le Parti pour le cinquantenaire de la Révolution, les discours jubilaires [74], tout atteste que les positions militaires l'emportent. Brejnev dira alors que la politique de coexistence pacifique doit être fondée sur une « capacité de défense invincible [75] ». Le thème du contrôle du Parti sur l'armée s'estompe dans la presse militaire et, lorsque le sujet est traité, ce sont généralement les chefs militaires qui expriment avec vigueur leur certitude qu' « il faut renforcer l'unité de commandement », mais que c'est « le privilège des chefs militaires et d'eux seuls [76] ». Ce qu'on trouve surtout dans la presse, c'est l'insistance de l'armée sur les besoins militaires de l'U.R.S.S. La réforme militaire de 1967, qui entraîne un certain degré de militarisation de la société, contribue aussi à accroître les pouvoirs propres de l'armée.

La crise tchécoslovaque achève de pousser l'armée sur la scène politique, ce qui n'implique nullement qu'elle ait pesé en faveur d'une solution militaire. Durant les mois fiévreux qui ont précédé l'invasion, on voit se succéder en Tchécoslovaquie aussi bien Kossyguine que le maréchal Gretchko. A analyser les journaux soviétiques représentant les diverses bureaucraties (*Pravda* pour le Parti, *Izvestia* pour le gouvernement, *Trud* pour les syndicats, *Krasnaia Zvezda* pour l'armée), ce sont les hésitations et les doutes de chaque groupe que l'on peut retenir, plutôt que des attitudes tranchées [77]. La seule prise de position militaire suggérant une intervention a été faite par le chef politique de l'armée, Epichev, le 23 avril 1968 [78]. On peut imaginer que les militaires professionnels ont été peu enclins à soutenir une intervention faite au nom des intérêts idéologiques et invoquant les tâches « idéologiques » de l'armée. Mais l'armée soviétique participe aux changements imposés à la Tchécoslovaquie. Le 13 avril 1969, quatre jours avant le remplacement de Dubcek par Husak, le maréchal Gretchko se rend à Prague avec le vice-ministre des Affaires étrangères de l'U.R.S.S. et de là en Allemagne. Cette activité d'un chef militaire hors de son domaine, ces rencontres politiques (avec Ludvik Svoboda, avec Husak, avec Ulbricht) suggèrent que l'armée est alors tentée, comme elle le fait au Moyen-Orient, de déborder de son rôle et d'intervenir aux côtés du Parti, sur le terrain de celui-ci. Les dirigeants soviétiques ont appris de longue date que l'on ne faisait pas appel à l'armée sans avoir à en payer le prix. Ce prix, le pouvoir politique ne l'a jamais accepté, et chaque période de croissance de l'autonomie militaire a été suivie d'une lutte acharnée entre le Parti et l'armée, où le Parti l'a emporté. Jusqu'à la fin de la décennie, l'armée ne cesse de s'affirmer, tirant profit de la phase de transition successorale où les dirigeants sont encore incertains de leur pouvoir, tirant profit aussi des problèmes internationaux auxquels la nouvelle équipe est confrontée. Mais, au début des années 70, la situation va commencer à s'inverser. Le pouvoir soviétique a atteint un certain degré d'équilibre entre les personnes. Les problèmes internationaux — le conflit armé avec la Chine sur les bords de l'Ussuri en mars 1969, la Conférence mondiale des partis communistes en juin et, surtout, la politique d'ouverture, à l'Ouest — exigent une unité de vues, sous peine que chaque événement de la vie internationale ne serve encore les progrès politiques de l'armée. La volonté du Parti d'imposer plus de discipline politique à l'armée ressort moins des traditionnelles déclarations sur la primauté du politique que de la décision spectaculaire, prise en avril 1969, de supprimer le classique défilé militaire du Premier Mai et de s'en tenir à une seule manifestation annuelle de puissance militaire, pour l'anniversaire de la Révolution [79]. Clin d'œil peut-être aux États-Unis, avec qui l'U.R.S.S. engagera en novembre 1969 les négociations pour la limitation des armements stratégiques (Salt) et à qui Brejnev, dans son discours du Premier Mai, évite toute allusion à l' « impérialisme américain ».

A partir de ce moment, les relations du Parti et de l'armée entrent dans une phase toute différente, où le Parti s'attache tout à la fois à rassurer l'armée, sur les implications de la politique de détente, mais en même temps ne relâche plus son autorité sur elle. D'un côté, l'armée peut s'estimer satisfaite. En 1973, le

Comité central élit au Politburo le maréchal Gretchko. Pour la seconde fois dans l'histoire de l'U.R.S.S,. et la première avait été très brève, un militaire professionnel, chef suprême des armées, siège au Politburo. Il y siège aux côtés de deux autres nouveaux venus, le chef de la politique extérieure soviétique, Gromyko, et le chef de la police, Andropov. Ces promotions simultanées suggèrent que, cette fois, l'armée est présente au Politburo en tant que groupe, et non pour récompenser les services rendus par un homme à une faction (ce qui était le cas de Joukov). C'est le poids de la politique extérieure et de la détente (qu'il faut « balancer » par une armée forte et une vigilance interne extrême) qui a conduit non pas trois hommes, mais trois chefs d'appareil dans l'organe suprême du pouvoir. La détente implique, du point de vue militaire, que l'U.R.S.S. l'aborde en position de puissance. La promotion de Gretchko est, à cet égard, tout à la fois un bâton — discret mais réel — brandi en direction des partenaires occidentaux, qui savent ainsi que détente ne signifie pas faiblesse ni affaiblissement potentiel de l'U.R.S.S., et une garantie donnée à l'armée qu'elle ne fera pas les frais de cette détente et que celle-ci sera discutée avec elle. La présence de l'armée au Politburo a, au demeurant, un avantage considérable pour le pouvoir politique. Il peut, dans ses rapports avec les États-Unis, lorsque ceux-ci mettent en doute la volonté soviétique d'appliquer sérieusement une politique qui limite les armements et invoquent ses dépenses militaires [80], en accuser l'armée. Celle-ci, par la voix de son représentant au Politburo, Gretchko, ne cesse en effet d'insister sur la nécessité de lier détente et puissance [81].

Le Parti a ainsi réussi, en incluant l'armée dans son organe de décision, à présenter au monde extérieur l'image commode d'une direction divisée entre des politiques « qui veulent la paix » et des militaires qui sont par définition des « va-t-en guerre ». La représentation de l'armée au sommet sert ainsi de multiples buts. Mais cette fois le Parti ne lâche plus prise, il manœuvre l'armée et entend lui imposer progressivement sa suprématie.

Au XXVᵉ Congrès (où la part des militaires au Comité central subit une nette diminution), les problèmes militaires ne sont pas traités par les chefs de l'armée, mais par le secrétaire général du Parti. Le silence du ministre de la Défense à un congrès du Parti est sans précédent. D'autant que Gretchko a assisté au congrès, et qu'il a fait preuve à cette période d'une grande activité [82].

Ce silence s'explique à la lumière des événements qui suivent, et qui marquent véritablement la mainmise du Parti sur l'armée.

Le 26 avril 1976, le maréchal Gretchko meurt [83]. Mais, contrairement à ce qui s'est passé à la mort de son prédécesseur, la succession du ministre de la Défense n'est plus objet de débats. Tois jours plus tard, le nouveau ministre est nommé. On en revient, après vingt et un ans, à la formule classique de l'homme d'appareil coiffant l'armée. Le nouveau ministre, Oustinov, dont la candidature avait échoué en 1967 en raison de l'opposition militaire, est en 1976 en position de force. Le XXVᵉ Congrès vient de le nommer membre titulaire du Politburo, et sa longue expérience des problèmes des industries d'armement est particulièrement importante pour les militaires eux-mêmes, au moment où les problèmes d'armement sont à nouveau à l'ordre du jour. Peu importe qu'Oustinov ne soit pas militaire; il est nommé, par décret du 29 avril 1973, général d'armée et deviendra, trois mois plus tard, maréchal de l'U.R.S.S.[84].

L'accession des dignitaires du Parti à de hauts titres militaires ne s'arrête pas là. Par décret du 7 mai 1976, le Soviet suprême nomme Léonid Brejnev maréchal de l'U.R.S.S.[85]. Cette nomination sanctionne, dit le communiqué Tass, le rôle du secrétaire général « à la présidence du *Conseil de défense de l'U.R.S.S.* », organe jusqu'alors inconnu. Le décret et les révélations qu'il apporte sont d'une grande importance pour comprendre l'évolution des rapports pouvoir civil-armée en 1976. En découvrant soudain aux Soviétiques l'existence du Comité de défense et le rôle qu'y a joué Brejnev, on leur a appris, au moment où le ministère de la Défense échappe aux militaires, que de toute manière le chef suprême des armées était le secrétaire général du Parti. Pouvait-on exprimer plus clairement la subordination de l'armée au Parti? Dès ce moment, on comprend comment s'est résolu le conflit qui a duré des années entre Parti et armée. L'armée, en tant que groupe, est largement représentée dans le Parti. Son chef suprême en est secrétaire général. Le Politburo compte trois militaires de haut rang : les maréchaux Brejnev et Oustinov, et le général Andropov. Au Secrétariat même, pour la première fois, l'armée est présente puisque les maréchaux du Politburo sont aussi membres du Secrétariat. Du coup, le nombre de militaires membres titulaires du Comité central augmente aussi, passant de 20 à 22, puisque l'on doit ajouter au groupe le secrétaire général du Parti et Andropov (Oustinov remplaçant Gretchko). Une fois encore, les chiffres sont trompeurs, car ils dissimulent l'affaiblissement et non le renforcement de l'armée. Le haut commandement militaire compte un nombre élevé de « politiques », qui occupent tous les postes dans les organes suprêmes du Parti. Des 9 maréchaux de l'U.R.S.S. qui sont en vie, 2 sont des hommes d'appareil, et sur les 11 généraux d'armée, 3 sont dans le même cas (Andropov, président du K.G.B., Chtchelokov, ministre de l'Intérieur, et Epichev).

L'armée de la fin des années 70 se trouve ainsi dans une position contradictoire. La politique extérieure lui donne un rôle considérable, et la politique intérieure, on y reviendra, tend à mêler les valeurs de l'armée aux valeurs sociales du Parti. Les plus hauts dignitaires du Parti, en revêtant des uniformes, la valorisent encore et affirment la symbiose des intérêts communistes et des intérêts militaires. Mais, en même temps, le Parti confisque à son profit le prestige militaire et souvent s'exprime comme représentant de l'armée. De menus incidents éclairent cette confusion des deux hiérarchies. Quand en 1976 Brejnev reçoit les étoiles de maréchal, le Politburo seul assiste à cette cérémonie, où l'armée pourtant est intéressée [86]. Lorsque en 1978 il reçoit l'ordre de la Victoire, les seuls orateurs seront lui-même et Souslov [87]. L'absence, ou le silence, des militaires traduit-il leur mauvaise humeur ou bien leur mise à l'écart par le Parti? Quelle que soit la réponse, une inconnue subsiste : à qui profite réellement cette évolution? Y a-t-il, au demeurant, des gagnants et des perdants dans cette remise en ordre des bureaucraties?

On peut difficilement répondre à ces questions sans examiner brièvement le poids des industries de défense dans le système politique. Celles-ci intéressent au premier chef six ministères fédéraux, spécialisés dans la défense : industrie de défense (ministre : Zverev), industrie aéronautique (Dementiev), constructions navales (Iegorov), industries électroniques (Chokine), industrie radiophonique (Plechakov), construction de matériels stratégiques, balistiques, spatiaux (Afanasiev). Outre ces ministères qui travaillent directement pour l'armée, quatre autres ont des activités qui l'intéressent de près : industrie chimique, industrie automobile, automation et systèmes de contrôle, tracteurs et machines agricoles.

Ces divers ministères ont des traits communs. La très grande stabilité de leurs dirigeants, qui ont tous une longue expérience dans leur domaine. Ainsi, le ministre de l'Industrie aéronautique de l'U.R.S.S., Dementiev, est-il à son poste depuis plus de vingt ans. En général, la plupart des ministres liés à la défense sont entrés en fonctions sous Khrouchtchev et n'ont pas été affectés par les changements politiques au sommet. Presque tous occupent des sièges avec droit de vote au Comité central. Mais, contrairement à la situation qui prévalait à l'époque de Khrouchtchev (où Pervoukhine et Sabourov représentaient les industries de défense au Politburo), les ministres de ce secteur sont exclus du Politburo. Enfin, ils s'adaptent aux réformes économiques, et notamment à la comptabilité monétaire *(Khozrastchet)*, peut-être pour mieux défendre leurs prérogatives face au pouvoir central. On voit ainsi se dessiner les grands traits du « complexe militaro-industriel ». Les industries de défense, comme l'armée qu'elles servent, sont un secteur privilégié par rapport à l'ensemble de l'industrie. Les responsables y ont une grande sécurité d'emploi, des moyens d'action considérables, mais aussi la volonté d'acquérir un certain degré d'indépendance, en invoquant l'expérience, la compétence, la capacité d'adaptation. Leur place au Comité central, comme celle des militaires, leur assure une représentation dans les instances de pouvoir. Mais, comme l'armée à laquelle elles sont liées, les industries de défense sont présentes au niveau le plus élevé, par l'intermédiaire d'un homme d'appareil, Oustinov. De manière générale, trois hommes assurent la liaison entre l'énorme secteur des industries de défense et le pouvoir politique, dont aucun n'est un dirigeant de l'industrie. Ce sont, outre Oustinov, L. V. Smirnov (membre titulaire du Comité central et président de la Commission militaro-industrielle, dont la fonction est de coordonner les activités du ministère de la Défense, des ministères des Industries de défense et des instituts de l'Académie des sciences qui effectuent des recherches dans ce domaine), enfin I. D. Serbine qui assume la direction du département des industries de défense au Comité central du Parti. Cette organisation des industries de défense montre la cohésion de l'armée et du secteur industriel qui la sert, à tous les niveaux de l'appareil de pouvoir (Politburo, Praesidium du Conseil des ministres de l'U.R.S.S., appareil du Comité central). Même « coiffés » par des civils, l'armée et ses intérêts tiennent une place considérable à tous les niveaux de la hiérarchie politique.

On voit en définitive comment, au terme de longs tâtonnements, se sont établies les relations du pouvoir politique et de l'armée, au moment où la politique extérieure fait une grande place aux militaires.

L'armée est véritablement un corps social fermé, doté de privilèges nombreux et incontestés, assuré de pouvoir les maintenir et de pouvoir se reproduire en tant que groupe. Le monde matériel et moral de l'armée est distinct du monde soviétique dans son ensemble, et l'armée est attachée à perpétuer cette spécificité.

Le pouvoir politique lui reconnaît un rôle croissant dans la réalisation de ses desseins extérieurs [88], et ne la présente plus, ainsi qu'il l'a fait longtemps, comme un simple moyen de défense de la patrie socialiste. Mais à ce rôle de l'armée, il y a une limite : l'action de l'armée, c'est le Parti qui en décide.

Cependant, cette limite que la politique soviétique des années 1976-1980 n'a cessé de souligner ne doit pas dissimuler tout ce qui unit l'armée au Parti, plutôt que de les opposer.

La culture politique de l'U.R.S.S. contemporaine d'abord, sur laquelle on reviendra, et qui est caractérisée par un large accord du Parti et de l'armée sur les objectifs de l'action du Parti, la légitimité de son pouvoir, l'importance de la mission que le Parti assigne à l'armée.

Le processus de prise de décision en matière de défense est un autre domaine d'accord. Si le Parti a en effet le privilège de définir la politique générale, il apparaît à travers des exemples précis, au Moyen-Orient surtout, qu'il délègue fréquemment à l'armée son pouvoir de décision, dès lors qu'elle est impliquée. De plus, parce qu'elle est représentée à tous les échelons du pouvoir, fût-ce par des civils, l'armée a le moyen de se faire entendre. Elle a aussi, plus que tout autre groupe probablement, la possibilité d'exprimer des positions qui parfois s'écartent des thèses du Parti. Il suffit de lire *Krasnaia Zvezda,* de voir comment au fil des ans les chefs militaires ont affirmé avec force leur conception d'une unité de commandement qui évacue l'autorité politique, de voir l'écart entre les positions défendues par ce journal et celles de son homologue communiste, *Kommunist Voorujennykh sil,* pour mesurer la liberté de ton des militaires et le degré de tolérance dont ils bénéficient. Mais il convient ici de ne pas confondre la défense des intérêts catégoriels et les débats sur les grandes options politiques. Le Parti brejnevien accepte que l'armée, en tant que groupe, affirme ses intérêts particuliers. En revanche, lorsque à un Brejnev qui prêche la détente et la conciliation s'opposent les exigences des militaires en faveur d'un renforcement de la vigilance et des armements, il faut se demander s'il n'y a pas derrière cet apparent désaccord une savante division du travail, qui permet à l'U.R.S.S. de poursuivre son effort d'armement tout en affirmant que son choix *politique* est de l'arrêter.

La coopération du Parti et de l'armée est évidente dans de nombreux domaines. L'adhésion au Parti de la plus grande part

168

des chefs militaires, la bureaucratie politique qui pénètre l'armée, tout impose, au-delà des résistances, une collaboration des militaires avec le Parti. Ils participent peu, sans doute, à la vie régionale du Parti et aux organismes gouvernementaux, mais l'administration leur offre bien des champs de coopération : conscription, transport, entraînement paramilitaire, éducation.

Si l'armée est, comme l'industrie de défense, coiffée par des hommes de l'appareil, ceux-ci veillent en revanche à défendre les besoins militaires, tant pour l'effort d'armement que pour l'amélioration des carrières et le maintien des divers privilèges dont elle jouit.

De plus, le pouvoir ne lui confie que les tâches de défense de la nation à l'extérieur, et parfois des tâches économiques à l'intérieur. L'armée contribue en effet à certains grands travaux [89] où la main-d'œuvre civile manque, telles la construction du B.A.M., l'aide aux récoltes [90], l'organisation de transports. Mais les tâches ingrates du maintien de l'ordre intérieur, l'intervention dans les manifestations du mécontentement social (grèves), la répression de l'opposition, tout cela est de la compétence exclusive du K.G.B. L'armée est un modèle social, un corps que ses privilèges rendent attirant, son prestige n'est entaché d'aucune fonction répressive. Dominée par le Parti, elle doit aussi beaucoup au Parti, dans sa métamorphose poststalinienne.

Le K.G.B. : dépendance et prestige

L'entrée du président du K.G.B. au Politburo, en 1973, les activités spectaculaires de cet organisme dans la répression des dissidents ont conduit à conclure que dans l'U.R.S.S. brejnevienne, comme dans celle de Staline, le K.G.B. était un élément central du système. Pourtant, la réalité politique ne confirme nullement une telle analyse. Si l'armée a représenté pour le pouvoir un long problème, s'il a fallu des années pour assurer sur elle la prééminence du Parti, il en va tout autrement de la police.

Dès la mort de Staline, le pouvoir politique a décidé de ramener la police au rôle que lui avait assigné Lénine : un puissant instrument de contrôle de la société, mais un instrument contrôlé par le Parti. C'est le premier point sur lequel s'élabore un consensus dans le poststalinisme, et ce consensus sera durable. Pour reprendre le contrôle de l'appareil policier, dont la puissance tient au fait qu'il dispose de ses propres forces armées, le pouvoir politique a procédé en deux temps. En 1954, le K.G.B., issu d'une réforme de la police, est placé sous l'autorité du général Serov, militaire d'origine, mais qui a bifurqué dès 1930 vers la police. Néanmoins, par ce choix, le Parti, qui a été aidé par l'armée pour se débarrasser de Béria, utilise encore l'armée pour prendre progressivement le contrôle de la police. Il définit aussi les limites du pouvoir policier. Indépendant des soviets, celui-ci est dominé d'une part par la procurature (le procureur suprême de l'U.R.S.S. et ses échelons subordonnés [91]), d'autre part par le Parti directement. Des deux côtés, le rôle du Parti est décisif. La séparation des pouvoirs n'existant pas en U.R.S.S., le procureur suprême est l'élu du Soviet suprême mais son poste relève de la nomenclature du Comité central. C'est lui ensuite qui nomme les procureurs républicains et de régions et contrôle les nominations aux niveaux territoriaux inférieurs, faites par les procureurs qu'il a nommés. Partout joue la nomenclature, c'est-à-dire le contrôle du Parti. Aussi longtemps que le Parti était désorganisé par Staline et que ces mécanismes étaient irréguliers, la police en a tiré avantage pour assurer son indépendance. Mais dans l'U.R.S.S. poststalinienne, le contrôle du Parti sur les mécanismes de nomination ou d'élection est redevenu efficace, parce que le Parti est stable. Le contrôle du Parti est renforcé au centre par le lien de dépendance qui existe entre le K.G.B. et le département du Comité central chargé des organes administratifs, qui supervise la police. Sur le terrain, les instances du K.G.B. relèvent de l'autorité de l'organe correspondant du Parti. En 1958, commence la seconde phase, celle qui va placer la police sous le contrôle direct du Parti. Tandis que le général Serov est mis à la tête des services de renseignements (G.R.U.), il est remplacé successivement par deux apparatchiks, venus de la direction du Komsomol, Chelepine de 1958 à 1961, Semitchasny de 1961 à 1967. En 1967 enfin, c'est un secrétaire du Comité central, Andropov, qui devient président du K.G.B. La nomination d'Andropov est un événement marquant. Pour la première fois dans l'histoire de cet organe, un homme de rang très élevé est appelé à le diriger. Jusqu'alors, c'était la direction du K.G.B. qui donnait droit à un siège au Comité central. En 1967, c'est l'inverse qui se produit et, pour souligner encore plus cette situation inédite, Andropov est nommé candidat du Politburo dont il deviendra membre titulaire en 1973. Le changement ne date donc pas de 1973, mais bien de 1967, et l'on

170

en comprend la signification. En plaçant à la tête du K.G.B. un dirigeant de haut niveau, le Parti donne à son représentant une autorité considérable sur la police qu'il est appelé à diriger. L'autorité du Parti sur la police ne peut être contestée, car Andropov ne doit pas à la police son rang dans le Parti. Grâce à lui, en revanche, la police est présente dans le Politburo, situation qu'elle n'a plus retrouvée depuis la disparition de Béria. L'adjoint d'Andropov, en revanche, Simon Tsvigun, qui est un policier professionnel, le premier depuis Béria qui ait connu une telle promotion interne, doit se contenter d'un siège de suppléant au Comité central. La police en tant que corps n'a donc qu'une faible représentation politique. Une autre raison explique la nomination d'Andropov et son statut personnel élevé — il est nommé général d'armée (ses deux principaux collaborateurs, Tsvigun et G.K. Tsvinen, vice-président du K.G.B. et membre suppléant du Comité central, recevront le même titre en 1978 [92]) — est le désir du Parti de rendre du prestige à une institution dont la déstalinisation a étalé les excès. Après la période des attaques contre la police et de la reprise en main, vient le temps de la reconstruction. Cette politique est urgente en 1967, où des intellectuels soviétiques s'accrochent à la notion de « légalité », aux droits que leur donne la Constitution et s'en prennent directement au K.G.B. Pour le Parti, le moment est venu d'arrêter l'érosion de l'autorité policière et de donner à ce corps discrédité la caution de l'autorité communiste. Dirigé par des militaires, même s'ils n'appartiennent pas véritablement à l'armée, coiffé par le Parti, le K.G.B. retrouve une nouvelle respectabilité. Il est significatif qu'en 1967 le cinquantenaire de la création de ce corps ait été célébré avec solennité [93]. Andropov proclame bien haut qu'il s'agit d'un corps honorable et s'efforce d'y attirer non plus comme auparavant des éléments douteux, mais une élite intellectuelle. Les campagnes de recrutement du K.G.B. témoignent de ce changement d'orientation.

La police est aussi, et cela explique encore la volonté de contrôle du Parti, une force militaire. Les forces propres du K.G.B. (chargées de la sécurité et de la garde des frontières) comptent environ 130 000 hommes. Elles sont équipées comme des unités d'infanterie et placées sous l'autorité d'un général d'armée (le quatrième général du K.G.B.), Morozov. A ces forces il faut ajouter, pour avoir une idée de la puissance des forces du maintien de l'ordre, les troupes dépendant du M.V.D. [94] (ministère de l'Intérieur), qui comptent à peu près 800 000 hommes dont la tâche est d'assurer la sécurité des arrières, la protection des points stratégiques et des voies de communication, la surveillance des étrangers. Enfin, le M.V.D. dispose aussi d'une milice de 250 000 personnes. Le K.G.B. et le M.V.D., dont les troupes sont armées comme les unités régulières de l'infanterie, ont leur propre parc de chars, de véhicules blindés, d'hélicoptères. Si ces troupes, parfaitement équipées et disciplinées, sont pour le pouvoir un puissant instrument de maintien de l'ordre, on conçoit aussi que le pouvoir n'accepte plus que le contrôle d'une telle force militaire et d'un tel réseau de surveillance de la société lui échappe.

Le statut de la police dans la société soviétique est donc bien loin d'être comparable au statut de l'armée. Apaisée par les hommages qui lui ont été rendus, par la sourdine mise depuis longtemps à la dénonciation de ses excès, dotée de privilèges matériels aussi, la police a oublié ses rancœurs du poststalinisme et retrouvé une place dans le système. Mais cette place est définie avec rigueur. Face à la société, la police conserve des pouvoirs considérables, exorbitants, que l'appel à la « légalité socialiste » ne suffit pas à limiter. Mais, face au pouvoir politique, la police est démunie. Elle est l'instrument du maintien de l'ordre, mais certainement pas un participant actif du système politique. Indispensable au pouvoir, renforcée en prestige face à la société, la police occupe dans le système politique soviétique une place importante et en même temps réduite, car le pouvoir soviétique, s'il veut bien l'utiliser, n'entend en aucun cas recréer un État dominé par elle. L'une des plus évidentes réussites des successeurs de Staline est d'avoir continûment maintenu leur entente sur ce point. Ils ont intégré la police comme ils ont intégré l'armée, dans les instances du Parti. Mais, désormais, c'est le Parti et lui seul qui est la bureaucratie dominante.

De la stabilité à la « pétrification »

Les successeurs de Khrouchtchev ont, en 1964, placé leur pouvoir sous le signe de la stabilité et de la sécurité de l'emploi du personnel politique. Les promesses faites en 1964 ont été tenues, et les conséquences de cette stabilité sont au début des années 80 une des caractéristiques principales du système soviétique. C'est un système gérontocratique, dont les dirigeants sont parmi les plus âgés que le monde connaisse. La situation de l'U.R.S.S. est, à cet égard, paradoxale. Le droit à la retraite à un âge relativement peu avancé (55 ans pour les femmes, 60 ans

172

pour les hommes) est une conquête à laquelle la société soviétique est fermement attachée. Elle défend vigoureusement ce droit, même si, au tournant des années 1970-1980, la baisse démographique en U.R.S.S. se traduit par un déficit de main-d'œuvre [95] et la retraite prématurée freine le développement de l'économie soviétique. Mais, dès lors qu'il s'agit de fonctions politiques ou de l'administration, l'âge de la retraite n'existe plus. Les dispositions adoptées pour imposer une démission à Mikoïan en 1965 sont tombées en désuétude depuis lors. Ce problème est si éclatant que la presse l'évoque parfois, en notant incidemment l'âge des dirigeants [96], ou encore en soulignant la nécessité de promouvoir des « jeunes cadres ». Cependant, cette gérontocratie que l'on constate [97] est plus différenciée qu'il n'y paraît de prime abord; elle recouvre deux problèmes distincts : l'âge élevé de la classe dirigeante, mais aussi les différences de génération existant à l'intérieur du pouvoir.

La gérontocratie qui règne en U.R.S.S. est la conséquence directe de la stabilité politique. Un Politburo dont le noyau central n'a pas changé depuis 1964, dont aucun membre titulaire n'a bougé depuis 1966, un Comité central qui ne s'est renouvelé que de moins de 20 % en 1971, de 10 % en 1976 sont des institutions dont la moyenne d'âge ne peut que monter régulièrement. Mais, plus que le seul Parti dans ses instances les plus élevées, c'est le « groupe dirigeant de l'U.R.S.S. » qui est révélateur des conséquences de la stabilité politique. Ce groupe dirigeant, analysé par S. Bialer [98] (à qui les tableaux qui suivent sont empruntés), compte 62 personnes, réparties entre le Politburo et le Secrétariat du Parti, le Praesidium du Conseil des ministres et une partie du Praesidium du Soviet suprême. Dans ces trois groupes se rassemblent ceux qui détiennent le pouvoir politique et administratif, et tous appartiennent à la génération des plus de soixante-cinq ans.

A comparer ces tableaux, on est conduit à faire plusieurs remarques sur la structure d'âge du groupe le plus restreint, qui assume les plus hautes responsabilités en U.R.S.S.

Premièrement, la part du groupe dirigeant qui a plus de 60 ans dépasse, en 1980, 75 % et le nombre de ceux qui dépassent 70 ans tend à monter vers 30 %. Les sexagénaires représentent sans doute encore près de la moitié de la classe dirigeante, mais, à examiner chaque institution, on constate que leur place n'est pas identique partout. Au Politburo, les septuagénaires sont plus nombreux que les sexagénaires parmi les membres titulaires et sont trois fois plus nombreux que les moins de 60 ans, qui sont

173

GROUPE DIRIGEANT DE L'U.R.S.S. (AGE) EN 1978

Institutions	Nombre de postes	Age moyen
Politburo • membres titulaires • candidats	13 8	68,1 64,7
Secrétariat du C.C.	10	66
Praesidium du Conseil des ministres	14	67
Praesidium du Soviet suprême (partie supérieure)	15	64,2
Tous ensemble	62	65,2

RÉPARTITION PAR TRANCHE D'AGE, EN %

Institutions	+ de 70 ans	— de 60 ans
Politburo • membres titulaires • candidats	46,1 25	15,4 37,5
Secrétariat Praesidium du Conseil des ministres Praesidium du Soviet suprême	40 35,7 26,6	20 7 33,3
Total	27,4	25,5

tous largement quinquagénaires. Au Secrétariat, où les renouvellements ont pourtant été fréquents, les septuagénaires sont aussi nombreux que leurs collègues sexagénaires et deux fois plus nombreux que ceux qui n'ont pas atteint les 60 ans. Au Praesidium du Conseil des ministres enfin, où prédominent cette fois les hommes qui ont entre 60 et 70 ans, la part des moins de 60 ans est cinq fois plus faible que celle de ceux qui ont plus de 70 ans. Dans deux groupes seulement, la part des moins de 60 ans s'élève pour atteindre 33 %, parmi les candidats au Politburo et les membres du Praesidium du Soviet suprême.

De là découle une seconde constatation d'importance. Parmi les dirigeants de l'U.R.S.S., l'âge est d'autant plus élevé que l'on monte dans la hiérarchie et que l'on se situe dans des zones de plus grande stabilité. La très relative jeunesse des candidats du Politburo et du Praesidium du Soviet suprême va de pair avec un moindre degré d'importance. En revanche, ce sont les titulaires du Politburo, puis les membres du Praesidium du Conseil des ministres qui détiennent le record de l'âge. Ce vieillissement, d'autant plus grand que les responsabilités sont plus élevées, se voit même à l'intérieur de chaque institution. Si la moyenne d'âge des membres titulaires du Politburo est en 1980 de 70 ans, le noyau central de ce groupe — Brejnev, Kossyguine, Kirilenko, Souslov — qui est l'artisan collectif de l'histoire de la période brejnevienne atteint 302 ans, c'est-à-dire une moyenne de 75 ans et demi.

La gérontocratie soviétique est exceptionnelle à deux titres. D'abord, en raison des responsabilités réelles assumées par les éléments les plus âgés de la classe dirigeante. Dans de nombreux systèmes politiques, des dirigeants âgés survivent, dont le pouvoir se réduit au fil des ans. De plus, ils sont souvent entourés de collaborateurs plus jeunes qui assument tout ou partie des responsabilités. Ce fut longtemps le cas de l'U.R.S.S. En 1952, lors du XIXᵉ Congrès, Staline avait atteint 73 ans, mais autour de lui la classe dirigeante avait en moyenne atteint 54 ans, (53 ans pour le Politburo, 52 pour le Secrétariat, 55 pour le Praesidium du Conseil des ministres). En 1964, au moment où prend fin l'époque khrouchtchevienne, la situation est à peu près semblable. Khrouchtchev a 70 ans, mais son entourage politique ne dépasse pas 56 ans en moyenne. Le vieillissement le plus net, c'est au Praesidium (ex et futur Politburo) qu'on le constate : ses membres titulaires atteignent 61 ans. C'est là que se situe en effet la résistance maximum au renouvellement des cadres que Khrouchtchev veut imposer. Mais l'âge moyen presque inchangé du groupe dirigeant (il a vieilli de 2 ans entre 1952 et 1964) témoigne du degré de renouvellement que Khrouchtchev lui a imposé. On peut mesurer, par comparaison, le degré de stabilité de la période brejnevienne. Le groupe dirigeant a tout entier vieilli. En 1980, Brejnev a 74 ans, l'âge de Staline à sa mort, quelques années de plus que Khrouchtchev lorsqu'il est éliminé, mais tout le groupe dirigeant autour de lui atteint une moyenne d'âge de 67 ans. C'est cette concordance entre le vieillissement du chef et le vieillissement de tout le groupe dirigeant qui caractérise réellement l'évolution du pouvoir soviétique et pose, on y reviendra, des problèmes cruciaux de succession.

Les degrés différents de vieillissement que l'on constate dans le groupe dirigeant, selon le niveau de responsabilité où l'on se situe, différencient de la même manière l'élite politique, largement entendue cette fois, selon des clivages institutionnels et régionaux.

Clivages institutionnels tout d'abord. Lorsqu'on descend du groupe de direction restreint à une élite centrale plus large (ministres et présidents des comités d'État de l'U.R.S.S., responsables de l'administration du Comité central, hauts commandants militaires : environ 120 personnes), on obtient une moyenne d'âge presque équivalente : 64 ans et demi pour l'ensemble du groupe, comparé à 65,8 pour les plus hauts responsables. Mais, ici encore, on retrouve des différences à l'intérieur de chaque groupe, selon le degré d'importance. Le corps des ministres de l'U.R.S.S. éclaire cette « stratégie de la vieillesse ».

En 1980, le corps des ministres de l'U.R.S.S. a subi des modifications légères par suite de la mort de trois ministres en exercice [99]. Si l'âge moyen du corps est de 65 ans, avec des écarts d'âge considérables (de 81 à 46 ans), deux traits de sa structure d'âge sont à souligner. D'abord, une relative homogénéisation par le vieillissement (12 ministres ont plus de 60 ans, 33 ont entre 60 et 70, dont 22 ont dépassé 65 ans, et 14 ministres dépassent 70 ans). Ensuite, et l'on retrouve ici une constante, les titulaires des grands ministères sont nettement plus âgés que la moyenne. A la Défense, Oustinov est né en 1908; aux Affaires étrangères, Gromyko est né en 1909; au Commerce extérieur, Patolitchev est né en 1908; à l'Intérieur, Chtchelokov en 1910 et, aux Finances, Garbouzov en 1911. Pourtant, un certain degré de renouvellement existe à ce niveau, ne serait-ce que pour remplacer les ministres morts en fonctions. Mais, à regarder la manière dont fonctionne ce renouvellement, on doit constater que la préoccupation du rajeunissement est loin de dominer les dirigeants. Lorsqu'il faut, en 1976, remplacer le ministre de la Défense septuagénaire, Gretchko, on recourt à Oustinov qui est dans sa soixante-neuvième année. Le ministre des Constructions navales, Butoma, mort la même année à 69 ans, est remplacé par Egorov qui a tout juste le même âge. Cette politique prédomine partout. C'est ainsi que Chvernik, qui fut invité à prendre sa retraite à 78 ans, en 1966, comme président de la Commission de contrôle du Parti, a été remplacé par Arvid Pelche, qui est toujours à ce poste à 81 ans. De même, en 1965, Mikoïan à 70 ans a été jugé trop âgé pour un président du Praesidium du Soviet suprême. Mais, en 1977, Brejnev, qui avait atteint 71 ans et qui était déjà fort malade, a été élu à cette fonction. Ce refus de rajeunir le personnel politique prend parfois des formes absurdes. C'est ainsi qu'en 1976, pour soulager Kossyguine qui a alors 72 ans et proclame volontiers sa fatigue, on crée un second poste de premier vice-président du Conseil des ministres (un tel poste existait déjà, occupé jusqu'en 1980 par Mazourov). Mais le nouveau poste est confié à Tikhonov, qui a 73 ans et devient le doyen du groupe.

De même que la moyenne d'âge des responsables baisse lorsqu'on descend dans l'échelle du pouvoir, échelle des postes et des institutions, de même baisse-t-elle dès lors que l'on s'éloigne du pouvoir central pour aller vers les pouvoirs républicains ou régionaux. Ici, les titulaires des grands postes (premiers secrétaires des républiques, des régions, des régions républicaines; seconds secrétaires républicains, présidents des Conseils de ministres républicains, en tout 160 personnes environ...) ne dépassent pas 57 ans d'âge moyen. De même, les commandants des districts militaires ont en moyenne 57 ans, alors que la moyenne d'âge du haut commandement à l'échelon central est de 65 ans. Cette différence que l'on constate pour les cadres politiques et militaires souligne une fois encore que le vrai pouvoir en U.R.S.S. se trouve au centre, et que les pouvoirs périphériques et régionaux sont des pouvoirs de transmission et de gestion.

L'âge de la classe politique confirme, si cela était nécessaire, l'ampleur du phénomène centralisateur en U.R.S.S. Il existe véritablement deux élites, l'une centrale, l'autre républicaine et régionale. L'élite centrale, qui occupe tous les postes importants du Parti et des diverses bureaucraties à Moscou, est à l'image du petit groupe dirigeant. Elle constitue l'ossature du système soviétique et elle est issue d'une même génération, d'un même cursus. Elle a bénéficié d'une stabilité presque égale à celle dont a bénéficié le groupe du sommet. Elle fait preuve d'un acharnement extraordinaire à se maintenir aux postes qu'elle occupe, dont n'ont plus raison actuellement que les lois biologiques.

Au contraire de cette élite centrale, l'élite régionale ou républicaine est d'un âge qui correspond à ses responsabilités. Selon les critères soviétiques, cette élite est d'une extrême jeunesse, mais elle a, en réalité, l'âge moyen qu'avait l'élite centrale à l'époque où Khrouchtchev quitte le pouvoir.

Cette structure d'âge très particulière à l'U.R.S.S. — un groupe dirigeant très âgé, une élite centrale presque aussi âgée, une élite régionale et républicaine beaucoup plus jeune — pose trois problèmes. Comment ces différences entre centre et régions se sont-elles créées? Dans quelle mesure les différences d'âge impliquent-elles des différences de mentalités? Dans quelle mesure ces différences pèseront-elles sur les problèmes de succession?

La différence de générations entre groupe dirigeant et élites centrales d'une part, élites régionales de l'autre, découle sans aucun doute des conditions et des raisons qui ont présidé à la chute de Khrouchtchev. Ses collègues, qui se sont entendus pour se défaire de lui, ont fondé leur alliance sur la volonté de stabilité. Sans doute cette volonté va-t-elle jusqu'en bas de l'appareil, mais c'est une décision prise au sommet, et dans le Parti, qui l'a mise en œuvre. Dans l'appareil du Parti, aux niveaux intermédiaires surtout et dans l'administration, la nouvelle équipe a dû, avant d'assurer la sécurité de l'emploi, liquider les réformes qui avaient affecté le statut des cadres : les sovnarkhozes, et la division du Parti. Ceci explique qu'à la stabilité qui s'instaure d'emblée au sommet correspond, dans un premier stade, un mouvement considérable des cadres régionaux et républicains. De plus, les cadres républicains (secrétaires des P.C. nationaux, présidents des Conseils des ministres, voire ministres) seront infiniment moins stables, de manière continue, que les cadres régionaux, car ici le problème des élites est compliqué par les tensions nationales de l'U.R.S.S. et se règle par de fréquentes purges. La conséquence première de ce décalage entre centre et périphérie est qu'à un renouvellement du personnel central de l'ordre de 25 % correspond un renouvellement beaucoup plus large du personnel régional et périphérique. Contrairement à Khrouchtchev qui prétendait appliquer les principes de renouvellement de l'appareil dirigeant à tous les niveaux et à toutes les institutions, après Khrouchtchev les règles du renouvellement se modifient. Le degré de protection décroît du sommet au bas de la hiérarchie; il décroît aussi institutionnellement, dans l'ordre suivant : appareil du Parti, gouvernement, commandement militaire, élites non politiques intégrées aux organes dirigeants. On voit parfaitement cette différenciation quand on compare le mouvement qui a affecté le sommet du Parti et celui du gouvernement de 1966 à 1980. Au Politburo et au Secrétariat, un tiers des membres ont changé; mais au gouvernement, le taux de renouvellement atteint près de la moitié des membres. Parmi les membres du gouvernement qui ont été en place depuis 1964, on compte 19 ministres morts en fonctions [100]!

Ces différences dans le renouvellement et l'âge des responsables politiques se traduisent par des différences dans les expériences et les cursus. Les élites politiques soviétiques appartiennent, comme l'a très justement souligné Jerry Hough [101], à quatre groupes nés dans l'espace de trente ans — entre 1900 et 1930 — et pourtant tout à fait dissemblables. Le premier d'entre eux, celui des dirigeants nés avant 1910, est le groupe dont font partie les principaux membres du Politburo, et en tout cas le noyau des inamovibles — Brejnev, Kossyguine, Kirilenko, Souslov —, et quelques nouveaux venus — Gromyko, Oustinov —, détenteurs de postes importants. Ce groupe est véritablement le produit de la révolution. Si les chefs révolutionnaires de 1917 étaient des intellectuels souvent d'origine bourgeoise, la génération qui monte ensuite tire avantage de l'élimination des élites précédentes. Ce sont les fils d'ouvriers (45 %) et de paysans (41 %) que le Parti va recruter dans sa phase égalitariste. Ce sont eux que le Parti forme rapidement dans les *Rabfak* et dirige vers des études techniques tardives et des diplômes qui récompensent plus leurs qualités de communistes que la formation reçue. Le titre d'*ingénieur* qu'ils arborent couvre surtout leur montée dans l'appareil et la spécialisation vite acquise.

Bien différente est déjà la génération née dans les années qui précèdent la révolution. Lorsqu'elle arrive à l'adolescence, le régime soviétique s'est stabilisé, tourné vers des critères de compétence et de qualité, renonçant progressivement à sa volonté de promouvoir les opprimés d'hier. La bureaucratie installée veut pousser les siens dans les universités, où le prix des études et la difficulté des examens d'entrée instaurent une sélection par l'argent et le milieu social. Rien d'étonnant si la classe ouvrière et la paysannerie ne sont plus les seuls réservoirs de cadres et si plus du tiers des élites (35 %) issues de ce groupe d'âge prolongent le statut privilégié de leurs pareils. Cette génération politique, à la différence de celle qui la précède, est passée souvent dans des écoles secondaires et, pour les plus âgés dont la guerre n'a pas interrompu les études, par l'université. Elle entre au Parti au terme d'études régulières qui la désignent, par la qualité du cursus suivi, pour des postes de responsabilités. On y trouve des hommes tels qu'Andropov, Grichine, Koulakov, Mazourov.

Ensuite apparaît un groupe d'âge que la guerre décime ou dont elle arrête la formation. Ceux qui sont nés dans les années 1920-1925 ont à peine le temps d'achever leurs études secondaires. Lorsqu'ils survivent à la guerre, il est trop tard pour reprendre des études. Ils se heurtent à la concurrence de ceux que la guerre n'a pas enlevés aux écoles et leur expérience militaire ne les pousse pas à se plier à la discipline des études.

Tout au contraire, le dernier groupe, celui qui naît autour des années 30, a bénéficié, en dépit des secousses politiques de ces années, puis de la guerre, de toutes les possibilités d'éducation normale. On trouve dans cette génération politique les enfants des élites qui montent à la faveur des purges ou qui ont échappé aux purges. C'est la première génération soviétique normalement éduquée, ayant reçu une éducation secondaire complète et fait des études supérieures, où les critères sont qualitatifs et non plus sociaux.

La première de ces quatre générations monte subitement vers le pouvoir, au milieu des années 30, lorsque les purges déciment les élites précédentes et aspirent vers le sommet tous ceux qui peuvent arguer de leur passé communiste et de leur compétence. Arrivée au sommet depuis quarante ans, cette génération a souvent échappé à la guerre parce qu'il fallait bien que l'U.R.S.S. continue à fonctionner. C'est elle qui a assuré son encadrement politique et administratif de 1941 à 1945 et qui, en l'absence de purges massives depuis lors, a réussi durant plus de quatre décennies à se maintenir aux postes responsables. La force de cette génération réside, avant tout, dans l'anéantissement par Staline des générations politiques qui l'ont précédé. Venue jeune aux postes les plus élevés, elle a pu s'y maintenir d'abord parce qu'elle n'avait pas de concurrents, puis parce que c'est elle qui a contrôlé la montée des générations suivantes. Elle a ensuite appelé à ses côtés, pour l'assister, le groupe mieux éduqué qui la suit immédiatement, qui est entré au P.C. à la fin de la guerre et avec qui, en dépit d'une légère différence dans l'éducation et l'expérience, elle a en commun un âge relativement élevé, le souvenir tragique des années staliniennes et de la guerre. Les septuagénaires et les sexagénaires qui, au début des années 1980, sont toujours au pouvoir, tout en se dirigeant allégrement vers leurs 70 et 80 ans, forment un groupe relativement solidaire, attaché à conserver le pouvoir. Il est significatif que, lorsque ce groupe s'ouvre à des éléments plus jeunes (il en va ainsi d'un Katouchev entré au Secrétariat en 1968 à 41 ans, de Riabov promu secrétaire en 1976 à 48 ans), il les rejette rapidement. De la même manière, le Politburo a souvent exclu de ses rangs les plus jeunes de ses membres qui n'avaient pas 60 ans (Chelepine, Polianski). Quand il y a renouvellement au sommet, le groupe qui domine l'U.R.S.S. et qui appartient à sa première génération politique s'arrange pour que ce renouvellement s'opère contre les plus jeunes et maintienne l'unité de génération au sommet.

Mais la génération des hommes qui viennent d'atteindre 50 ans, génération d'après-guerre, n'est pas absente du système; elle se trouve, en revanche, confinée dans les postes régionaux.

Le pouvoir se répartit désormais entre trois groupes (alors qu'il y a quatre générations) dont chacun occupe une place déterminée et stabilisée dans l'échelle des responsabilités. La vieille garde qui domine l'appareil communiste et étatique a été jadis la très jeune génération politique propulsée par les purges staliniennes et, dans sa maturité, elle a refusé d'être éliminée par Khrouchtchev. Ayant survécu à ces deux phases difficiles, elle veille jalousement à l'immobilité de tout le système qui garantit son propre maintien. Elle a confié, à ses côtés, tous les postes décisifs, au niveau central et républicain, aux hommes qui ont quelques années de moins qu'elle et leur garantit la sécurité de l'emploi. Mais cette sécurité a une contrepartie, le blocage du système à tous les niveaux. Les titulaires de ces postes ne sont plus séparés du pouvoir total que par la vieille garde inamovible. Faut-il s'étonner si parfois leurs voix s'élèvent pour suggérer que la solution de maints problèmes passe par un déblocage du système, comme le fait G. Romanov, responsable du Parti de Leningrad et représentant de cette génération [102].

Ces hommes qui sont tous près du sommet sont de surcroît sous la pression de leurs adjoints, la jeune génération des hommes de cinquante ans, qui souhaiteraient à leur tour passer des postes seconds où leurs aînés les confinent à des responsabilités plus grandes.

La sécurité de l'emploi, pour laquelle l'appareil s'est battu au début des années 60, est désormais un frein à beaucoup d'ambitions. Sans doute n'y a-t-il pas sur ce point d'accord entre tous ceux qui depuis des années piétinent à leurs postes. Ceux qui sont en seconde ligne souhaitent un rapide déblocage du système, qui leur permettrait de remplacer au sommet la vieille génération, mais ils n'osent prêcher trop fort la nécessité du renouvellement car ils savent les ambitions de ceux qui les suivent et ils souhaitent leur opposer ensuite la stabilité qui a freiné leur propre avancement.

La distribution des générations et des emplois freine l'évolution politique de l'U.R.S.S. et fausse le jeu successoral. La succession est inévitable, compte tenu de l'âge moyen des dirigeants. Pourtant, plus ils avancent en âge, moins les presque octogénaires qui dirigent l'U.R.S.S. manifestent l'intention de faire face à ce problème. Lors du XXVe Congrès en 1976, alors que le Politburo prend des allures d'hôpital — Brejnev, Gretchko, Kossyguine ont une santé très ébranlée —, les congressistes reconduisent la presque totalité du Comité central et les promotions au sommet sont celles d'hommes de 75 ans (Kouznetsov) ou de 65 (Tchernenko). Clairement, la direction ne veut pas ouvrir de problème de succession. Près de cinq ans plus tard, à la veille du XXVIe Congrès qui se tiendra en février 1981 [103], le Comité central annonce par avance [104] que les deux grands rapports seront présentés par Brejnev et Kossyguine. A placer ainsi d'avance au centre du congrès, dans une fonction qui exige de l'énergie, le chef du Parti et celui du gouvernement, le Comité central indique que l'heure de la succession n'a pas sonné. C'est la continuité que suggère cette procédure inattendue et non le changement. La succession, devenue inévitable compte tenu de l'âge des dirigeants, n'est pas une succession de personnes; elle sera marquée par un glissement total des générations. Ce glissement sera d'autant plus important que, s'il y a eu depuis 1953 une continuité générationnelle des dirigeants impliquant une continuité d'expérience et de formation, il y a désormais dans la course au pouvoir une génération totalement différente de ses prédécesseurs, éloignée d'eux par l'âge et par l'expérience. Cette rupture est la conséquence logique de l'absence de la génération intermédiaire, celle que la guerre a décimée ou arrachée à ses études et qui n'est pas en mesure, par son faible nombre et son éducation hâtive et insuffisante, d'entrer dans la compétition. Ce « trou » de génération accentue les différences entre les deux générations en place et celle qui aspire à monter vers de grandes responsabilités. D'un côté, des hommes encore conscients d'un passé tragique, façonnés par le stalinisme, pour qui le monde extérieur est inquiétant et qui cherchent tout à la fois à s'en défendre et à composer avec lui. De l'autre, une génération pour qui Staline et la guerre sont des souvenirs imprécis. Une génération qui a été très tôt exposée au monde extérieur, dont elle connaît les séductions et les faiblesses, et qui a fait ses débuts politiques dans un univers où le dialogue repose sur la puissance militaire de l'U.R.S.S. Encore très éloignée du pouvoir, cette génération a sans doute moins que ses prédécesseurs le désir de stabilité, car sa promotion passe par la déstabilisation. On voit ici se forger des alliances entre tous ceux, septuagénaires et sexagénaires, qui ont atteint les échelons du pouvoir central et pour qui la stabilité signifie qu'ils se maintiendront aussi longtemps qu'ils le pourront, où qu'ils seront, automatiquement portés à remplacer ceux qui disparaissent. Une solidarité implicite les unit contre ceux qui incarnent la jeunesse et l'impatience. A la charnière des deux groupes d'âge et de responsabilités on trouve, une fois encore, le groupe des premiers secrétaires. Par l'âge, ils sont pour la plupart déjà dans le camp des anciens qui assureront la relève. Par les fonctions régionales qu'ils occupent, par les difficultés de l'avancement, ils sont encore loin du pouvoir et mal placés pour y atteindre, tant il est vrai qu'en U.R.S.S. la centralisation domine tout. Fidèles pour l'heure à une direction qui les a mis en place et leur a garanti une quasi-inamovibilité, ils peuvent à un moment donné basculer dans le camp de ceux qu'impatiente l'immobilité du système.

Ce sont ces impatiences accumulées qui expliquent probablement que la vieille garde du Parti, loin de prévoir des mécanismes successoraux, évite de soulever les problèmes et supprime les solutions alternatives, en bloquant chaque génération à un niveau déterminé de la pyramide des pouvoirs. Mais ce système, qui fut, dans les années 60, à l'origine des fidélités que suscite la direction actuelle, qui a assuré la cohésion des élites politiques de l'U.R.S.S., a pour contrepartie de prolonger indéfiniment une faiblesse majeure du système : les incertitudes de la succession. La maturité d'un système politique se mesure largement à sa capacité à assurer la transmission du pouvoir selon des règles fixées et qui fonctionnent. A cet égard, le système soviétique est loin d'avoir mûri.

On peut désormais mesurer les changements apportés au fonctionnement du système par l'équipe Brejnev et ce qu'elle a failli à réaliser.

Elle a apporté, avant tout, la sécurité de l'emploi aux élites politiques. En ceci, elle se différencie de Khrouchtchev. Le successeur de Staline s'est efforcé — et il y a réussi — de rassurer l'ensemble de ses concitoyens et de ses collègues et de donner aux uns et aux autres la sécurité de vie.

Les successeurs de Khrouchtchev se préoccupent avant tout du milieu politique où ils évoluent, qu'ils façonnent en tenant compte des urgences que la déstalinisation a fait surgir.

Le pouvoir qu'ils ont instauré est celui d'une coalition d'intérêts, et cette coalition s'est maintenue durablement depuis 1964. La lutte politique qui a existé, et qui est inhérente à tout système politique, s'est déroulée entre cette coalition et les éléments individuels qu'elle rejetait. La stabilité et la fermeté de la coalition ont permis de donner à la lutte politique un caractère pacifique et institutionnel. La coalition, revendiquant la légitimité au nom du Parti, pouvait être plus assurée et plus magnanime envers les individus. La personnalisation du pouvoir ne doit pas dissimuler l'essentiel. Le pouvoir de Brejnev découle d'un consensus. Une de ses fonctions est d'exprimer l'existence de la coalition dont il émane et d'être porteur de ses intérêts et de ses vues.

En définitive, et c'est là sa première caractéristique, l'époque brejnevienne a réussi à couler les conflits individuels dans le moule des institutions et, par là, à les rendre peu menaçants pour le système tout entier.

A l'institutionnalisation des conflits s'ajoute, et c'est là un autre acquis de cette période, l'institutionnalisation du système tout entier. Les bureaucraties soviétiques ont désormais des racines sociales profondes, des routines, une expertise et, par là même, un poids incontestable. Ces bureaucraties trouvent toutes place au sommet du système dans les organes du pouvoir réel — Comité central, Politburo, appareil permanent du Comité central et du Secrétariat —, où leurs représentants figurent non plus, comme dans le passé, en fonction de leur prestige ou d'une place conquise de haute lutte, dans des conflits sanglants, mais bien parce qu'ils incarnent les intérêts des groupes qui ont assuré leur avancement. Cette évolution du système vers une représentativité des groupes et non plus des hommes a été favorisée par la stabilité politique de la dernière décennie. Les élites sont désormais plus assurées, et elles cherchent à s'appuyer sur des structures stables, à parler en leur nom. Tous les groupes ont leurs intérêts particuliers mais le système s'ingénie à les équilibrer et à les rassembler sous l'autorité du Parti, qui assure la représentation commune de tous les intérêts. Staline jouait, pour renforcer son pouvoir, de toutes les bureaucraties alternativement. Khrouchtchev, à ce jeu, s'est heurté à la plupart d'entre elles. L'œuvre majeure de ses successeurs est d'avoir reconnu l'importance et les intérêts de chaque groupe et de leur avoir donné un statut. La représentation de chaque bureaucratie au sein des organes de pouvoir réel leur permet d'y défendre leurs intérêts. Mais, en même temps, le Parti les place sous son contrôle. La coalition qui règne au sommet est désormais l'expression de l'autorité du Parti et la représentation des bureaucraties. Sans doute cet aménagement du système n'exclut-il pas qu'un jour une bureaucratie, l'armée par exemple, revendique à nouveau un rôle autonome. Mais elle risquerait d'y perdre la place qu'elle tient dans toutes les institutions, même si à cette place ce sont des hommes de l'appareil politique qui la représentent.

Cette évolution vers l'institutionnalisation des conflits et des intérêts, c'est la stabilité, l'immobilité du système qui ont permis d'y atteindre. La contrepartie de cette réussite est que le système s'est figé. Plus encore que l'immobilisme des hommes et des générations, c'est l'immobilisme des débats qui le caractérise. Le consensus qui tient la coalition au pouvoir, qui maintient aussi chacun à son rang, a pour condition qu'il n'y ait pas débat sur des problèmes divisant les diverses bureaucraties, où le compromis serait difficile à trouver. Ceci explique que l'équipe au pouvoir s'adonne — à l'intérieur de l'U.R.S.S., car la politique extérieure est un autre problème — à une gestion sans heurts et sans discussions, et repousse dans un avenir imprécis tous les problèmes graves d'où peuvent surgir des conflits qui ébranleraient cette unanimité fondée sur le compromis permanent. La technique de pouvoir de l'équipe brejnevienne peut se résumer en deux propositions :

— équilibrer et stabiliser tous les pouvoirs,
— éviter tout débat ou toute décision qui pourrait modifier la distribution du pouvoir.

Les progrès du système sont donc payés par l'immobilisme, le refus de faire face aux problèmes pressants et, tout d'abord, au problème de la transmission du pouvoir, parce qu'il affecterait l'équilibre atteint entre les hommes, les bureaucraties, les générations. Dans leur recherche d'un système politique viable pour ceux qui se situent à l'intérieur, les dirigeants ont choisi — est-ce l'effet de l'âge? des tragédies vécues? — d'ignorer l'avenir, de refuser au système tout dynamisme. Ce choix, imposé par le souvenir des peurs passées, une génération qui n'a pas connu la peur l'acceptera-t-elle éternellement? Et cet immobilisme qui ignore la société et qui ne résout aucun des problèmes qui se posent à elle sera-t-il toujours supporté par elle?

CHAPITRE VI

LA « FABRIQUE » DES ÂMES

Plus de soixante années de socialisme ont produit en Union soviétique des résultats fort éloignés de l'utopie originelle. Le système politique — qu'il soit dictature personnelle comme dans le passé ou dictature d'une direction collégiale — est caractérisé par l'omnipotence de l'État, un pouvoir fonctionnant en circuit fermé, une société qui n'a pu s'organiser selon sa volonté et qui dépend totalement du pouvoir. Cette situation, à certains égards, rappelle l'état de la Russie du début du siècle, qui a provoqué l'explosion de 1905, puis celle de 1917. Est-elle ressentie comme telle par la société? Lui est-elle intolérable?

Si l'observation du système soviétique montre ces apparentes similitudes entre passé et présent, elle conduit aussi à constater une réaction sociale radicalement différente de celle qui s'est exprimée en 1917 par le rejet du système. Lorsque le Parti communiste proclame orgueilleusement que « le Parti et le Peuple sont unis », il exprime un sentiment encore assez largement partagé par une société détentrice théorique du pouvoir et qui en est pourtant visiblement écartée. En dépit de la distance qui sépare la théorie politique de la réalité, en dépit de l'existence d'un pouvoir auquel elle n'accède pas d'une catégorie étendue de dirigeants *(natchal'niki)* que leur statut social et leurs privilèges différencient radicalement de la masse des citoyens ordinaires, la société adhère jusqu'à présent au système. Depuis que le stalinisme a été liquidé, que violence et répression ne s'appliquent plus que sélectivement, le *consensus* social, dont le degré et les motivations doivent évidemment être précisés, est le fondement des relations entre pouvoir et société. Ce consensus s'opère autour d'une culture politique définie par le pouvoir et qui imprègne la société au cours d'un processus de socialisation recouvrant toute la durée de vie des individus.

Tout système politique est organisé autour d'une culture politique [1] dont les valeurs, les symboles, les solidarités permettent au système d'être au contact de la société, d'acquérir une légitimité, et à la société de s'identifier au pouvoir. Mais, si dans les systèmes pluralistes la culture politique est relativement ouverte et hétérogène, dans les systèmes autoritaires, elle est caractérisée par l'homogénéité et le refus de la compétition avec d'autres idées et valeurs.

Le système soviétique a, à cet égard, accordé une place particulière à la culture politique qui est sienne, le marxisme-léninisme, dont il ne se contente pas d'affirmer implicitement la supériorité. Cette culture politique est l'instrument privilégié de l'intégration sociale et de la formation du consensus. Elle est cohérente, fermée à tout apport idéologique extérieur, même si elle s'est considérablement modifiée au fil des ans et accommodée aux circonstances et à l'évolution sociale. Mais la manière dont cette culture politique est portée dans la société, loin de se modifier avec le système de valeurs soviétique, n'a fait que renforcer ses traits essentiels. C'est pourquoi, pour comprendre l'adhésion de la société au système, il faut regarder le contenu de la culture politique, les moyens de la socialisation et ses effets mesurables.

L'« homme nouveau » et son univers.

Le marxisme-léninisme est en principe le commencement et la fin du système de valeurs auquel s'identifie la société soviétique. Il proclame l'émancipation de l'homme, un « avenir radieux [2] », celui du communisme où la nécessité n'est plus [3] et où, par le travail commun pour construire cet avenir de liberté, l'homme donne un sens à sa vie, sur terre et dans le cours de l'histoire, comme il assurait son salut hors du domaine temporel dans la vision chrétienne. Le marxisme, comme le christianisme ou toute religion, ouvre ainsi sur une vision eschatologique du destin humain et prétend répondre au problème des fins dernières.

Cependant, l'émancipation de l'homme, dès lors que l'on passe de la vision utopique de Marx au domaine réel d'un État socialiste, est soigneusement définie et limitée. L'idéologie développée par les bolcheviks depuis 1917 n'a fait que préciser ce que signifiaient liberté humaine et épanouissement, et le

Programme du Parti communiste, élaboré en 1961 [4], lui donne des contours précis. L'homme nouveau de l'*avenir radieux* est celui qui est accordé à la communauté. Le bonheur et l'émancipation ne sont pas des acquis individuels, mais le fruit d'un effort commun, d'idées communes, d'une adhésion au projet et aux valeurs de tous. Le centre et le garant du projet, c'est le Parti communiste, et l'épanouissement individuel s'atteint par l'adhésion aux valeurs du Parti. L'unité du Parti et du peuple (*Splotchennost*) est à la fois la voie et le terme du projet émancipateur du marxisme-léninisme. A l'intérieur de cette conception tout s'ordonne. Les droits individuels et collectifs et les libertés [5] qui ne sont jamais *absolus* mais relatifs, dépendent du progrès social, de l'avancée vers l'avenir radieux. Dans cette vision générale du destin humain, la culture politique soviétique a progressivement incorporé des valeurs reprises du patrimoine commun des sociétés ou du patrimoine russe. Le travail, tout d'abord, valeur centrale de la société chrétienne, valeur rédemptrice. Le programme de 1961 en faisait un véritable besoin moral et non plus matériel de l'homme du communisme, et la Constitution de 1977 lui accorde une place considérable [6]. Ce n'est pas un hasard si l'une des formes les plus réprimées de déviance est, pour utiliser un qualificatif largement répandu en U.R.S.S., le *parasitisme* [7]. L'opposition travailleur-parasite (le parasite est celui qui prétend définir sa participation à la vie sociale selon ses normes propres) donne la mesure de l'évolution idéologique du système soviétique.

La valorisation du travail « socialement utile » va de pair avec la valorisation de la famille. Si à l'aube du régime soviétique, la famille avait perdu ses droits, depuis le début des années 30, elle est considérée comme un maillon indispensable de la société, le lieu privilégié d'épanouissement de la prime enfance. La réhabilitation de la famille va de pair avec une adhésion aux valeurs morales traditionnelles, avec le refus de la permissivité et de toute forme de marginalité. Le stéréotype du « bon » citoyen soviétique, véhiculé par les médias, est le travailleur qui œuvre pour le bien des siens et le bien commun confondus, discipliné, qui adhère totalement au système dont il transmet les valeurs à sa famille.

Le troisième terme des systèmes traditionnels, la patrie, a aussi fait sa réapparition dans la culture politique soviétique depuis plusieurs décennies. Si le Soviétique peut aimer sa patrie et y adhérer, c'est en vertu non d'un attachement passéiste, mais de ce qu'elle représente sur la voie du progrès historique. La patrie socialiste est la propriété de chacun, tandis que la patrie traditionnelle est celle de la classe dirigeante. Marx ne proclamait-il pas que les ouvriers avaient été dépossédés de leur patrie [8]? Ainsi la culture politique soviétique est-elle un amalgame du « marxisme-léninisme » et des valeurs traditionnelles autour desquelles se sont construites les sociétés. Elle s'efforce de maintenir vivante la tradition marxiste, dans les manifestations et les symboles de ses composantes idéologiques. L'U.R.S.S. fait ainsi du 7 novembre, jour anniversaire de la Révolution, le jour de la fête nationale, qui réconcilie l'idée de révolution et celle de patrie. Et après avoir fait table rase de toute l'histoire prérévolutionnaire, le système soviétique en a au contraire assumé la continuité, présentant la révolution comme l'aboutissement d'une longue et glorieuse histoire et plaçant côte à côte les dirigeants prérévolutionnaires et les héros de la révolution dans le Panthéon des hommes qui ont contribué à l'évolution de la Russie.

L'« homme nouveau » adhère, en principe, totalement à la culture politique qui lui est proposée. Il travaille moins parce qu'il le doit que parce qu'il le veut. Il est honnête et moral. Il se veut utile et participe par tous les moyens à l'œuvre commune de construction du socialisme et de défense de la patrie. Le bonheur individuel se fond dans le bonheur collectif, et la communauté, incarnée par le Parti, représente chaque individu et les intérêts de chacun.

En dépit de ses apports traditionnels, cette culture politique est donc orientée vers le présent, destinée à répondre à toutes les interrogations de l'homme soviétique, à le façonner dans un moule uniforme. Cette vision combinant passé et présent est destinée à tous, des dirigeants pourvus de privilèges aux paysans qui représentent l'arrière-garde sociale et n'ont aucun accès à la sphère du pouvoir, du Russe qui retrouve dans la vision unitaire du Parti, la *Sobornost* de la communauté russe orthodoxe traditionnelle, au Turkmène qui n'y retrouve pas les valeurs de la société nomade à laquelle appartenaient ses ancêtres. Le pouvoir soviétique s'est donné pour tâche de former un « homme nouveau » accordé à cette culture politique, d'uniformiser les esprits. Les écrivains appelés à contribuer à cet effort de façonnement, de transformation des mentalités n'ont-ils pas été appelés les « ingénieurs des âmes [9] »? Nul système politique autoritaire de ce siècle n'a davantage investi que le système soviétique dans cette « fabrique des âmes », dont il faut voir les mécanismes.

La socialisation permanente.

Pour changer les mentalités, il faut du temps et des efforts considérables. Lénine avait rapidement découvert que la destruction de l'ordre ancien, la suppression de la propriété privée des moyens de production et de l'exploitation n'entraînaient pas de révolution dans les esprits [10]. Dès ce moment, les bolcheviks se sont donné pour tâche non seulement d'expliciter une culture politique reflétant leur projet, mais ils ont compris que cette culture politique ne modifierait les mentalités qu'à deux conditions ; qu'elle soit seule à pénétrer les esprits, qu'elle les pénètre en permanence, c'est-à-dire que la socialisation de l'homme soviétique soit totale et recouvre la totalité de son existence.

La culture politique officielle n'a pas le monopole absolu des idées et valeurs, dans la mesure où le système soviétique concède aux individus, à titre privé, la liberté de conscience [11]. Il concède aussi aux groupes nationaux la liberté de conserver des « formes » nationales, mais qui doivent traduire, dans les termes propres à la culture traditionnelle de chaque groupe, un système de valeurs commun, la culture politique soviétique. De la liberté religieuse aux libertés culturelles, la distance est grande. Dans un cas, c'est tout le système de valeurs qui existe; dans l'autre, la liberté se réduit aux moyens de le traduire. Néanmoins, ces concessions font que le monopole dont jouit la culture politique soviétique n'est pas absolu. En revanche, la culture politique jouit d'un droit unique à se diffuser. La liberté religieuse est un droit individuel, strictement limité, qui exclut la possibilité de diffuser et propager les valeurs et les fidélités religieuses. Face à ces droits restreints, sans possibilité d'expression collective, la position privilégiée de la culture politique soviétique est renforcée par les moyens de socialisation illimités dont elle jouit. Le Soviétique est soumis à une socialisation intense et continue, d'autant plus efficace qu'elle n'a pas, ou très peu, de contrepoids. A toutes les étapes de la vie individuelle correspondent des moyens de socialisation.

Cette « exposition » active à la culture politique commence dès la prime enfance. Sans doute les jeunes enfants qui restent au foyer en sont-ils en partie préservés. Mais en partie seulement, dans la mesure où les familles sont comptables devant l'État de l'éducation donnée aux enfants. Elles doivent les préparer à la socialisation et non leur inculquer des idées ou des valeurs qui pourraient contredire la culture politique dominante. Notamment, les parents, qui sont libres de pratiquer une religion, ne doivent pas exposer leurs enfants aux idées religieuses [12]. Au cours des dernières années, la multiplication des cas d'enfants baptistes retirés à leurs parents pour être soustraits à l'influence religieuse de ceux-ci [13], témoignent que pour le pouvoir le rôle de la famille est dans un premier temps de relayer les institutions de socialisation. L'éducation familiale, à laquelle les pédagogues soviétiques attachent une importance considérable [14], ne doit en aucun cas être à l'écart de la culture politique. On voit ici en quoi le retour aux valeurs familiales se distingue de la place accordée à la famille dans la tradition russe. Sans aucun doute, la famille est, dans toute société, une cellule de la société globale qui prolonge son système de valeurs et d'autorité. Mais, dans la famille russe traditionnelle, l'institution familiale, en dépit des changements qu'elle enregistre au cours du XIX· siècle, reste très forte, marquée par la tradition religieuse beaucoup plus que par l'influence de l'État.

Passé le stade de la petite enfance, la vie scolaire commence à sept ans; sa fonction est double. Elle doit transmettre le savoir sans aucun doute, mais aussi, et peut-être d'abord, l'école façonne le Soviétique. L'école, loin d'être neutre, est explicitement le premier lieu où la mentalité collective se forme, où l'enfant s'imprègne de valeurs communes. L'influence de l'école est très grande pour plusieurs raisons. La scolarité obligatoire et l'allongement de la scolarité [15] lui permettent d'avoir une emprise durable sur le monde des enfants. La coopération systématique entre école et famille, qui fait partie du système scolaire soviétique, donne à l'école le moyen d'exercer une surveillance continue sur le milieu familial, sur sa contribution à la diffusion des valeurs communes. Le monde scolaire est doublé par celui des organisations de jeunesse, que l'enfant doit fréquenter sous peine d'être « marginalisé » d'emblée et qui sont contrôlées par le Komsomol, donc diffusent activement les idées communistes. De sept à neuf ans, les enfants sont membres de l'organisation des « petits octobristes » *(Oktiabriata)*, puis jusqu'à quatorze ans ils sont *pionniers* [16]. Le code moral de ces organisations, les responsabilités qui pèsent sur les enfants en fonction de leur âge, tout contribue à les insérer, dès cette période, dans un univers proprement communiste. Leur adhésion aux valeurs proposées par ces organisations repose sans doute sur le fait que l'enfance est malléable, mais aussi sur un puissant

192

stimulant, celui de l'avenir. Des rangs des pionniers sortent en effet des élus, les komsomols, qui constituent désormais la « réserve du Parti [17] ». Si l'entrée au Komsomol ne conditionne pas le cursus scolaire et universitaire, il faut constater que les mérites intellectuels et l'activisme politique coïncident souvent.

La fonction de l'école est donc en grande partie — directement et indirectement, avec l'aide des organisations de jeunesse — d'« armer idéologiquement » l'enfance [18].

Au-delà de l'école, la socialisation politique se fait plus poussée, utilisant des filières multiples, toutes placées sous le contrôle du Parti.

L'organisateur de cette socialisation, c'est le *département de la propagande* au Comité central du P.C.U.S., dont dépendent, à tous les échelons territoriaux du Parti, les *départements d'agitation et de propagande* dirigés par un membre du secrétariat de chaque organisation. Ces départements organisent la formation politique à leur niveau et contrôlent l'activité de socialisation politique des établissements d'enseignement et de la presse locale. La diffusion de la culture politique n'est pas, et de loin, le produit de l'improvisation [19]. S'il est un domaine où la liaison entre le pouvoir central et les instances régionales est développé, c'est bien celui-ci. L'imprégnation politique de la société revêt des formes diverses : éducation politique directe dans les établissements du Parti; agitation des travailleurs; diffusion de l'athéisme.

Les *écoles du Parti* s'adressent à ses cadres, mais aussi au reste de la société. Le Parti a tout un réseau d'écoles [20], réparties sur le territoire soviétique et qui sont, en ordre d'importance croissante : 141 *cours permanents pour les cadres du Parti et du gouvernement;* 9 *écoles du Parti et du gouvernement;* 14 *universités communistes républicaines et interrégionales;* et les *établissements d'enseignement supérieur dépendant du C.C.* [21]. Jusqu'en 1978, le Comité central coiffait trois écoles supérieures : l'Académie des sciences sociales, l'École supérieure du Parti et l'École supérieure du Parti par correspondance. Ce réseau est ouvert à un petit nombre d'élus, puisque les diplômés de toutes les écoles sont environ 250 000 pour les années 1971-1975. Comme toujours, la pyramide se rétrécit au sommet. Sur ce nombre, on compte 510 diplômés de l'Académie des sciences sociales, 1646 pour l'École supérieure du Parti et 18 862 pour l'enseignement supérieur par correspondance [22]. Les établissements du sommet, qui recyclent les hauts cadres du système, ont d'ailleurs été si critiqués qu'en 1978 « le C.C. du P.C.U.S. a demandé aux rectorats des écoles supérieures du Parti... de relever le niveau idéologique et doctrinal, scientifique et méthodologique des conférences, séminaires et travaux pratiques, d'introduire avec dynamisme de nouvelles formes d'enseignement, d'avoir plus largement recours aux techniques de l'audiovisuel [23] ». Ces critiques ont aussi provoqué la réorganisation de l'enseignement dispensé sous l'autorité directe du Comité central. Les trois écoles ont été fondues en un seul établissement, l'*Académie des sciences sociales près le C.C.* [24], inaugurée très solennellement le 1er septembre 1978 [25]. Dans son discours inaugural, Souslov a souligné la signification de ce changement. L'Académie doit préparer les plus hauts cadres communistes à faire face à des responsabilités qui ne sont pas seulement politiques, mais économiques et internationales. Or, on l'a déjà souligné, le Parti, après avoir ouvert largement ses rangs à des professionnels, fait à nouveau une politique de promotion qui privilégie les hommes d'appareil. Il lui faut dans ces conditions développer la formation politique des professionnels qui ont déjà atteint de hautes fonctions et « professionnaliser » les apparatchiks. De surcroît, la nouvelle Académie des sciences sociales doit, au dire de Souslov, servir non seulement au perfectionnement des cadres soviétiques, mais accueillir des cadres venus des autres pays communistes. Elle a ainsi une double fonction intégratrice, elle doit donner à l'U.R.S.S., et à la communauté socialiste tout entière, des cadres supérieurs coulés dans un même moule, formés aux mêmes disciplines et aux mêmes certitudes.

L'enseignement communiste qui s'adresse à l'appareil est loin d'être représentatif des moyens de socialisation du Parti pour la masse des communistes et pour tous ceux qui gravitent autour du Parti sans en être membres. A ceux-là, le Parti dispense des enseignements politiques poussés, diversifiés, organisés à trois niveaux. *Niveau élémentaire,* où durant cinq ou six ans des adultes réunis en groupes de 15 à 20 personnes reçoivent, lors de conférences ou de discussions *(beseda),* les notions indispensables de politique et d'économie et sont familiarisés avec la biographie, la pensée et l'héritage de Lénine. *Niveau moyen,* où les études durent six à huit ans et sont consacrées à l'étude théorique du marxisme, de l'économie politique, du projet communiste et de l'activité du P.C.U.S. Ici, les auditeurs doivent compléter la théorie par l'activisme politique. Enfin, *niveau supérieur,* où les étudiants sont dirigés tantôt vers les universités marxistes-léninistes, tantôt vers les écoles d'activistes. Dans tous les cas, ils reçoivent à ce stade une formation théorique poussée et sont préparés à des tâches de responsabilité, de gestion politique ou économique à l'échelle des organes locaux ou régionaux. La durée des études dépend du degré d'éducation générale. Pour ceux qui ont achevé des études supérieures, elles durent 2 ans, pour les autres 4 ans. Tous peuvent compléter cette formation par des séminaires théoriques qui allongent encore d'une ou deux années leur cursus. Cet enseignement, créé à la veille du XXIIIᵉ Congrès, a été lui aussi revu et modernisé en 1978 [26]. Parce que le niveau général d'éducation de la population soviétique s'est amélioré, peut-être aussi parce que les curiosités se déplacent, le Parti s'est efforcé d'accentuer les aspects concrets, liés à la pratique, de ses enseignements à tous les niveaux. Partout, il s'agit d'expliquer ce qu'est le monde du « socialisme avancé » et les tâches que le P.C.U.S. s'assigne à l'intérieur et à l'extérieur. En d'autres termes, le Parti cherche, comme auparavant, par ce réseau éducatif, à propager l'idéologie dont il se réclame; mais, plus encore, il s'efforce d'intéresser et d'associer les auditeurs à la politique concrète qu'il poursuit et aux résultats de cette politique. L'introduction de plus en plus importante de la politique étrangère dans les cours rend compte de l'orientation croissante du pouvoir soviétique vers une action extérieure qui supplée à l'immobilisme intérieur. Mais aussi ceci répond à la nécessité, constatée par les dirigeants soviétiques, de dresser une barrière contre le mirage du monde extérieur, qui désormais fait partie du capital de connaissance du citoyen soviétique. Cette formation communiste atteint une part importante et grandissante de la société. Le bilan établi lors du XXVᵉ Congrès en témoigne. Si, en 1966, 13 millions de Soviétiques ont participé à ces divers enseignements, en 1976-1977 leur nombre passe à près de 21 millions [27]. Dans ce progrès de la participation à la formation communiste, plusieurs données doivent être soulignées. Tout d'abord, son emprise sur les éléments étrangers au Parti. Plus de 8 millions d'auditeurs ne sont pas membres du Parti [28]. De plus, l'enseignement de niveau supérieur rassemble désormais la moitié des auditeurs, tandis que l'enseignement de niveau élémentaire ne compte plus que pour 10% (il représentait plus du tiers des auditeurs en 1966 [29]. Ceci signifie que ce système éducatif s'implante de manière croissante dans les milieux les plus éduqués (glissement vers le haut qui est à l'image de l'évolution générale du Parti) et qu'il atteint un nombre croissant de non-communistes éduqués.

Si l'on ajoute aux 20 millions d'auditeurs inscrits dans les enseignements relevant du Parti les 7 millions qui étudient sous l'égide du Komsomol et les 35 millions de personnes qui reçoivent une formation économique, on prend conscience de l'ampleur de ce phénomène de socialisation permanente dont le Parti assure la cohésion et les 2 200 000 *propagandistes* qualifiés l'encadrement [30].

La formation politique « sur le terrain »

Mais l'œuvre de socialisation du Parti ne s'arrête pas à cette éducation poussée dont bénéficient les plus éduqués. Elle s'enracine au plus profond de la société, dans les masses, pour lesquelles un immense travail d'éducation populaire est accompli par trois voies : *agitation, information politique, conférences* [31] qui se complètent pour enserrer les masses dans un système complexe d'information et de propagande, dont la finalité est de répondre à toutes leurs questions, leurs curiosités, voire leurs mécontentements, afin de ne laisser place à aucune autre source de diffusion d'idées. Qu'on en juge.

L'*agitation* est liée étroitement au monde du travail. L'agitateur, issu d'un groupe de travail, « agite » ses compagnons sur le tas. Il doit, en premier lieu, donner une impulsion dans le travail en expliquant les buts poursuivis, en découvrant le cas échéant les problèmes professionnels, mais aussi personnels, qui peuvent préoccuper une communauté de travail. L'agitateur est ainsi, tout en même temps, une sorte d'instituteur, qui veille à l'activité de tous, au moral et à la moralité, et presque une assistante sociale, qui crée un lien entre le travailleur et le Parti, aplanissant parfois de menus problèmes, permettant au Parti de connaître les travailleurs, leurs réactions, voire leurs frustrations. Tout cela parce que l'agitateur est, en dépit de son engagement politique, un membre de la communauté, dont on se méfie mais auprès de qui on vit de trop près pour que quelque chose puisse lui être véritablement dissimulé. L'agitation a des formes multiples : causeries avec des individus ou le groupe entier, animation du « coin rouge » où sont affichés le journal mural et les informations, etc. L'agitateur appartient à la communauté de travail et il est en même temps membre d'une communauté de semblables, le *collectif des agitateurs* (*Agit-kollectiv*), au sein de laquelle s'élabore son activité [32].

Au-dessus de l'agitateur, spécialisé en principe dans les

problèmes quotidiens du travailleur, l'*informateur politique* (ou *Politinformator*[33]) distribue sur les lieux de travail une information déjà très spécialisée sur des thèmes divers — politique, économie, relations internationales, problèmes idéologiques et culturels. Plus éduqué que l'agitateur, il est étranger en général à la communauté de travail, même si son activité s'exerce dans son cadre. Enfin, au sommet, le *conférencier professionnel* (*dokladtchik*), sorti des académies communistes, voire cadre important du Parti, traite avec solennité des sujets les plus divers, très spécialisés ou non.

Cette action d'éducation populaire fait appel à un personnel considérable. Selon le bilan présenté au XXV° Congrès en 1976, il y a en U.R.S.S. 3 100 000 agitateurs, 1 800 000 informateurs politiques et 300 000 conférenciers[34]. Propagandistes des établissements d'éducation du Parti, agitateurs, etc., en tout 8 millions de personnes sont chargées en permanence d'assurer l'encadrement et l'animation de la société soviétique. Dans ce réseau de formations et d'activités qui convergent et qui diffusent les mêmes idées, les mêmes valeurs, la vie du citoyen ordinaire laisse, on le conçoit, peu de place à la réflexion personnelle et à la recherche d'autres sources d'information. La « surpolitisation » a, on y reviendra, des effets négatifs; elle débouche souvent sur le désir d'échapper à toute politisation.

L'effort du Parti est complété par une organisation, en théorie volontaire et qui en fait relève de son contrôle, *Znanie* (Connaissance), dont la finalité est de propager des connaissances scientifiques et en premier lieu l'athéisme. Pendant les premières décennies du système soviétique, le Parti avait multiplié les efforts directs pour déraciner et ridiculiser les convictions religieuses[35]. Émelian Iaroslavski, spécialiste de l'athéisme militant, avait créé en 1925 la *Ligue des athées militants*, multiplié les publications propageant l'athéisme, fondé des musées de l'athéisme (généralement des églises transformées dans ce but, telle la cathédrale de Kazan à Leningrad) et organisé des cérémonies simulacres qui tournaient la religion en dérision. Cette mobilisation immense de moyens et d'hommes — l'athéisme eut ses brigades — a été abandonnée pendant la guerre, parce que jugée inopportune, puis totalement modifiée depuis lors. Dans les années d'après-guerre, et surtout avec la déstalinisation, le pouvoir a conclu que l'athéisme militant était dépassé. Parce que trop primitif pour convenir à la société largement scolarisée des années 60-70, parce que aussi le pouvoir considère la religion comme simple survivance d'un passé lointain et aboli, à laquelle s'accrochent des vieillards et des paysans peu éduqués [36]. Pratiquer un athéisme militant, c'est encore accorder de l'importance à la religion. C'est pourquoi cet athéisme actif, de propagande, fait place à la diffusion de l'approche scientifique de l'univers. Mais la religion reste au centre des préoccupations de *Znanie,* qui publie des séries de brochures (12 séries couvrant tous les grands domaines de la réflexion humaine), des livres, des journaux et notamment un mensuel qui fait régulièrement le point sur les faits religieux en U.R.S.S., *Nauka i religia* (*Science et Religion*). Le tirage global des publications de cette association a été en 1978 de 100 millions d'exemplaires. Cette puissante association a plus de 3 millions de membres en 1975 et dispose d'heures d'antenne à la radio et à la télévision (327 000 conférences diffusées ainsi en 1978). Elle organise chaque année des milliers de conférences publiques à travers l'U.R.S.S., mobilisant des auditeurs par millions. (Selon la *Grande Encyclopédie soviétique,* 26 millions de conférences en 1978, entendues par 1 262 000 000 personnes, ce qui suggère que chaque Soviétique adulte a écouté plusieurs conférences dans l'année [37].)

Les masses soviétiques astreintes à cette éducation permanente, qui atteint en premier lieu ceux qui mènent une vie active puisque le travail en est le lieu privilégié, sont, de surcroît, soumises à une mobilisation périodique autour de célébrations et à une propagande visuelle intense. Le pouvoir est très attentif à unir périodiquement la société autour de fêtes collectives. A la fois parce que les fêtes civiles ont pour fonction de répondre au désir humain de briser par moments la monotonie de la vie ordinaire et que les fêtes religieuses ou la célébration religieuse des grands événements de la vie humaine — naissance, mariage, mort — représentaient pour le Parti une sérieuse concurrence [38]. Deux sortes de fêtes doivent ainsi combattre l'attraction exercée par les religions. Fêtes collectives : 1ᵉʳ mai, anniversaire de la Révolution, Victoire, journée des femmes, anniversaire de Lénine, nouvel an. Fêtes personnelles : mariages civils solennels — où les palais des mariages et les fleurs déposées sur la tombe de Lénine ou sur le monument au Soldat inconnu tentent de lier l'événement à l'histoire soviétique —, cérémonie « du nom », qui remplace le baptême, enterrements communistes. Tout est calculé pour qu'à dates fixes, ou à certains moments, la vie du citoyen se coule solennellement dans les rituels organisés par le Parti. Ces festivités, qui découpent la vie humaine et ses activités en périodes « communistes », ont aussi l'avantage d'insérer dans l'effort de socialisation les non-actifs, retraités, femmes au foyer, qui échappent en grande partie à l'activité éducatrice dont les lieux de travail sont les centres. Enfin, il y a en U.R.S.S. une propagande visuelle intense, qui déploie sur les avenues, les carrefours, les parcs mais aussi dans les entreprises des banderoles porteuses de slogans, des portraits de dirigeants, des affiches thématiques et des *tableaux d'honneur* où sont accrochées les photographies de ceux qui se sont signalés par leur effort au travail. Nul ne peut faire un pas sans se heurter à cette répétition des thèmes en honneur au Parti ou à la glorification de ceux que l'effort d'« émulation socialiste » a poussés jusqu'à l'exploit. Ce qui se répète ainsi à l'infini, ce sont les certitudes que doit avoir le citoyen soviétique, les ambitions que le Parti lui assigne, les modèles qu'il lui propose.

Les médias — presse, radio, télévision — contribuent à amplifier cet effort d'éducation. La circulation des journaux est considérable (7 exemplaires pour 10 habitants), la télévision s'est implantée dans 80 % des foyers et dans la quasi-totalité des foyers vivant dans des régions permettant la réception des émissions, la radio existe pratiquement partout [39]. Sans doute la part des émissions purement culturelles ou divertissantes excède-t-elle, dans les programmes, la part consacrée à l'information et à l'agitation [40]. Cette évolution des programmes est liée à l'évolution des besoins qui s'expriment, elle est liée aussi au désir des autorités de contrôler les loisirs de leurs administrés. Une radio et surtout une télévision politisées à l'excès pourraient rejeter les auditeurs vers d'autres activités, et notamment vers la lecture, moins contrôlable. Tout au contraire, des émissions qui correspondent aux désirs exprimés dans la société l'attachent aux médias et permettent d'exercer un contrôle sur l'utilisation des temps de loisir.

Il semble, à faire ce bilan, qu'il ne reste guère de place dans le façonnement des mentalités soviétiques pour d'autres influences. Pourtant, parallèlement au Parti, l'armée s'est engagée dans un programme de formation humaine dont l'importance ne cesse de croître.

Socialisation par l'armée ou militarisation de la société?

Le développement des activités de socialisation de l'armée est un phénomène récent en U.R.S.S. Mais l'ambition de façonner les esprits est ancienne dans l'armée. Au début des années 30,

Mikhail Frounze avait exprimé sa conviction que l'armée avait vocation à éduquer les hommes, non seulement pour le maniement des armes mais pour le comportement social et moral. L'idée d'un modèle social dont l'armée est dépositaire ressort clairement de ses écrits [41]. En dépit de la militarisation de la société et du travail en U.R.S.S., caractéristique des années 30, ni Staline ni plus tard Khrouchtchev n'ont laissé l'armée jouer le rôle éducatif auquel elle aspirait. Le monopole de la formation des esprits a toujours appartenu au Parti. Ici encore, les années du brejnevisme sont marquées par un glissement progressif, longtemps difficile à discerner mais qui désormais crée une situation nouvelle, où Parti et armée jouent un rôle éducatif au minimum équivalent, dans certaines couches de la population.

Une formation spécialisée pour les militaires

Comme le Parti, l'armée a, et ceci lui est concédé, son propre réseau d'enseignement, destiné à former ses cadres. Le système d'éducation militaire qui s'est développé et amélioré dans les décennies qui ont suivi la Seconde Guerre mondiale compte désormais quatre niveaux [42] :
— *écoles militaires,* de niveau comparable à celui des écoles techniques secondaires, où les études durent deux ans;
— *écoles militaires supérieures,* avec un cursus de 4 à 5 ans et dont les diplômes sont équivalents à ceux que délivre l'enseignement supérieur normal.
— *académies militaires,* avec des programmes de 3 ans et où se préparent les deux catégories de thèses existant en U.R.S.S. : thèse de candidats (équivalent de la thèse française de 3e cycle) et thèse de doctorat (équivalent du doctorat d'État). Au même niveau que les académies, l'enseignement supérieur militaire compte aussi sept *instituts,* hautement spécialisés dans des disciplines diverses (langues étrangères, finances, gestion, etc.).
Le poids de cette formation militaire dans le système éducatif soviétique découle des chiffres. En 1972, sur les 811 établissements d'enseignement supérieur *(VUZ)* existant en U.R.S.S., 125 sont des établissements militaires dont les 23 académies et instituts qui ont un rang équivalent à celui des établissements les plus prestigieux de l'U.R.S.S. Ceci signifie qu'un établissement d'enseignement supérieur sur sept relève de l'armée; au niveau le

plus haut — académies militaires et grandes universités —, la part de l'enseignement militaire est de 30 %.

Cette organisation générale de l'enseignement militaire a subi plusieurs infléchissements au cours des dernières années, qui améliorent d'autant la place de l'élite militaire dans la société. Tout d'abord, le niveau privilégié de l'enseignement militaire s'est déplacé. Longtemps, l'activité éducatrice de l'armée était concentrée en priorité sur les écoles moyennes. Mais l'élévation générale du niveau d'éducation en U.R.S.S. fait que, désormais, ce sont les écoles supérieures militaires qui ont un rôle privilégié. Comme elles accueillent moins d'étudiants que les établissements supérieurs ordinaires, l'encadrement y est plus important et la qualité de l'enseignement s'en ressent.

La formation du corps des officiers rend compte de ce déplacement du niveau éducatif et d'une plus grande qualité des enseignements reçus [43]. Désormais, 45 % des officiers en général, et 75 % des spécialistes de missiles ont la formation et le titre d'ingénieur. Tous les commandants de brigades et tous les officiers situés au-dessus d'eux ont un titre universitaire, ce qui est aussi le cas de 80 % des officiers qui n'ont pas encore atteint ce rang.

L'armée ne laisse pas à l'université traditionnelle le monopole de la formation des ingénieurs et des scientifiques de haut niveau. Elle en forme activement, elle envoie aussi des militaires dans les universités classiques, de telle sorte que le degré de compétence scientifique des militaires monte constamment. Les conséquences de cet effort sont évidentes. Les militaires pénètrent de plus en plus, à titre professionnel, à l'Académie des sciences et dans divers instituts scientifiques.

La pénétration du monde académique traditionnel par l'armée est de surcroît accrue par la création, au cours des dernières années, de « départements militaires » dans les universités [44].

La formation et l'encadrement des civils

Formant ses élites, se mêlant au monde universitaire, l'armée déborde aussi de son cadre et se charge de la formation des civils par trois moyens : par les écoles secondaires, par la préparation militaire proprement dite, enfin par l'organisation d'un système de défense civile. La loi militaire de 1967 [45] semblait réduire la place de l'armée en réduisant le service militaire obligatoire de 3 à 2 ans [46]. Mais ce raccourcissement du service militaire, outre qu'il a été en partie contredit par un décret pris en 1977 qui rallonge le temps de service des diplômés de l'enseignement supérieur [47], a en fait déplacé une partie de la formation militaire vers l'enseignement secondaire. En vertu de cette loi, toutes les écoles secondaires dispensent une formation militaire aux garçons des deux dernières classes (9e et 10e). Cet enseignement est placé sous l'autorité d'un militaire — généralement officier en retraite — affecté à l'établissement scolaire et payé par lui. Cet officier est en théorie subordonné au directeur de l'école, mais des conflits surgissent souvent parce que le système scolaire absorbe mal cette contrainte supplémentaire.

En dépit de ces conflits d'autorité, en dépit du fait que le système est loin d'atteindre toute la jeunesse qui pourrait être dans les classes terminales, parce que la scolarisation « longue » n'est pas encore généralisée, cette extension de la formation militaire à l'école a plusieurs conséquences d'importance.

Tout d'abord, elle permet d'apporter des éléments de réponse, sinon une vraie réponse, au problème de la main-d'œuvre. Un service militaire long écarte une trop grande masse humaine de la production, et ceci n'est guère tolérable actuellement, compte tenu du déficit soviétique en main-d'œuvre. Par ce moyen, l'armée évite de peser à l'excès sur la vie économique. Mais, en même temps, elle se constitue, par l'intermédiaire du milieu scolaire, une réserve. De plus, comme l'enseignement long est développé dans les villes, c'est en milieu urbain, où la population est la plus éduquée, que se recrute cette réserve, qui correspond mieux aux besoins d'une armée moderne et qualifiée. Les militaires insistent constamment sur la nécessité d'incorporer des recrues éduquées [48]. Enfin, et ce point non plus n'est pas négligeable, par cette coopération avec l'école, l'armée y introduit son propre système de valeurs, qui pour l'essentiel d'ailleurs rejoint celui du Parti : discipline, sens de la hiérarchie, patriotisme; mais qui s'en différencie aussi dans la mesure où il situe au sommet les valeurs nationales et l'attachement à l'armée.

Au vrai, tout cela n'est pas neuf pour les élèves des classes terminales. Car leur enfance, dans l'organisation des *pionniers,* a été marquée par la rencontre avec l'armée. Les pionniers (et 25 millions d'enfants participent au mouvement) consacrent du temps à diverses activités patriotico-militaires : rencontres avec des vétérans de la guerre, visites des hauts lieux du dernier conflit mondial, conversations aussi avec des militaires en activité. Les pionniers organisent aussi des exercices paramilitaires de grande envergure, destinés à donner aux enfants un premier contact avec la préparation qu'ils recevront ensuite. C'est ainsi que, en 1969, 15 millions d'enfants de 10 à 14 ans ont participé à l'opération *Zarnitsa,* mi-jeu, mi-exercice patriotique et militaire véritable.

Mais les aperçus militaires des pionniers et la préparation reçue dans les écoles ne sont pas l'essentiel. La véritable préparation militaire, qui est une obligation pour tous les garçons de plus de 16 ans [49], les soumet pendant deux ans à une formation commune, complétée par une formation spécialisée. La préparation militaire ordinaire comporte un minimum de 200 heures de formation. Les étudiants des universités sont astreints pour leur part à une préparation plus longue, leur assurant 450 heures de cours en 5 ans et complétés par un stage de 2 mois dans un camp militaire. Si l'on en croit les publications militaires soviétiques, 2 000 « spécialités » sont offertes ainsi aux préparationnaires [50].

Cette préparation est confiée à une association volontaire, la D.O.S.A.A.F. (Société volontaire pour le soutien de l'armée, de l'aviation et de la marine), qui travaille sous le contrôle du Komsomol. L'association est présidée par un maréchal d'aviation A. I. Pokrychkine, né en 1913, élu candidat au C.C. en 1976. Sa présence à la tête de l'organisation montre que les militaires en retraite y jouent un rôle important. Les tâches de préparation imposées par la loi militaire de 1967 et assumées par la D.O.S.A.A.F. ont apporté à cette association une augmentation considérable de ressources [51] et d'effectifs. Dans les cinq années qui ont suivi l'adoption des dispositions de 1967, le budget de l'organisation a triplé [52] et ses effectifs ont augmenté au minimum de 25 % [53]. Sans doute l'association n'est-elle pas très soucieuse de donner des indications précises sur ses activités. Mais, en 1973, l'un de ses conférenciers a déclaré que la D.O.S.A.A.F. comptait dans ses rangs 65 millions de membres, soit le quart de la population de l'U.R.S.S. et la moitié de la population active. Si ce chiffre paraît excessif, on peut néanmoins retenir pour base quelque 40 millions d'adhérents, selon une autre estimation de cet organisme. Et surtout, retenir que 70 % des membres de la D.O.S.A.A.F. sont des komsomols. En définitive, même si de nombreux jeunes gens passent au travers de la préparation militaire ou la raccourcissent, la D.O.S.A.A.F. joue un rôle très important. Elle spécialise beaucoup de futures recrues, entraîne la majeure partie de la jeunesse; elle entraîne même ceux qui, pour des raisons diverses, sont exemptés du service militaire et qui, par son intermédiaire, sont malgré tout au contact de l'armée. La D.O.S.A.A.F. est ainsi un véritable appendice, souvent mal aperçu, du secteur militaire, notamment sur le plan budgétaire. Le budget propre de l'association, les allocations budgétaires dont elle bénéficie ne figurent pas au chapitre *militaire* du budget soviétique; pourtant, c'est l'armée qui en tire bénéfice.

Enfin, c'est une institution de mobilisation sociale, que ses responsabilités, son importance numérique implantent dans tous les milieux sociaux et dans tous les cadres géographiques, ce qui lui garantit une efficacité certaine.

Un dernier maillon de ce système, qui introduit l'armée dans la société soviétique, est l'organisation de la défense civile. Le souvenir de la Seconde Guerre mondiale, le désarroi populaire des premiers temps de l'invasion, qui a fait vaciller le système soviétique, restent présents aux esprits de ceux qui ont vécu cette période. En partant de ces souvenirs, en posant en permanence le problème de la capacité de la société à s'organiser pour survivre en cas de nouveau conflit, le pouvoir justifie un effort considérable d'éducation et de mobilisation populaire. Depuis 1961, le thème de la défense civile, de ses moyens, de son importance, est sans cesse présent dans les médias et les discours des dirigeants [54].

L'organisation de la défense civile s'est constamment développée et améliorée depuis lors. En 1972, elle est dotée d'une structure particulièrement coordonnée, en fonction de deux principes : renforcement du rôle joué par le ministère de la Défense et coopération systématique, à tous les niveaux, de l'armée et des bureaucraties civiles.

En pratique, la défense civile est d'abord un secteur de l'organisation militaire. Au sommet, elle est placée sous l'autorité d'un département spécialisé du ministère de la Défense, dont le responsable a rang de ministre adjoint et siège depuis 1976 au Comité central, comme membre titulaire [55]. Ce département a une autorité directe sur les responsables des problèmes de défense civile à l'intérieur de chaque république soviétique. Chaque responsable de district militaire a aussi dans son domaine de compétence un département de défense civile. On voit ici le degré de centralisation du système, que l'armée encadre à tous les niveaux du territoire soviétique. La défense civile est composée avant tout d'*unités spéciales* [56] placées sous autorité militaire et organisées sur le modèle des troupes régulières. Pour constituer ces unités, dont le rôle est actif, l'administration de la défense civile peut faire appel à tout homme de 16 à 60 ans et à toute femme de 16 à 55 ans. Ces unités sont utilisées dans des situations d'urgence pour compléter l'effort des bureaucraties régulières. C'est ainsi qu'elles ont contribué à la lutte contre les incendies de forêts qui ravageaient la région de Moscou à l'été 1972. En plus des unités spéciales, la défense civile organise aussi des « groupes » sur les lieux de travail, les écoles, etc., qui sont placés sous l'autorité directe d'un responsable civil et sont astreints à un entraînement périodique, à des exercices de défense, afin que nul secteur de la vie civile ne soit laissé à l'écart de cette préparation à une guerre éventuelle [57]. A considérer l'extension du système, la part considérable qu'y tient l'armée, on peut en tirer deux conclusions. Tout d'abord que la défense civile est, en dépit de l'adjectif civil, une sixième armée qu'il faudrait ajouter aux cinq autres (forces terrestres, forces aériennes, défense aérienne, marine, missiles stratégiques) pour avoir une idée raisonnable du potentiel militaire soviétique. Comme pour la préparation militaire, la défense civile est une extension, non visible, du domaine de compétence et des possibilités matérielles de l'armée. L'effort matériel est fourni par le secteur civil (ministères, entreprises, etc.), mais l'autorité sur l'ensemble du système est détenue par l'armée. Deuxièmement, la défense civile est un véritable système d'éducation militaire de masse pour le temps de paix. Compte tenu de l'imbrication de l'armée et des bureaucraties, du réseau très dense des organismes qui en dépendent, peu de citoyens de tous âges échappent, ici encore, à une certaine influence militaire.

En définitive, des jeunes pionniers aux adultes engagés dans la production, tout Soviétique, homme ou femme, car la défense civile ne fait pas de différence entre les sexes, est en permanence confronté aux problèmes de défense, invité à s'y intéresser activement, mis au contact de l'armée et conduit à en subir l'influence. Il n'est guère de lieu, guère de domaine d'activité où l'on puisse échapper totalement à cette présence ou à cette préoccupation militaire. Même ceux qui ne s'intéressent qu'à la musique et l'étudient, se heurtent à l'armée, au conservatoire de Moscou, sous la forme d'un département de musique militaire!

Le pouvoir civil a imposé depuis des années sa prééminence au pouvoir militaire. Mais, dans la même période où le pouvoir civil affirme hautement que la décision en tous domaines est de son ressort exclusif, l'armée prend une place croissante dans la société, participe toujours plus au façonnement des mentalités et pénètre des secteurs toujours plus étendus de la vie civile. La société soviétique, la vie soviétique se militarisent incontestablement. Mais ceci implique-t-il qu'il y ait opposition entre l'œuvre de socialisation du Parti et celle de l'armée? Ces deux organes ne diffusent pas des idées opposées car, de longue date, le patriotisme, la grandeur de l'U.R.S.S. et ses intérêts constituent des valeurs centrales du système politique. La Constitution soviétique de 1977 en témoigne, qui inscrit au chapitre des Devoirs du citoyen, aussitôt après le travail et le respect de la propriété socialiste, le devoir de « défense de la patrie socialiste » et de renforcement de la puissance et de l'autorité de l'État [58]. L'armée vient ainsi conforter l'action du Parti pour forger la mentalité collective de la société soviétique. Soumis à une entreprise aussi cohérente et continue d'encadrement, de formation mentale, le Soviétique est-il désormais un homme nouveau qui témoigne de l'efficacité de cet effort de socialisation?

L' « homme nouveau » en transparence

Le pouvoir soviétique n'est pas seul à affirmer qu'il a créé un « homme nouveau » et réussi par là une révolution culturelle sans précédent. Parmi ceux qui étudient le système de l'extérieur, nombreux sont ceux que fascine cette révolution des mentalités et qui considèrent que l'U.R.S.S. offre un exemple spectaculaire et sans précédent de changement culturel organisé. Ce jugement est partagé, en termes combien cruels, par certains dissidents qui, comme Zinoviev, considèrent que le régime soviétique a réussi à déformer et à détruire l'homme, dans son humanité, pour lui substituer un robot qu'il peut manœuvrer comme bon lui semble. De l' « homme nouveau » ou de l' « homme abîmé », quel est le vrai? Et, en premier lieu, comment l' « homme nouveau » est-il supposé être et se comporter?

Ce produit humain de la révolution, de l'éducation et du *socialisme avancé* a des traits précis que les médias propagent volontiers. C'est un homme qui se confond, dans ses désirs et ses actes, avec la communauté tout entière; qui songe aux objectifs du Parti avant que de songer à ses ambitions et objectifs personnels; qui non seulement a intériorisé le système de valeurs soviétiques, mais témoigne avec force de sa conviction idéologique et de son adhésion au système; qui ne voit pas de différence de nature entre le travail manuel et les autres activités; qui est prêt à accomplir toutes les tâches où il sera utile, sans souci de leur intérêt financier; dont le comportement enfin dans la vie personnelle et professionnelle est toujours empreint de camaraderie pour autrui et d'enthousiasme pour son pays.

Ce modèle humain, peut-on le rencontrer en U.R.S.S.? Et comment? Sans doute les comportements collectifs donnent-ils quelque crédit à cette image édifiante de l' « homme nouveau ». La présence massive de travailleurs aux séances d'agitation ou aux conférences de l'association *Znanie* ne témoigne-t-elle pas de l'accord entre les curiosités populaires et les objectifs de cette socialisation de masse? Que 140 millions de Soviétiques aient participé aux débats sur la Constitution de 1977 [59] ne prouve-t-il pas le haut degré de conscience politique de la société, de même que l'élargissement des rangs du Parti et du Komsomol ou les adhésions massives aux organisations volontaires comme *Znanie* ou la D.O.S.A.A.F.? Les journaux soviétiques font une place importante aux manifestations du volontariat des jeunes dans la vie économique. La mise en valeur des terres vierges sous Khrouchtchev, aujourd'hui la construction du second Transsibérien ou la réalisation de grands projets dans les espaces sous-peuplés du nord de l'U.R.S.S. requièrent des aides « spontanées » que le Komsomol se charge de rassembler. Chaque groupe de komsomols fournit ses équipes de volontaires, rivalise dans cette action, et les tableaux d'honneur affichés ou publiés montrent à l'évidence que l'enthousiasme populaire est accordé aux projets du pouvoir.

Mais peut-on tenir les comportements collectifs pour totalement représentatifs des mentalités? Dans toute société — y compris dans celle où la contrainte n'est pas l'élément déterminant des comportements —, les attitudes collectives sont largement façonnées par l'éducation, l'environnement et un écart important peut exister entre les convictions individuelles et leur traduction collective. En Union soviétique, où la pression sociale reste grande sur l'individu et les groupes, l'écart entre les attitudes extérieures, les comportements, les convictions affichées en groupe et les certitudes personnelles est sans aucun doute considérable. Dès lors, pour tenter de cerner, fût-ce superficiellement, l' « homme nouveau », il importe de préciser deux données. Dans quelle mesure les comportements collectifs traduisent-ils une adhésion réelle aux valeurs affichées? Dans quelle mesure les systèmes de valeurs que les individus reconnaissent à l'occasion, sont-ils conformes à la culture véhiculée par le Parti et ses annexes?

Comment peut-on en U.R.S.S. aller au-delà des attitudes, pour en saisir les significations? Les enquêtes effectuées sur le terrain restent dans ce pays soumises à la décision des autorités, et de ce fait sont irrégulières et partielles. Depuis 1945, deux vagues d'émigration ont laissé échapper d'U.R.S.S. des Soviétiques qui représentent un moyen privilégié d'appréhender l'univers moral de la société. La première vague est constituée des déportés et des prisonniers qui n'ont pas voulu, après la guerre, regagner leur pays. Ils ont fourni un matériel documentaire considérable aux spécialistes occidentaux, et les études sur l'U.R.S.S. des années 1945-1960 sont d'abord le produit de leurs réponses. La seconde vague, celle de l'émigration juive et des dissidents autorisés ou contraints à quitter leur pays (plus de 150 000 départs dans les années 1970), fournit aussi, parce qu'elle est composée de Soviétiques d'âges et de degrés d'éducation suffisamment étendus, un certain nombre de réponses pour la compréhension des mentalités. Mais ces enquêtes doivent tenir compte de plusieurs éléments. La distance qui souvent déforme, l'origine ethnique aussi. Les émigrés récents appartiennent pratiquement tous à la partie « européenne » de l'U.R.S.S., et très largement à la partie slave. Ils appartiennent aussi pour le plus grand nombre aux milieux les plus éduqués. On voit ici les limites de ce type d'enquête d'opinion.

Une dernière source, combien précieuse, même si elle est difficile à manipuler, vient des publications soviétiques elles-mêmes. Les journaux, par les critiques qu'ils véhiculent, et la littérature soviétique présentent une image de l'univers mental soviétique qui est loin d'être le simple reflet de la culture politique dont se réclame le système.

Le pouvoir soviétique, même s'il détient le monopole de l'information et de la formation de l'opinion, a toujours été conscient que l'opinion publique telle qu'elle ressort des comportements et l'opinion réelle ne pouvaient être confondues, qu'il lui fallait atteindre à la connaissance de la société réelle. La seule période où le réel a été totalement oblitéré par les apparences a été la période stalinienne. Pour deux raisons. La coercition remplaçait, pour Staline, la connaissance de la société et contraignait celle-ci à se conformer à un modèle idéal. Le consensus social repose alors complètement sur la terreur, qui produit une société homogène en apparence, une opinion publique homogène aussi, qui s'identifie au projet social. Le « réalisme socialiste » n'est pas autre chose que la traduction esthétique de cette suppression de la réalité au bénéfice d'une fiction qui envahit tout. *Le Pavillon des cancéreux* de Soljenitsyne, c'est à la fois l'univers concentrationnaire et ce mensonge généralisé, cette fiction qui déborde sur le réel et le dévore. A cette époque cependant, un simulacre de plongée dans l'opinion publique existe. Les journaux publient des lettres de lecteurs; dans les réunions du Parti, « les questions ou les réactions du militant ordinaire » sont toujours encouragées et valorisées; on encourage aussi de grandes manifestations collectives : meetings, réunions de discussion pour la Constitution de 1936 ou la législation de l'avortement la même année. Mais le pouvoir contrôle et dirige soigneusement toutes les expressions de l'opinion populaire. Parfois cependant, les manifestations de l'opinion publique lui échappent. Il en va ainsi au moment de la collectivisation, où les réactions de désespoir de la paysannerie apprennent au pouvoir l'ampleur de l'hostilité populaire à sa politique et le conduisent, dans un premier temps, au recul et, dans un second, à s'appuyer sur plus de violence encore.

Les successeurs de Staline, parce qu'ils abandonnent la violence, savent qu'ils leur faut prêter attention à la société et la comprendre. Ceci explique la vague subite des enquêtes d'opinion au début des années 60, quand le pouvoir affirme que la *dictature du prolétariat* a cédé le pas à l'*État du peuple tout entier.* Cette curiosité, cette volonté d'investigation sociale n'indiquent pas au demeurant un changement radical dans la nature du régime, mais dans ses méthodes. Le pouvoir khrouchtchevien n'entend nullement se pencher sur la société pour se conformer à ses vœux. Ce qu'il cherche, c'est à établir avec elle un nouveau mode de relations, contractuel et paisible. Mais la finalité reste la même. Des enquêtes d'opinion, le pouvoir entend dégager un *modèle social.* Ces enquêtes ont ainsi un but d'éducation, elles doivent contribuer à façonner la conscience collective. Elles sont aussi un moyen de contrôler les comportements individuels en les confrontant à une *opinion publique* qui devient le groupe de référence pour tous [60].

La première, et peut-être la plus importante, enquête d'opinion effectuée en U.R.S.S. a été lancée en 1961 par l'organe des Komsomols. Elle avait pour thème *la jeunesse*, à qui l'on demandait en douze questions son opinion sur sa génération [61]. A partir de là, les enquêtes se sont multipliées, axées surtout sur la jeunesse, mais aussi sur des thèmes spécifiques (attitude vis-à-vis du travail, de la patrie, etc.). Passé le premier temps d'enthousiasme des enquêteurs, la *fonction socialisatrice* de l'enquête d'opinion est clairement admise par tous. Un des meilleurs spécialistes soviétiques reconnaît, dès 1967, que la connaissance de l'opinion est une nécessité pour ceux qui décident, qui peuvent ainsi intégrer dans leurs options les réactions populaires [62]. Pour lui, la connaissance de l'opinion publique doit permettre au système de fonctionner sans à-coups, avec le soutien de la société. Cette fonction paraît si utile qu'en 1967 on crée auprès de l'Académie des sciences un centre pour l'étude de l'opinion publique, qui sera supprimé deux ans plus tard mais dont la nécessité, comme régulateur du système, est très généralement admise [63].

A la fin des années 60, les effets du khrouchtchevisme se font sentir dans tous les domaines, et notamment dans la connaissance que l'on peut avoir du Soviétique moyen. La fermeture de l'Institut d'opinion publique n'a pas eu pour conséquence l'abandon des recherches, mais une nouvelle orientation. Les grandes enquêtes générales cèdent la place à des recherches empiriques plus précises, plus scientifiques qui, dans certains domaines — la connaissance de la paysannerie par exemple ou de certains groupes ethniques — sont très approfondies.

La littérature contribue aussi à éclairer la société. Le *réalisme socialiste* y cède souvent la place à la réalité sociale de l'U.R.S.S. Les écrivains ruralistes notamment semblent se donner pour tâche de décrire aussi précisément que possible une réalité quotidienne qui est en rupture totale avec les propos triomphalistes des dirigeants. L'individu y retrouve sa place, avec ses aspirations personnelles, tandis que s'estompent la communauté soviétique et ses grands projets. L'avenir cède souvent le pas, dans cette littérature du quotidien, à la nostalgie du passé et à ce qui témoigne de la continuité du passé au présent. L'homme nouveau, pour beaucoup d'écrivains, disparaît au profit du vieil homme, ou de l'homme tout court.

Même les lettres adressées aux journaux reflètent, parfois en dépit des contrôles, ce changement.

De ces enquêtes, des ouvrages publiés et des lettres adressées aux journaux, que dégager qui éclaire les comportements et leurs raisons profondes?

Un premier domaine d'investigation, auquel le pouvoir s'est attaché parce qu'il souhaitait mesurer ainsi l'effet de ses efforts, est la participation réelle aux entreprises de socialisation. Maintes enquêtes cherchent à comprendre ce qui pousse les Soviétiques à participer aux groupes d'agitation, aux conférences et aux meetings et ce qu'ils en retirent. A la question : « Pourquoi suivez-vous une éducation politique? » il arrive parfois, mais rarement, que le groupe interrogé réponde que c'est par conviction [64]. Bien plus fréquemment, les réponses font appel à un sentiment d'obligation, à « des pressions administratives », à « la discipline du Parti ». Il est courant que la moitié au minimum des individus soumis à ces enquêtes répondent qu'ils reçoivent une éducation politique contre leur volonté [65]. Un premier trait qui ressort des enquêtes publiées en U.R.S.S., et c'est ce qui les rend significatives, est l'indifférence généralement manifestée aux entreprises de socialisation politique. Elles font partie des obligations sociales, mais il n'y a pas d'accord ici entre les aspirations individuelles et les attitudes adoptées.

Un second trait qui ressort des réponses est que cette réception passive, indifférente de la culture politique caractérise d'abord ceux qui devraient par leur exemple entraîner le reste de la société, ses éléments les plus éduqués. Mais l'indifférence politique atteint aussi la classe ouvrière. A une enquête effectuée au début des années 70 dans une usine de Leningrad, 75 % des ouvriers interrogés sur ce qui motivait leur assistance aux séances de formation politique ont répondu qu'ils agissaient ainsi parce qu'ils y étaient contraints et 5 % de ceux qui restaient ont manifesté la volonté d'être courtois avec les propagandistes. Ainsi, un ouvrier sur cinq seulement admettait qu'il éprouvait un intérêt pour ces séances politiques et qu'il les suivait de son plein gré [66].

Les autorités soviétiques ne peuvent pas, au demeurant, se réfugier dans l'idée réconfortante que la société soviétique se divise en une fraction de citoyens actifs et conscients, les communistes ou les komsomols, et un marais de citoyens passifs, car les enquêtes effectuées témoignent que l'élite politique du pays fait, elle aussi, preuve d'indifférence à ces manifestations collectives de solidarité et de conformisme idéologique. On trouve cette attitude manifestée explicitement par un tiers des membres du Parti interrogés au cours d'une enquête [67]. La situation est pire encore lorsque, aux questions directes adressées aux intéressés, les enquêteurs substituent les réponses des propagandistes priés de définir leur public. Une enquête effectuée au cours des dernières années, dans les régions de Koursk et de Moghilev, sur la participation à l'enseignement organisé par le Parti a révélé que les komsomols étaient les plus indifférents et que, à tous les niveaux, la moitié des participants au minimum ne manifestaient guère d'intérêt pour la formation reçue.

Cette participation, dans l'ensemble peu volontaire, aux enseignements politiques produit-elle des résultats? Que retiennent de ces enseignements subis plutôt qu'acceptés les Soviétiques? Les propagandistes interrogés sur ce point manifestent souvent un grand scepticisme. Lors d'une enquête menée dans la région de Moscou, plus de la moitié des propagandistes ont déclaré que leurs étudiants n'avaient à peu près rien retenu de ce qu'ils avaient entendu; parmi ceux qui ne partageaient pas cette vue pessimiste, 9 % seulement considéraient que l'éducation politique reçue influait sur les convictions de ceux qu'ils avaient formés [68]. Le faible niveau de connaissances politiques et théoriques des bénéficiaires d'une éducation politique suivie — pour ne pas mentionner les effets des séances d'agitation sur le tas — est très généralement attesté par les propagandistes, qui soulignent volontiers que leurs auditeurs sont en permanence incapables de dire ce que signifient *prolétariat, dictature du prolétariat, détente,* sans parler de notions plus complexes telles que la *nationalisation* (que les trois quarts des individus interrogés ont été incapables d'expliquer).

De surcroît, l'intérêt des participants, lorsqu'il existe, va rarement dans ces séances vers les matières fondamentales qui contribuent à forger une conscience socialiste. Une enquête effectuée à Taganrog [69] sur les thèmes susceptibles de mobiliser la curiosité des auditeurs a montré que ceux-ci s'intéressaient en priorité (de 96 à 94 % de réponses positives) aux problèmes internationaux, c'est-à-dire au monde extérieur, aux affaires locales et à la politique intérieure, principalement économique. En revanche, les réponses manifestant un intérêt pour les problèmes du marxisme ou de l'histoire du Parti communiste de l'U.R.S.S., ou pour la théorie économique en général, ne dépassent pas 35 %. Encore faut-il considérer qu'il est difficile en U.R.S.S. de répondre ouvertement, même à un enquêteur, que l'on ne s'intéresse pas au marxisme.

De ses diverses investigations, le pouvoir a conclu que la formation idéologique de ses administrés était mal menée; que la qualité en était déplorable; que l'esprit de routine et la négligence des responsables de l'idéologie, à divers niveaux, ressortaient clairement d'un simple fait : 7,2 % seulement des citoyens estimaient que l'agitation et la propagande leur apportaient des connaissances nouvelles [70]. De surcroît, ceux qui participaient avec attention aux divers cours de formation politique étaient précisément ceux qui étaient déjà les mieux formés [71].

Le manque d'enthousiasme des masses devant les instances de socialisation, leur indifférence évidente aux sujets traités ont suffisamment impressionné le pouvoir soviétique pour le conduire à une véritable mobilisation des services idéologiques. Au plénum du Comité central du 27 novembre 1978, Léonid Brejnev a annoncé que le Politburo avait décidé de créer une commission spéciale pour s'occuper de la reprise en main de toutes les instances chargées de l'encadrement idéologique de la société [72]. La presse du Parti fait désormais écho à cette inquiétude du pouvoir devant l'apathie sociale, comprise comme échec des efforts accomplis.

Cette apathie qui est réelle, incontestable, signifie-t-elle pour autant que les efforts du pouvoir ont été vains et que la conscience sociale est restée inchangée, en dépit des pressions subies? Le système de valeurs dont se réclament les individus diffère-t-il réellement du modèle de l' « homme nouveau »?

Le groupe le mieux connu, parce que le plus suivi par les dirigeants, est la jeunesse. Que veut-elle? Comment imagine-t-elle son avenir? Ses réponses sont importantes, parce que son poids numérique dans la société soviétique est considérable (près de la moitié de la population soviétique a moins de trente ans); parce que, aussi, cette jeunesse est véritablement le produit du système soviétique et a été élevée par des parents qui n'ont eux-mêmes connu que ce système. Les enquêtes effectuées au cours des dernières années montrent que la jeunesse aspire avant tout à l'aisance matérielle (par un travail bien payé), au statut social (par les diplômes), à l'accès au monde extérieur (par les voyages), à la chaleur des relations humaines (amitié, enfants, vie sentimentale). Dans les réponses qui hiérarchisent les désirs de la jeunesse, on ne trouve pas le désir de coopérer au développement du pays, ni le désir d'être socialement utile, ni celui de se conformer à un modèle établi par la communauté.

Une enquête précise effectuée dans la région de Novossibirsk confirme et précise cette orientation générale des aspirations des jeunes [73]. Un groupe d'adolescents diplômés de l'enseignement secondaire a été prié de classer par ordre de préférence personnelle 70 professions. Au sommet, la majorité a placé les chercheurs scientifiques (en tête : les physiciens), les ingénieurs, les géologues, les mathématiciens, les pilotes d'avion, les biologistes, etc. Au milieu de la pyramide, les médecins, les officiers, les enseignants. En bas, les employés des divers services, suivis en dernière position par les travailleurs de la terre et les ouvriers. Sans doute, dans toutes les sociétés modernes, la jeunesse a-t-elle des ambitions assez voisines, et l'attraction exercée par les professions prestigieuses du domaine scientifique est-elle pour partie due au progrès de la science. Mais, en U.R.S.S., cette hiérarchie comporte des traits distinctifs. Premièrement, l'attrait le plus grand se porte vers des métiers de prestige plus encore que d'argent. Cette polarisation sur le prestige se conçoit dans la mesure où la société soviétique est une société dont les lignes de clivage ne sont pas financières mais statutaires. Ce n'est pas l'argent qui permet de perpétuer des privilèges, mais le *statut* d'une profession. De plus l'argent, on l'a déjà dit, n'a qu'une valeur relative. La situation des individus tient moins à leurs ressources monétaires qu'aux privilèges dont ils jouissent. Un physicien jouit (en plus des privilèges matériels) d'un certain degré de liberté. Il rencontre des étrangers. Il a accès aux publications étrangères. Il peut, éventuellement, voyager. Par là même, son statut est exceptionnel. Deuxième caractéristique de ce choix, que l'on trouve aussi dans toutes les sociétés modernes mais qui contredit l'idéologie de la société soviétique : le mépris des métiers manuels. Cette attitude ne s'explique pas totalement par l'attrait des biens matériels, car les salaires des ouvriers qualifiés sont supérieurs à ceux des employés non qualifiés, voire de professions plus prestigieuses (enseignement élémentaire, médecine, etc.). Le pouvoir soviétique a de plus réduit les écarts salariaux et amélioré dans l'échelle salariale la place des ouvriers. Mais ce qu'il n'a pu modifier, c'est le statut social de l'ouvrier et la possibilité de passer de cette catégorie à une autre. Les enquêtes consacrées à la famille soviétique montrent que le mariage consolide les différences sociales. Un travailleur manuel a toutes chances de se marier dans son milieu, d'avoir un mode de vie déterminé par le travail [74] et de voir ses enfants perpétuer ses activités et son mode de vie. Le refus des métiers manuels tient largement au fait qu'ils sont perçus comme un choix social définitif [75].

Enfin, une dernière remarque concerne l'absence dans les ambitions de la jeunesse des fonctions politiques. Alors que cette jeunesse est soumise à une pression politique constante, que les thèmes de l'engagement, de l'utilité, de la responsabilité concourent à former le modèle social qui lui est proposé, elle semble écarter de ses choix tout ce qui a trait à la politique. Ici encore, l'explication relève du statut et de la possibilité de perpétuer les avantages sociaux. Le régime soviétique a aboli en 1917 les titres et les symboles de déférence dont l'ancien régime usait abondamment. Depuis 1917 pourtant, les titres et les distinctions — d'origine méritocratique et non héréditaires sans doute — ont refleuri. Et, précisément, ce sont les carrières qui attirent la jeunesse qui sont généralement à l'origine de ces titres. Les métiers de l'intelligence : chercheur, biologiste, etc., supposent acquis les grades universitaires de *docteur* ou *professeur* et conduisent dans les cas extrêmes au titre particulièrement envié (et rentable par les privilèges tangibles et occultes qu'il implique) d'*académicien.* C'est dans les métiers extraordinaires que l'on a le plus de chances de devenir *Héros du travail socialiste*, et la hiérarchie compliquée des qualificatifs décernés aux artistes témoigne bien de la tendance soviétique à distinguer et classer. Les métiers pour lesquels la jeunesse soviétique opte en priorité sont précisément ceux où les distinctions accompagnent la réussite. Et où le statut est non seulement le plus prestigieux et le plus riche en privilèges, mais aussi le plus stratifié [76].

Une seconde raison qui rend ces carrières plus attrayantes que l'univers politique est qu'elles impliquent la stabilité du statut. L'histoire politique soviétique a été trop agitée et tragique pour ne pas apprendre à ceux qu'attirait le pouvoir quels en étaient les périls et les incertitudes. La chute politique d'un leader a longtemps été accompagnée par la chute simultanée de tout un réseau de clients et de proches. L'absence de règles claires dans le jeu politique maintient les incertitudes et la précarité pour les fonctions politico-bureaucratiques. Inversement, les métiers liés à un haut degré de compétence sont perçus comme stables. Ceci explique peut-être pourquoi les enfants des dirigeants soviétiques s'écartent généralement de la sphère du pouvoir pour se tourner vers les carrières intellectuelles.

Cet attachement à des valeurs situées à l'arrière-plan de la culture politique officielle, ou condamnées par elle comme manifestations « petites-bourgeoises » — bonheur individuel, acquisition de biens matériels, sécurité —, n'est pas le seul fait de la jeunesse. Toute la société soviétique, par ses curiosités et ses comportements, témoigne qu'en marge de la culture politique véhiculée par le pouvoir existe une culture implicite, que le pouvoir ne peut ignorer. Les signes en sont évidents. Un bon exemple en est fourni par la lecture des journaux mis à la disposition des citoyens soviétiques par les clubs, bibliothèques, etc. et qui sont des véhicules du système de valeurs soviétique. Le pouvoir a toujours attaché une importance considérable aux moyens d'information proposés par des institutions à ses administrés, car les lectures collectives ouvrent la voie à l'influence des agitateurs, propagandistes, etc. Or, en 1980, à l'occasion de la campagne annuelle de souscription pour les journaux et périodiques [77], on peut constater une évolution du tirage — et donc de la demande — des publications. Cette évolution se traduit avant tout par le recul des organes politiques. Les publications du Comité central du Parti (*Kommunist, Partiinaia Jizni, Agitator*), du Komsomol (*Molodoi Kommunist, Smena*), des syndicats (*Sovetskie Profsojuzy*) enregistrent des chutes qui atteignent parfois 10 % du tirage initial [78]. En revanche, des revues littéraires (*Zvezda Vostoka*, organe des écrivains d'Uzbekistan, *Novyi Mir, Inostrannaia literatura*) progressent de manière spectaculaire. Plus remarquable encore est le véritable bond en avant de trois revues : *Za rulem* (*Au volant*), *Roman-gazeta* (*Le Roman-journal*) et *Molodaia Gvardia* (*La Jeune Garde*). Le succès populaire de ces trois publications qui avaient déjà de très gros tirages est révélateur de la passion automobile qui s'est emparée des Soviétiques, des rêves romanesques et, dans le cas de *Molodaia Gvardia*, du progrès des idées nationalistes russes, voire chauvines, qui la caractérisent. A analyser en détail les curiosités des citoyens soviétiques, on constate qu'ils privilégient tout ce qui s'éloigne de l'éducation idéologique. C'est ainsi que de deux revues d'histoire, *Voprossy Istorii* (*Problèmes d'histoire*) et *Voprossy Istorii KPSS* (*Problèmes d'histoire du Parti communiste*), c'est nettement la seconde qui est délaissée. Si la revue historique consacrée à des thèmes généraux perd 1 lecteur sur 33, à traiter de l'histoire du Parti on perd 1 lecteur sur 9. La société *Znanie* enregistre aussi des pertes, et les lecteurs se désintéressent visiblement de la publication des soviets, *Sovety narodnykh deputatov*, qui perd 93 000 exemplaires sur 752 000. Mais les lecteurs augmentent dès lors qu'il s'agit du cinéma (*Sovetskii ekran*) ou du sport (*Sovetskaia fitzkul'tura*), ou encore restent stables pour la plupart des publications touchant aux arts ou humoristiques.

Cette orientation des lecteurs [79] est confirmée par les enquêtes qui concernent l'attitude des lecteurs à l'égard du contenu même des journaux. Interrogés sur ce point, les lecteurs d'*Izvestia*, de *Pravda*, de *Trud* ont répondu de manière assez unanime que les éditoriaux ne les intéressaient guère (30 % des lecteurs d'*Izvestia* seulement ont témoigné leur intérêt pour l'éditorial) et que leur attention se concentrait essentiellement sur les problèmes internationaux (74 % pour les lecteurs de la *Pravda* [80], 69 % pour ceux des *Izvestia*), les problèmes moraux (75 % *Izvestia*, 57 % *Pravda*), les faits exceptionnels, les articles humoristiques (64 %

Izvestia, 57 % *Pravda*). Le lecteur de la *Pravda*, les enquêtes en témoignent, jette avant tout un coup d'œil sur les informations officielles qui peuvent affecter profondément la vie du citoyen soviétique, puis, rassuré par l'absence de décisions graves, se dirige vers ce qui est du domaine de l'information sur le monde extérieur, de la culture, de la morale. Pour tous les journaux, les lecteurs adoptent une attitude sceptique quant aux informations qu'ils publient, indifférente quant aux positions politiques. La télévision, suivie par la presque totalité des Soviétiques à raison d'une à deux heures par jour [81], la radio, présente dans tous les foyers, bien que faisant largement place aux préoccupations politiques, encouragent aussi les Soviétiques à s'en évader, dans la mesure où près de 40 % des émissions ont un caractère divertissant [82].

* *

Qui est le Soviétique d'aujourd'hui? Et existe-t-il cet *homme nouveau* que le pouvoir a tant peiné à modeler? A considérer la société soviétique au travers des enquêtes, des témoignages d'origines diverses, de l'image qu'elle donne d'elle-même, on est sans cesse confronté à deux vérités extrêmes. D'un côté, il y a l'immense appareil d'éducation et de mobilisation sociale, mis au service d'idées simples et, pour certaines, traditionnelles. Comment une société pourrait-elle lui échapper? De l'autre côté, il y a cette société, dont beaucoup de comportements, et de plus en plus, reflètent l'attachement à un système de valeurs qui n'appartient pas à la culture politique soviétique, qui se situe au-delà des frontières idéologiques. Qui sont les vrais Soviétiques? Ceux qui assistent par millions aux réunions d'agitation, qui militent au Parti et dans les associations volontaires, qui entérinent le slogan « le Parti et le peuple sont unis »? Ou bien l'U.R.S.S. est-elle un univers de dissidents déclarés ou silencieux, qui subissent un pouvoir auquel ils ne s'identifient jamais?

La vérité de l'homme soviétique ne coïncide avec aucune des hypothèses extrêmes. Il est clair que les effets d'un très long et puissant effort de socialisation ne peuvent être inexistants. Sur certains points — le patriotisme, la peur ou la méfiance envers le monde extérieur, la sécurité de la vie quotidienne assurée (même à un niveau bas) —, la société a intériorisé la culture politique officielle. De même, elle ne remet pas en question les fondements économiques du système. Qui en U.R.S.S. songe à prêcher le retour à la propriété privée des moyens de production ? L'emprise et l'omnipotence de l'État sont d'autant mieux acceptées que ce qui existe rejoint la tradition prérévolutionnaire, où l'État jouissait d'une autorité incontestée et était le grand entrepreneur. L'autorité absolue du Parti et l'absence d'institutions médiatrices entre la société et lui, capables de faire face au pouvoir, tout cela aussi appartient au passé, comme au présent.

L' « homme nouveau » et le « vieil homme » peuvent ici se confondre et reconnaître les éléments de légitimité du pouvoir que valorise la culture politique actuelle.

Mais, en même temps, les comportements, les convictions ont évolué; et cette évolution dessine les limites du consensus populaire. La légitimité impériale ne reposait pas sur une confusion entre le pouvoir et la société, mais sur le caractère sacré du pouvoir, de l'autorité. La légitimité soviétique découle tout au contraire de la confusion entre le pouvoir et ses administrés, entre pouvoir et société. C'est parce que la société est identifiée au pouvoir que celui-ci existe et a une légitimité. Et c'est ici précisément que la socialisation a manqué son but. La société plus éduquée, qui de surcroît ne dépend plus totalement pour son information du pouvoir soviétique, a appris ce qui l'en séparait. Outre les progrès de l'éducation, deux facteurs ont en effet commencé à marquer l'évolution des mentalités. Le premier est l'accès à l'information étrangère. Les radios étrangères sont audibles sur une grande partie du territoire soviétique. La télévision finlandaise atteint les États baltes. Désormais, les Soviétiques peuvent soumettre à la critique les informations que les autorités leur diffusent. Et tous les témoignages concourent à montrer que le Soviétique ordinaire, qui subit avec indifférence la formation politique à laquelle il est soumis à l'intérieur, met beaucoup d'avidité à saisir celle qui lui est apportée de l'extérieur. Le monopole idéologique qui a durant près de six décennies fermé l'horizon mental de l'*homo sovieticus* est en voie d'érosion, sinon de disparition. Or, l'un des fondements de la culture politique soviétique était sa cohérence et son imperméabilité à tout apport extérieur. Un second élément modifiant lentement les mentalités soviétiques est précisément la montée des valeurs individuelles. Et ici, le système soviétique lui-même contribue à ce changement. Aussi longtemps que les Soviétiques ont vécu dans des conditions de logement déplorables et dans la peur du prochain — deux caractéristiques de l'univers stalinien —, la vie familiale et les relations personnelles ont été très faibles et ne pouvaient servir de refuge à l'individu contre le pouvoir. L'amélioration des conditions de logement — un appartement qu'on ne partage plus avec des étrangers —, la disparition de la délation systématique — Pavlik Morozov est un personnage du passé — ont rendu force à la famille. L'individu retrouve un cocon protecteur contre le monde extérieur. Le milieu familial le protège aussi de la socialisation. Il est très significatif à cet égard que les Soviétiques disent, lorsqu'ils sont interrogés sur ce point, que l'agitation et l'information politique doivent être réservées au lieu de travail et non au lieu de résidence. De plus en plus, la maison, fût-ce un appartement d'une pièce, redevient le lieu de la vie individuelle et non plus celui des activités collectives et politiques. Deux cultures commencent donc à se juxtaposer ouvertement : la culture politique collective, qui est l'affaire du pouvoir, la culture des hommes, où s'inscrivent leurs sentiments profonds, leurs solidarités et une part de leurs comportements. Ces deux cultures signifient qu'à nouveau une coupure existe entre le pouvoir, *Vlasti,* et les hommes, *Ljudi,* entre *eux* qui décident au sommet, *oni,* et *nous, my,* le peuple.

Cette dichotomie existe dans tout système politique sans aucun doute. Mais la légitimité du système soviétique et la culture politique qui affirme cette légitimité reposent sur une fiction : la disparition de cette dichotomie. Dès lors que la société a commencé à prendre conscience qu'il s'agissait d'une fiction, le pouvoir soviétique est un pouvoir semblable à tous les autres, qui doit se trouver une légitimité nouvelle. Cette progressive prise de conscience ne signifie pas pour autant que l'U.R.S.S. soit peuplée d'opposants, mais elle implique que le consensus peut un jour être remis en question. Que les dirigeants doivent se justifier de leur pouvoir. Que l'explication fidéiste — celle des lois inexorables de l'histoire et du progrès — n'a plus cours. Le roi est nu.

Deux questions découlent de là, décisives pour l'avenir. Le pouvoir dispose-t-il de structures politiques lui permettant de canaliser et de satisfaire cette conscience sociale qui s'éveille lentement et qui n'est pas le pur produit de la « fabrique des âmes »? La société possède-t-elle, de son côté, des moyens et des institutions pour transformer cette prise de conscience confuse en action, pour atteindre le rang de *société civile* digne de ce nom et pour peser ainsi sur la sphère du pouvoir?

CHAPITRE VII

SUJET OU CITOYEN?

Les contradictions que l'observateur de l'U.R.S.S. décèle entre le propos idéologique et le réel, entre pouvoir et société, le système soviétique veut les ignorer. Plus encore, il fait preuve d'une extraordinaire aptitude à affirmer dans un même temps la coexistence et la compatibilité de ces deux extrêmes. La Constitution de 1977 ne dit-elle pas [1] :

« Ayant mené à bien les tâches de la dictature du prolétariat, l'État soviétique est devenu l'État du peuple entier. Le rôle dirigeant du Parti communiste, avant-garde de tout le peuple, s'est accru.

« C'est une société [la société socialiste avancée] de démocratie authentique, dont le système politique assure une gestion efficace de toutes les affaires sociales, une participation toujours plus active des travailleurs à la vie de l'État. »

La dialectique entre pouvoir du Parti et pouvoir populaire se résout ainsi dans la théorie par l'unité du Parti et des travailleurs et dans la pratique par la participation des citoyens à la vie publique. La société soviétique est, disent ses dirigeants, caractérisée justement par ce très haut degré de participation, qui conduit, progressivement, à l'*autogestion sociale* ou encore à l'*autogestion communiste (obchtchestvennoe samo-oupravlenie,* ou *kommunistitcheskoe samo-upravlenie).*

L'autogestion sociale est, l'accord est sur ce point général en U.R.S.S., le but vers lequel tendent la société et le système soviétique. Mais la définition de l'autogestion, la vision des modes et des limites de la participation populaire ont connu de grandes variations dans les débats soviétiques de l'époque poststalinienne [2].

Au-delà des débats théoriques, une réalité demeure. La participation des travailleurs existe dans le système soviétique. Elle existe depuis les origines du système. Les soviets, la prise en main de tous les problèmes par la société, tels ont été les premiers pas de la révolution. Le parti bolchevik n'est arrivé qu'ensuite [3]. Depuis 1917, il a institutionnalisé ses relations avec ses administrés, dans le cadre de la participation. Pour qu'il y ait identification entre le citoyen et le pouvoir, il faut qu'au niveau où vit le citoyen, c'est-à-dire au niveau local, un dialogue et une coopération s'instaurent. Ces relations organisées s'imposent aussi en raison de la compétence exclusive du pouvoir d'État dans tous les aspects de la vie de l'individu. L'État est seul employeur, seul éducateur, seul fournisseur d'informations, seul fournisseur de biens, etc. Par là, il est uni indissolublement à la société. Il doit connaître ses besoins, ses mécontentements, ses aspirations, donc organiser avec elle un système de signaux et de contacts au niveau local, où s'expriment précisément besoins et frustrations.

Cette participation populaire à la vie de l'État, ces relations entre État et citoyens s'expriment par deux moyens : le suffrage universel, qui donne, en principe, à la société le choix de ses représentants; les institutions locales, où le citoyen prend part à la gestion et joue ainsi un rôle actif dans les affaires publiques.

En examinant ces deux modes de participation à l'époque brejnevienne, on tentera de répondre aux problèmes fondamentaux que pose cette participation. Par les canaux de participation que le système encourage, les Soviétiques sont-ils en mesure d'accéder à la sphère de décision et donc de peser sur la décision politique? Ou bien cette participation n'est-elle qu'un moyen de socialisation supplémentaire que le système politique utilise à son profit?

La participation, quels qu'en soient les moyens réels et les finalités, modifie-t-elle progressivement, ou peut-elle potentiellement, modifier le système politique soviétique?

Est-elle un élément de formation de la conscience collective? Et dans quelle direction? Permet-elle au pouvoir de contrôler des sujets politiques? Ou bien transforme-t-elle les sujets en citoyens véritables? Dans quelle mesure, enfin, la participation est-elle reconnue par les élites, comme une voie vers la formation d'une société civile?

Élections = socialisation

Les élections en U.R.S.S., comme dans la plupart des États contemporains, sont tenues pour la manifestation normale, naturelle de la participation politique. Ce qui différencie l'Union soviétique de nombreux autres États, c'est l'extension du système électoral, le très haut degré — quantitatif — de participation électorale et l'unanimité dont les élections témoignent.

Caractère général des élections tout d'abord. Depuis la Constitution de 1936, le droit de vote (suffrage direct et secret) est acquis à tous les citoyens soviétiques de plus de dix-huit ans [4]. C'est un droit très étendu puisque le suffrage universel désigne les représentants du peuple à tous les niveaux du pouvoir d'État, depuis le Soviet suprême, bicaméral, jusqu'au dernier soviet de village. On vote fréquemment en U.R.S.S., compte tenu du grand nombre d'assemblées qu'il faut élire. Les électeurs sont appelés à voter pour trois types d'assemblées, au rythme suivant [5] : élection pour le Soviet suprême de l'U.R.S.S., pour les soviets suprêmes des républiques fédérées et des républiques autonomes, pour les soviets locaux. Le Soviet suprême et les 35 soviets républicains (15 républiques fédérées, 20 républiques autonomes) sont élus tous les cinq ans. Les soviets locaux sont élus tous les deux ans et demi. Le pouvoir est très attentif à ce qu'il n'y ait jamais confusion entre les trois groupes d'élections et les campagnes électorales sont toujours distinctes. Ce système conduit à juxtaposer de grandes années électorales où les électeurs votent deux fois en douze mois et les années marquées par la seule élection aux soviets locaux. C'est ainsi que, de mars 1979 à mars 1980, l'U.R.S.S. a vécu une année électorale complète (mars 1979 : élections au Soviet suprême; mars 1980 : élection des soviets républicains et des soviets locaux [6]). En septembre 1982, les électeurs iront à nouveau aux urnes pour réélire tous les soviets locaux après une seule campagne électorale et, de mars 1984 à mars 1985, ils seront à nouveau confrontés à une « grande année électorale ».

La fréquence des élections, la multiplicité des campagnes électorales ne doivent pas conduire à conclure que l'U.R.S.S. vit dans un climat électoral permanent. Si chaque campagne électorale dure deux mois et demi, si elle est l'occasion d'une grande mobilisation sociale, son impact politique est faible, et décroissant dès lors qu'on va descendre dans l'échelle d'importance des institutions élues. Les journaux centraux consacrent une place importante à la candidature des grandes personnalités politiques (c'est-à-dire les membres du Politburo et du Secrétariat), leurs discours sont abondamment reproduits, selon un mode de préséance étroitement lié à leur place dans la hiérarchie du système [7]. Mais les journaux républicains et les journaux locaux sont infiniment moins prolixes. En toutes circonstances, les élections sont infiniment moins « occupantes » pour la presse soviétique que les congrès du Parti. La différence d'attention révèle la différence d'importance. Les articles consacrés aux élections sont révélateurs aussi de la fonction électorale. Si l'on exclut les discours électoraux des dirigeants, ce que la presse rend public, c'est d'abord l'image sociale des candidats. Pourquoi la « trayeuse de choc » d'un lointain village russe a-t-elle été choisie pour siéger au Soviet suprême? Derrière cette question, la place d'une trayeuse de choc dans la société soviétique, ses efforts et ses exploits professionnels sont portés à la connaissance de l'U.R.S.S. tout entière. L'information électorale a en partie pour finalité de montrer la représentativité du système électoral et de valoriser l'élu de la base en même temps que le membre du Politburo. Dans ce système, « l'unité du Parti et du peuple » ressort. En même temps, ce que cette publicité électorale qui se concentre sur les extrêmes — Brejnev et Kossyguine d'un côté, la trayeuse de choc de l'autre — tend à démontrer, c'est que le choix des électeurs se porte sur les « meilleurs » à chaque échelon de la vie commune [8]. L'élitisme du système trouve largement à se déployer dans ces campagnes. En revanche, la campagne électorale n'est jamais l'occasion de débats. Les choix politiques ou économiques ont déjà été faits par le Parti et, les textes publiés, les discours n'offrent pas matière à discussion [9]. Le choix des candidats n'est pas davantage du ressort des électeurs, et ceci explique l'unanimité que consacrent les résultats. Le caractère autoritaire et centralisé du choix des candidats est d'ailleurs un point que le pouvoir soviétique ne dissimule pas. Tout au contraire, il considère que de ce mode de désignation dépend la capacité d'action future des soviets. Cependant, comme il y a en U.R.S.S. environ 2 millions d' « élus du peuple », il est clair que le processus de désignation varie selon les niveaux.

Deux règles président à la désignation des candidats : il ne doit y avoir qu'un candidat désigné par siège disponible, la désignation d'un candidat aux élections est du ressort théorique de toute organisation sociale [10] dotée d'une existence légale (le Parti communiste se trouve en principe dans la même position que les syndicats, qu'un collectif de travailleurs, une unité militaire, etc.). De manière générale, cette désignation se fait à une réunion d'un collectif de travail, organisé dans l'entreprise, à une heure où tous les travailleurs peuvent y assister, afin que le consensus de la collectivité soit évident. Ce consensus fait du candidat le représentant unique du « bloc des membres du Parti et des sans-Parti ».

Certaines positions désignent d'office leur titulaire comme député. Ce corps de « notables » représente près de 80 % du Soviet suprême et des soviets républicains, mais seulement un quart des soviets régionaux et moins encore peut-être pour les soviets de niveau inférieur. Mais les soviets locaux, dont une des fonctions essentielles est d'œuvrer à la réalisation du plan, seraient fort inefficaces s'ils excluaient ceux qui détiennent des responsabilités économiques locales (responsables des kolkhozes ou d'entreprises) au bénéfice des exécutants. L'étude des soviets locaux montre qu'un président de kolkhoze est à peu près certain d'être par là même député, que la même règle prévaut pour tout responsable dans le domaine de l'économie ou de la culture. Dans ce processus de désignation des candidats, le Parti n'est évidemment pas une organisation égale aux autres, même si son intervention est souvent discrète. Elle s'exerce par la voie de contacts préalables avec les organisations sociales [11], mais aussi par une certaine autocensure au sein de chaque collectivité appelée à désigner un candidat. Ces collectivités savent qu'il leur est impossible de pousser un candidat inacceptable pour le Parti ou de s'opposer au candidat du Parti. Cette autocensure n'est pas totale et, dans certains cas — rares il est vrai —, la collectivité de travail s'est élevée contre le candidat qui lui était proposé [12], voire, mais cela n'est pas très courant, les électeurs n'ont pas ratifié le choix des organisations sociales [13]. En 1979, pour les élections au Soviet suprême, il y a eu 185 422 votes exprimés contre les candidats au Soviet de l'Union et 150 754 au Soviet des nationalités. Pour les deux assemblées, on a recensé 72 bulletins nuls. Tous les candidats ont néanmoins été élus [14]. Pour éviter des manifestations de ce genre au moment des élections, le Parti s'efforce de donner à la désignation des candidats un support relativement large et s'assure donc que le choix fait est acceptable par la communauté qui l'élit [15].

Qui peut et mérite d'être élu ? Quelles qualités désignent un individu comme étant le meilleur ? Qu'est-ce qui fera un bon député : d'être un travailleur hors pair ? un « activiste » ? ou encore de témoigner de qualités particulières (capacité de comprendre une situation, de gérer des problèmes)? Ces points sont souvent débattus en U.R.S.S., dans les périodes électorales précisément, mais la réponse qui y est apportée n'est jamais claire. Ce qui reste c'est que par ce processus de désignation préalable, les candidats sont élus à une majorité écrasante. L'unanimité presque totale du vote est une donnée commune à l'époque stalinienne et au temps brejnevien. Sous Staline, nul n'eût osé barrer le nom d'un candidat sous les yeux du bureau ni s'isoler pour le faire, car c'était là un signe visible de désaccord avec le choix du Parti. Ceci explique l'absence de votes négatifs avant 1953. En revanche, la période khrouchtchevienne a été à cet égard une véritable période de rupture. L'idée du choix possible a cheminé dans les esprits, été publiquement exprimée dans des débats préélectoraux et reprise par les publications du Parti. En 1962, 750 000 électeurs — c'est-à-dire plus d'1 sur 200 — barrent le nom du candidat qui leur est proposé. En 1966, ils sont moins de 600 000 à le faire.

L'unanimité dont les électeurs font preuve dans leur choix est renforcée par le très haut degré de participation électorale, qui dépasse généralement 99 % des inscrits. Aux élections du Soviet suprême de 1979, la participation électorale a été de 99,99 % [16]. Ce résultat spectaculaire est remarquable à deux titres. Tout d'abord, parce que le taux de participation électorale a été amélioré dans la période poststalinienne, alors que généralement on attribue aux régimes les plus terroristes la capacité d'obtenir les plus hauts taux de participation. Ensuite, parce que ce taux de participation n'est pas l'effet d'une contrainte policière, mais d'une pression sociale qui est encore une forme de participation. Pour ce qui est du niveau de participation aux élections, on ne peut qu'être frappé par les « progrès » constants que le système enregistre. Aux élections de décembre 1937, la participation n'a été que de 96,79 % [17]. En revanche, depuis ce moment, le taux de participation progresse sans cesse : 99,74 % en 1946, 99,98 % en 1950. La période poststalinienne a été marquée par un très léger recul de la participation électorale, mais sans rapport avec le taux de 1937 (99,95 % en 1962, 99,94 % en 1966). Depuis lors, la participation remonte régulièrement pour atteindre en 1979 le taux record de 99,99 %. Il y a eu officiellement en U.R.S.S, lors de la dernière élection, 23 952 abstentionnistes pour un corps électoral de 174 944 173 personnes [18].

Cette participation record et l'unanimité qu'elle traduit, comment les obtient-on, si ce n'est pas la force? Faut-il accepter, en l'absence de violence, l'image propagée par la presse soviétique d'une grande liesse populaire et d'électeurs se hâtant avant l'aube pour participer aux élections [19]? La mobilisation d'un très grand nombre de citoyens pour participer à l'organisation matérielle des élections représente un élément essentiel de cette participation. La campagne électorale n'est pas l'affaire des candidats. Une fois choisis, ils apparaissent comme des éléments passifs de la campagne. Les éléments les plus actifs en sont les commissions électorales et les agitateurs. Les commissions électorales (près de 10 millions de personnes) existent dans chaque circonscription (de plus de 1 000 électeurs) et dans chaque bureau de vote. Les membres de ces commissions, élus par les organisations sociales sur le modèle des élections de députés, ont pour fonction de préparer les élections, d'enregistrer les électeurs, puis de contrôler le déroulement des opérations électorales. Les *agitateurs* électoraux, eux, mobilisent la population dans les centres d'agitation (*agitpunkty)* tout au long de la campagne. Ils organisent toutes les réunions où le candidat est pratiquement toujours absent, et informent les électeurs, les écoutent, font venir des personnalités diverses — vétérans de la guerre, spécialistes de tous domaines, etc. — qui, à l'occasion des élections, font une fois de plus l'éducation politique de la société. Près de 9 millions d'agitateurs travaillent ainsi au contact du corps électoral. Ce qui les caractérise, c'est qu'ils sont pour l'essentiel membres du Parti, que leur activité est orchestrée par les organismes locaux du Parti et que cette agitation électorale est pour le Parti un moyen de mobiliser la société autour des élections [20]. Les agitateurs sont responsables, en groupe, d'un *point d'agitation* qui dessert de quelques dizaines à 2 000 personnes, et chaque agitateur a de plus la responsabilité individuelle de quelques dizaines d'électeurs. Leur tâche est de transformer la campagne électorale en un contact direct entre le Parti et chaque électeur, de donner vie aux slogans électoraux par les relations personnelles qu'ils entretiennent avec le corps électoral, d'enregistrer ses réactions, voire des demandes collectives ou privées. Enfin, une dernière catégorie de personnages actifs dans les élections est celle des représentants des candidats (*doverennoe litso*), choisis par la collectivité qui a désigné le candidat pour s'exprimer à l'occasion à sa place.

Candidats, représentants du candidat, membres des commissions électorales, agitateurs, ce sont là plus de 20 millions de Soviétiques qui jouent un rôle actif dans les élections. On comprend devant ce chiffre, important par rapport au corps électoral (1 participant pour 8 électeurs environ), quelle pression ces *actifs* peuvent exercer sur l'ensemble du corps social pour l'amener aux urnes, quel effort et quelle capacité de mobilisation sociale représente aussi cette organisation électorale.

Voter est en U.R.S.S. un devoir moral impératif, auquel il est très difficile d'échapper. Outre cet encadrement qui fait qu'un contrôle social direct pèse sur chaque électeur, les facilités mises à sa disposition sont telles que l'abstention apparaît comme un refus de vote caractérisé. Tout est prévu dans cette organisation. Les agitateurs sont chargés de vérifier dans quelles conditions les électeurs qui relèvent de leurs compétences voteront. Les voyageurs ont des bureaux de vote dans les trains, les bateaux, les gares et les aéroports. Les malades votent dans les bureaux fonctionnant dans les hôpitaux et les maisons de repos. A la limite, les grabataires soignés à domicile votent chez eux [21]. Car le vote est une affaire personnelle, et la procuration n'a pas de raison d'être dès lors que sur tout le territoire soviétique l'urne va jusqu'aux électeurs. C'est aux agitateurs de prévoir les besoins particuliers et d'en appeler aux commissions électorales pour qu'aucun moyen matériel (transport, garde d'enfant ou de malade, etc.) n'empêche un électeur de voter.

Il revient aussi aux agitateurs de veiller le jour de l'élection à ce que « leurs » électeurs aillent aux urnes. Chaque agitateur vérifie ce jour-là que les électeurs figurant sur sa liste ont voté et va au besoin les quérir à domicile.

Pour celui qui veut s'abstenir, l'entreprise doit être bien préparée. Deux moyens s'offrent à l'électeur récalcitrant. Annoncer à l'avance son absence à son agitateur, se faire rayer de sa liste électorale et se faire donner un certificat qui permet de voter n'importe où ailleurs. Et l'électeur peut ainsi ne se présenter nulle part. Parfois, lorsque le nombre des électeurs manquants à la fermeture du bureau de vote excède le taux d'abstention admis, la commission électorale elle-même supprime le nom de quelques électeurs et affirme qu'il ont bénéficié d'un « certificat ». Ainsi, le rapport entre le nombre des électeurs inscrits et celui des votants reste-t-il dans les limites acceptables. La seconde formule pour s'abstenir consiste tout simplement à disparaître dans la nature le jour des élections.

Jusqu'en 1978, les abstentionnistes s'en remettaient surtout à la formule du certificat d'absence, qui avait l'avantage de ne pas attirer l'attention sur eux. Car ne pas voter c'est s'exposer à la réprobation morale, voire à des représailles de la communauté à laquelle on appartient. Voter avec enthousiasme fait partie de la culture politique soviétique. Aussi faible soit-il l'abstentionnisme

228

est tenu par le pouvoir pour une manifestation de désaccord. C'est pourquoi les dispositions électorales adoptées au cours des dernières années cherchent à contrôler l'usage fait des certificats d'absence, même si la loi électorale du 6 juillet 1978 en maintient le principe (art. 23). Mais les agitateurs doivent noter soigneusement et transmettre aux commissions électorales l'identité de ceux qui demandent des certificats d'absence. On vérifie désormais s'ils ont voté ailleurs et l'on compare sur plusieurs élections le comportement des porteurs de certificats. La détection, par ce moyen, des abstentionnistes a sans aucun doute contribué à en réduire le nombre. Mais, en dépit des efforts accomplis par les agitateurs, en dépit des dates d'élections choisies (mars pour le Soviet suprême, car les électeurs ont peu de raisons d'être absents), une mince frange de la société soviétique se refuse à voter. Elle est au demeurant très localisée [22]. Le plus fort taux d'abstention en 1979 était enregistré en Lettonie et surtout en Estonie, où l'on trouvait 4 000 abstentionnistes (légèrement plus de 0,5 % du corps électoral). Parfois aussi, les abstentions tombent à un niveau peu vraisemblable. En 1979, l'Uzbekistan avouait 14 abstentionnistes pour un corps électoral de plus de 7 millions d'électeurs. Toutes les républiques du Caucase affichaient aussi un taux de participation de 99,99 %. Ce que les résultats des élections de 1979 suggèrent tout d'abord, c'est que la pression contre les abstentionnistes s'accroît, que l'abstention est par conséquent plus facile à pratiquer dans un milieu social ou national déjà gagné à son principe. Les républiques baltes, tardivement soviétisées, ayant un souvenir encore vif de la vie démocratique, sont probablement le milieu le plus favorable à cette manifestation de désaccord. Une autre constatation est que l'abstentionnisme est désormais clairement désigné comme manifestation de désaccord par les autorités et par ceux qui le pratiquent [23]. Les contrôles exercés sur les électeurs soulignent nettement cet aspect asocial de l'abstention qu'on ne saurait confondre avec une simple manifestation de passivité politique. Enfin, il est plausible que le taux, exceptionnellement élevé en 1979, de participation électorale soit dû — pour une faible part sans doute — à des pratiques quelque peu irrégulières. Les témoignages fournis par les émigrés soviétiques des dernières années mettent l'accent sur ce point. Tantôt c'est un responsable d'immeuble qui se procure les passeports intérieurs de ses colocataires ou copropriétaires rétifs, tantôt ce sont les membres des familles des abstentionnistes qui se substituent ainsi à celui des leurs qui prétendait manifester son désaccord. Ces démarches sont accueillies avec compréhension par les commissions électorales, dont le premier souhait est de voir leur bureau de vote battre les records de participation et qui pour cela ferment volontiers les yeux sur l'identité de celui qui vote.

On voit donc ce qui explique le taux exceptionnel de participation électorale en U.R.S.S. et les limites des leçons que l'on peut en tirer. La culture politique, la mobilisation importante du corps électoral pour animer l'élection, la pression que la société tout entière exerce, l'atmosphère de fête, tout contribue à pousser le citoyen soviétique aux urnes. On peut même y ajouter un facteur négatif, le peu d'importance que l'électeur attache à son vote en faveur d'un candidat unique, qu'il n'a pas choisi, absent de la campagne et qui ne présente aucun programme, hors des slogans collectifs. « A quoi bon se situer en marge » d'une société attentive à tous les comportements? c'est là aussi une raison supplémentaire de voter.

Mais ce vote exceptionnellement massif et unanime enlève-t-il tout sens à la faible part des abstentions, des noms rayés sur les bulletins et des quelques voix qui s'élèvent pour organiser des manifestations collectives de boycott électoral?

Ce vote massif ne doit-il pas être nuancé — même dans les limites, déjà indiquées, d'un choix fait à l'avance à la place des électeurs et d'une mobilisation sociale d'envergure — par les possibles manipulations des commissions électorales capables d'ajuster le nombre d'électeurs réel à la taille idéale du corps des votants, capables aussi, à l'occasion, de taire un vote négatif par trop scandaleux? Si les comptes rendus électoraux évoquent volontiers l'enthousiasme des électeurs des dirigeants, les mentions chaleureuses portées sur les bulletins de vote de Léonid Brejnev [24], jamais on ne mentionne qu'un dirigeant ait pu faire l'objet d'un vote négatif. Pourtant, cela arrive. Aux élections de 1966, le général Grigorenko a barré le nom de Kossyguine sur son bulletin de vote [25]. S'il ne l'avait pas dit, nul n'en aurait rien su.

L'unanimité qui ressort des élections a-t-elle pour seul but de simuler la part que les Soviétiques prennent à la vie publique? Ou encore de rassurer le pouvoir sur les sentiments ou la docilité de ses administrés? Non, sans aucun doute. Les élections jouent en U.R.S.S. un rôle beaucoup plus important que celui de simple paravent d'un pouvoir autoritaire. Elles doivent avant tout contribuer à l'intégration de la société soviétique. Aucune autre manifestation collective ne permet au pouvoir de rassembler la

230

société aussi massivement et périodiquement autour de ses slogans et de ses projets. La solennité avec laquelle les dirigeants se penchent sur les résultats — pourtant acquis d'avance — de chaque élection [26], avec laquelle ils proclament leur satisfaction témoigne de l'importance que le système accorde à ce mode de socialisation. Ce qu'il en conclut avec régularité, c'est que l'ampleur des campagnes électorales, la qualité des candidats, l'unanimité des électeurs « sont une démonstration convaincante de la cohésion monolithique de notre société [27]. »

Cette démonstration est un incontestable moyen de pression sociale, aussi puissant probablement que la coercition. Comment échapper à cette unanimité, à ce sentiment d'appartenance à un système soutenu par tous?

Les élections contribuent aussi à véhiculer un modèle social incarné par les candidats. Ceux-ci ont été choisis par les collectivités auxquelles ils appartiennent parce qu'ils en sont, en principe, les « meilleurs ». Les critères théoriques de choix sont clairs. C'est le travail, l'activité sociale, l'adhésion au système qui les désignent au choix de leurs pairs, et non des vertus individuelles. Le sens de la communauté soviétique et les vertus communautaires doivent, pense le pouvoir, être renforcés par ce modèle.

Il est significatif d'ailleurs que les dirigeants véritables de l'U.R.S.S., les élus du Politburo, apparaissent dans ce système comme les « meilleurs parmi les meilleurs ». En effet, une large publicité est donnée à la volonté exprimée par de nombreuses circonscriptions d'offrir un siège de député à Brejnev, Kossyguine et à leurs pairs. Ils sont ainsi présentés comme investis de la confiance de toute la société, comme les élus du pays tout entier, même si la loi électorale les contraint à choisir une seule circonscription. Choix dont ils laissent le soin au Parti, ainsi qu'ils l'expliquent à toutes les circonscriptions qui s'offrent à eux [28]!

Enfin, le pouvoir trouve dans les élections une source de légitimité. Ce qui compte en effet ce n'est pas la représentation des élus, mais la manifestation d'unanimité dont les élections sont le prétexte autour des dirigeants et autour du programme du Parti. Les discours électoraux soulignent tous ce déplacement de la confiance populaire du candidat au Parti. C'est ainsi que le candidat Demitchev, membre suppléant du Politburo et ministre de la Culture de l'U.R.S.S., disait à ses électeurs le 13 février 1979 : « Je considère que ma désignation traduit votre soutien absolu à la politique de notre Parti, au Comité central, au Politburo dirigé par Léonid Brejnev [29]. »

En dernier ressort, il faut conclure que les particularités du suffrage universel soviétique sont indissolublement liées à une culture politique qui exclut l'idée d'une diffusion de l'autorité, d'une compétition des idées et des programmes au profit de l'*unité* de décision, d'autorité, de pensée et de l'unanimité des comportements. C'est cette adéquation absolue entre la culture politique soviétique et les procédures électorales qui donne tant d'importance et de signification aux élections dans le système soviétique. Elles doivent contribuer, dans le présent, à mobiliser la société et, à long terme, à façonner une société conforme au projet de Parti.

La participation aux organes représentatifs et de gestion

Si la société entière vote, si plus de 20 millions de Soviétiques participent activement à l'organisation du suffrage universel, la participation des citoyens à la vie publique revêt bien d'autres formes, que le pouvoir présente comme autant de témoignages de l'existence en U.R.S.S. d'une démocratie directe et effective.

La société est théoriquement appelée à se prononcer sur toutes les questions importantes de la vie de l'État, sur les « décisions d'importance nationale et locale [30] ». Cette participation de la société au pouvoir de décision a été affirmée en 1961 et figure dans la Constitution de 1977 (art. 5). Elle devrait parfois prendre la forme d'un référendum [31]. Un bon exemple de cette discussion générale, par la société, de décisions importantes est celui que fournit la Constitution de 1977 : « Elle a été débattue par 140 millions de personnes dans des réunions organisées à tous les niveaux territoriaux et politiques; elle a suscité une correspondance considérable adressée aux journaux et donné lieu à 400 000 propositions d'amendements; elle a abouti à la modification de 118 articles sur les 173 que comportait le projet constitutionnel [32]. » A comparer le projet initial [33] et le texte définitif de la Constitution, on est fort tenté de conclure que la montagne a accouché d'une souris, que la consultation populaire a surtout été l'occasion d'une mobilisation massive de la société, comme les élections, et que sur certains points elle a permis de tester les réactions sociales. Au demeurant, le régime soviétique a toujours été enclin à consulter massivement la société. En 1936, Staline avait organisé un débat similaire pour recueillir l'avis de ses administrés sur son projet constitutionnel. Et, dans un pays où la terreur battait son plein, il a pu faire sans mal le bilan de l'unanimité populaire. Plus de la moitié de la population adulte avait alors assisté aux meetings constitutionnels, proposé 154 000 amendements dont 43 furent retenus. Khrouchtchev avait de même appelé la société à se prononcer sur les grandes réformes qu'il proposait, et la réforme agricole de 1957 (vente des M.T.S.) avait suscité 3 millions de réunions et mobilisé durant des semaines la presse qui y a consacré 126 000 articles ou publications de lettres. De même pour la réforme de l'enseignement en 1958.

Dans certains cas, lorsque la vie quotidienne des individus en est réellement affectée, la participation aux discussions n'est pas de pure forme. Le pouvoir a alors à convaincre de l'utilité des mesures proposées et les participants s'efforcent d'obtenir des modifications substantielles des lois qui leur semblent inacceptables. Il en a été ainsi de la réforme de l'enseignement et des lois sur le mariage et la famille. Les journaux et les diverses instances d'autorité sont alors inondés de lettres et la presse, en dépit de filtrages soigneux, permet de mesurer l'ampleur de l'émotion populaire [34]. Le pouvoir qui encourage et orchestre ce type de participation se heurte ainsi parfois aux inconvénients du système qu'il a créé. La société, qui est prête à manifester un soutien formel dans les débats généraux ou les élections parce qu'elle sait que l'élaboration de la politique n'est pas son affaire, se montre moins passive dès lors que ses intérêts immédiats sont en jeu et que l'on descend du niveau de la politique générale à celui de la vie quotidienne. Le pouvoir lui-même y consent en définitive, car c'est là un moyen d'obtenir la participation sociale, de montrer à la société que son intervention dans les affaires publiques peut atteindre des résultats visibles, auxquels elle est immédiatement intéressée.

Ce mélange de participation formelle et de contribution réelle à la vie publique, on le retrouve dans le développement des activités volontaires autour des soviets ou d'autres organismes.

Au sommet de cette hiérarchie participative se trouvent les soviets, dont les députés, en raison de leur statut et parce qu'ils sont investis de la confiance théorique de leurs électeurs, disposent d'un certain degré d'autorité dans les affaires locales.

En 1980, l'U.R.S.S. compte 2 274 699 députés élus aux soviets locaux [35] et 6 728 élus aux soviets républicains [36]. Si les soviets des républiques reproduisent assez fidèlement par leur composition sociale et ethnique le Soviet suprême de l'U.R.S.S., les soviets locaux sont assez remarquables par leur similitude avec la population soviétique. Ils font largement place aux femmes (49,5 %), aux ouvriers (43,3 %), aux kolkhoziens (25,4 %), aux moins de 30 ans (33,3 %) [37]. Même la place des « sans-parti » y est infiniment plus importante que dans les autres organes représentatifs (de 25 à 30 % au Soviet suprême de l'U.R.S.S., aux alentours de 33 % dans les soviets républicains, 56,9 % aux soviets locaux). Ainsi, plus on descend dans l'échelle des pouvoirs, plus les représentants du peuple en sont proches. S'il en est ainsi, ce n'est pas — le processus de désignation des candidats en témoigne — parce que le choix populaire se porte sur des représentants à son image, mais en raison de la volonté du pouvoir central de rapprocher le pouvoir local de la société, de donner à celle-ci des représentants auxquels elle puisse mieux s'identifier, d'intégrer aux activités de gestion une fraction de la population étrangère au Parti mais jouissant de sa confiance. Il est clair, au demeurant, que les « sans-parti » élus dans les soviets ne sont pas placés aux postes les plus responsables. Le Soviet suprême de l'U.R.S.S. fournit un exemple éclairant de la place du Parti dans les instances représentatives. Dans chaque chambre de cette assemblée, il existe un *Conseil des Anciens*, composé d'une centaines de personnes qui semblent y siéger *ex officio*, donc qui sont socialement représentatives. En même temps, le Soviet suprême possède un *Groupe du Parti* qui joue un rôle officiel, même si aucun texte ne le prévoit. C'est ainsi que, lors de la mise en place de l'assemblée élue en 1979, la presse a annoncé que « le Groupe du Parti et le Conseil des anciens ont proposé la réélection du procureur suprême de l'U.R.S.S., Rudenko [38] ». Que le *Groupe du Parti* qui n'est pas une institution dotée d'une existence statutaire participe activement au choix du procureur suprême de l'U.R.S.S., qui coiffe toute la hiérarchie judiciaire soviétique, que de surcroît cette instance non officielle soit citée *avant* le *Conseil des anciens* dont l'existence relève des statuts du Soviet suprême, voilà qui montre nettement si besoin était l'imbrication et plus encore la supériorité des organes du Parti sur les institutions élues. Dans tous les types de soviets, l'autorité du Parti s'exerce au sein des organes élus, par ses membres formant un « Groupe du Parti » et qui sont majoritaires dans les comités exécutifs des soviets (*Ispolkom*), où leur part varie de 65 à 95 % selon qu'on se situe au niveau du soviet de village ou à celui du soviet régional [39].

Cependant, la relative similitude entre la structure de la population soviétique et la structure du corps des élus ne doit pas dissimuler qu'ici encore l'éducation est un facteur important de promotion. En 1970 déjà, 16 % des députés avaient reçu une éducation supérieure, 70 % une éducation secondaire et 22 % seulement une éducation élémentaire, ce qui est nettement supérieur au niveau général d'éducation de la population soviétique au même moment [40]. Cette situation est due à trois facteurs. La volonté du pouvoir de pousser en avant, lors des élections, des éléments représentatifs de ses succès dans le domaine de l'éducation. La volonté aussi d'associer à la gestion locale des élus compétents, donc ayant reçu une formation spécialisée. Enfin, la multiplication des enseignements complémentaires ou de recyclage offerts aux députés par le Parti ou par des associations du type de *Znanie* déjà cité.

Le renouvellement du corps des députés conduit un nombre important de citoyens à participer, à un moment de leur existence, aux tâches de gestion. Dans son rêve d'une société de participation totale, Khrouchtchev avait fait inscrire dans le programme du Parti que les soviets devaient avoir à chaque élection un taux de renouvellement d'un tiers au minimum. Pour ses successeurs, la pratique actuelle — les mandats des députés sont généralement renouvelés une fois — a le mérite d'assurer la continuité du travail des soviets. Le taux de renouvellement actuel est donc de 50 % et ceci signifie que le système de participation accueille près d'un million de nouveaux élus à chaque législature. A y regarder de près, on constate que, comme dans le Parti, si les soviets se renouvellent avec régularité, leurs instances exécutives sont plus durables; elles le sont d'autant plus que l'on monte dans l'échelle territoriale.

Les élus du peuple sont en principe des intermédiaires entre le système politique et administratif et la société; ils sont dans le même temps, à l'intérieur du système politique, des citoyens plus actifs que les autres. Ils doivent remplir trois fonctions très diverses, où ils apparaissent tantôt comme intermédiaires entre le pouvoir et la société, tantôt comme les plus conscients des citoyens. Ils ont d'abord à répondre aux besoins et aux problèmes de leurs mandants. En les aidant à présenter leurs demandes à l'administration et en s'assurant, facilitant ainsi la tâche administrative, du sérieux et du bien-fondé des demandes. Leur activité est ici concentrée pour l'essentiel sur les problèmes des retraites et, dans les villes, du logement [41]. L'aspect « social » de leur domaine d'intervention est encore souligné lorsqu'on sait que les députés prennent parfois part aux problèmes familiaux, tentant de résoudre ou d'apaiser des conflits ou de redresser le comportement d'un conjoint infidèle [42]. En leur confiant ces tâches d'assistance aux personnes, le système essaie d'en faire les substituts des autorités traditionnelles — anciens du village, chefs des grandes familles, voire autorités religieuses — auxquelles on recourait dans le passé. Leur seconde tâche, plus conforme à ce qu'on attend d'un élu du peuple, est d'organiser l'information politique de leurs mandats, tout particulièrement en ce qui concerne l'activité et les objectifs des soviets au niveau local. Ils ne sont pas seuls à assumer cette tâche d'information mais recoupent le travail accompli par les agitateurs et propagandistes du Parti. Tout au plus contribuent-ils à constituer autour de chaque Soviétique un réseau serré d'agents chargé de le mobiliser en permanence. Par les contacts qu'ils entretiennent avec leurs mandants, les députés ont enfin pour mission de recruter autour d'eux d'autres citoyens actifs, qu'ils embrigadent dans leurs propres groupes d'activistes et qui éventuellement constituent une relève pour le futur.

Etre député n'est pas simple. D'abord parce que le système soviétique ne veut pas *professionnaliser* cette fonction et que le député ordinaire conserve son activité professionnelle [43] tout en ayant le devoir non seulement de remplir les fonctions déjà indiquées, mais de participer à des groupes de députés, à des *commissions permanentes* des soviets aux côtés des citoyens volontaires, où ils organisent la participation de ces volontaires à la vie administrative locale. La *société de participation* promise par Khrouchtchev est en effet caractérisée par une prolifération extraordinaire d'institutions de mobilisation sociale, dont la finalité est d'inclure les citoyens dans diverses activités, tout en les contrôlant. Ces diverses institutions se rencontrent, se recoupent et souvent se paralysent. Quant au député, qui est supposé participer à tout en travaillant par ailleurs et en ne disposant d'aucune autorité sur les organes de l'administration, il se plaint fréquemment d'être surchargé. Et il résout non moins fréquemment les problèmes que lui pose cette surcharge de travail en se consacrant peu à son devoir de député. Faut-il s'étonner que parfois les mandants exaspérés usent de leur droit de renvoyer leurs députés [44]?

Pour les citoyens qui ne sont pas députés, les cadres de participation sont innombrables, mais certains sont particulièrement importants par les masses d'activistes qui y sont incorporées.

Tout d'abord, il y a les volontaires qui suppléent aux insuffisances de l'administration. Au début des années 60,

236

lorsqu'on croyait à l'entrée rapide dans l'univers du communisme, ce volontariat a été tenu pour un élément central de la disparition de l'État et de la relève des fonctionnaires par les citoyens ordinaires [45]. Les soviets locaux, que les réformes administratives de Khrouchtchev avaient privés d'une partie de leurs employés, ont ainsi utilisé des volontaires, non payés évidemment, qui ont contribué au travail de certains départements administratifs ou fourni tout le personnel de ces départements. Les retraités notamment ont largement grossi les rangs de ce personnel, souvent compétent et dont les comités exécutifs des soviets contrôlaient l'activité. Cependant, après la disparition de Khrouchtchev et la mise en sommeil de sa conception de l'État du peuple tout entier, ce type de volontariat a été réduit considérablement. Ses successeurs ont rétabli l'idée d'une administration réelle, responsable et, s'ils ont conservé des volontaires, c'est en tant que collaborateurs bénévoles des administrateurs et non comme relève potentielle de l'administration. Le souci « professionnel » que l'équipe brejnevienne a manifesté dans l'organisation du Parti se retrouve ici. L'administration redevient un domaine réservé, spécialisé, où les bonnes volontés n'ont qu'une place marginale. De surcroît, la tendance que l'on trouvait au début des années 60, dans ce corps de bénévoles, à agir aussi en tant qu'élément de contrôle social sur l'administration a été fermement rejetée par une équipe qui veut bien utiliser les compétences disponibles pour suppléer aux insuffisances de la bureaucratie mais n'accepte pas que cette coopération débouche sur un contrôle de l'administration par les citoyens actifs.

Participation ou contrôle?

Le contrôle est une des finalités de la participation des organisations sociales autonomes (*obchtchestvennye samodiatel'nye organizatsii*), mais il s'agit pour elle d'exercer un contrôle sur le reste de la société, non sur les organes d'autorité. Outre l'activisme dans une commission permanente des soviets, la coopération volontaire à un département de l'administration des soviets, les citoyens ont encore diverses possibilités de prendre une part active à la vie publique. Pour cela ils disposent de comités divers (de quartier, de rue, d'immeuble) qui, dans les lieux de résidence, sous l'autorité indirecte du soviet, encadrent et mobilisent la population à leur niveau. Ils peuvent aussi

237

s'engager dans les rangs de groupes liés au travail — *conseils de volontaires* ou encore *équipes de réparations* — qui, le cas échéant, accomplissent les tâches dont le soviet local ne peut venir à bout. C'est ainsi que des travaux de voirie, de réfection d'écoles ou d'appartements sont finalement pris en charge par des équipes bénévoles, qui consacrent leur temps à améliorer leur cadre de vie ou celui de leurs proches. S'agit-il d'une manifestation de conscience sociale ou tout simplement du désir de ne pas se casser la jambe en regagnant son domicile? Beaucoup de témoignages convergent pour donner force à la seconde hypothèse. Enfin, ils peuvent prendre place dans les *tribunaux de camarades* ou les milices populaires *(Drujiny)*.

Cette multiplicité d'organisations destinées à mettre le citoyen au contact de la vie civique est un phénomène dont la portée sociale et politique doit être comprise. Il est très difficile à un individu d'ignorer ou de refuser éternellement de prendre part aux activités — très diverses — qui le sollicitent. Il est clair que, à un moment ou à un autre de son existence, tout citoyen soviétique est conduit à se prêter à cette participation. La rejeter c'est être *asocial,* donc se couper de toute chance de promotion dans la société soviétique. S'il est impossible de connaître dans le détail le nombre présent de participants de toutes les organisations sociales autonomes, on sait qu'il y en avait, en 1965, autour de 10 millions. En 1975, il y a 179 000 milices populaires avec plus de 7 millions de membres [46]. C'est donc une partie non négligeable de la population adulte de l'U.R.S.S. qui participe à ces activités. Mais, en même temps, les chiffres, même s'ils étaient précis, seraient impuissants à donner une image vraie de l'élan populaire vers la participation. En effet, nombreux sont les membres de ces organisations qui sont des communistes ou des activistes du Parti. Nombreux aussi sont les députés que l'on décompte parmi les animateurs des organisations volontaires. Faire le tri entre ceux qui ont déjà été recensés comme participants à l'œuvre de socialisation et les citoyens ordinaires qui y sont impliqués est impossible.

Plutôt que des chiffres dénués de signification réelle, c'est la fonction de ces organisations participatives qui mérite de retenir l'attention. Elles émanent, en théorie, de la société elle-même et non du pouvoir; elles sont, par là même, un puissant moyen de contrôle des individus dans tous les domaines de leur existence. L'individu, lorsqu'il est chez lui, est entouré et assisté par les comités volontaires existant sur les lieux de résidence ou dans les rues et les quartiers. Ces comités, regroupant des voisins qui se connaissent, pénètrent la vie d'autrui et sont aussi des intermédiaires commodes entre le pouvoir et l'individu. Ils exercent une pression morale, par leur existence même, sur ceux qui se trouvent dans leur aire d'autorité. Le comportement asocial dans toutes ses dimensions, humaine, sociale, politique, est pris en charge par ces associations, dont la tâche est justement d'incarner et de propager dans un environnement déterminé la culture soviétique.

A son domicile toujours, mais surtout à son travail, l'individu se trouve confronté à un contrôle supplémentaire, plus contraignant cette fois, les *tribunaux de camarades* [47]. Cette institution qui remonte aux premiers temps de la révolution a aussi retrouvé une force nouvelle à l'époque de Khrouchtchev [48]. A ce moment, la justification de ces tribunaux fonctionnant sur les lieux de travail et de résidence, où se trouvent un minimum de 50 personnes, était une fois encore l'idée utopique de la disparition de l'État et du transfert de ses fonctions judiciaires à la société. Mais les *tribunaux de camarades* ont survécu à l'utopie et représentent un élément de pression sociale très dangereux. L'idée qui justifie leur maintien est que la société a une conscience aiguë des valeurs auxquelles elle adhère. Qu'elle est en état d'assurer elle-même le respect de ses valeurs et que chaque citoyen est comptable de ses actes devant la collectivité. Sans doute la compétence des tribunaux de camarades n'est-elle pas très étendue. Ils doivent avant tout éduquer leur prochain et lui épargner de s'engager dans une voie condamnable. Ce qui implique un droit à surveiller autrui. Ces tribunaux n'ont à prendre en considération que des petits délits et ne peuvent appliquer que des peines légères, essentiellement des amendes. Ce qui caractérise ces tribunaux — développés surtout sur les lieux de travail — c'est le manque de formation juridique de leurs membres [49]. Pour cette incompétence, parce que aussi ils représentent un tribunal populaire obéissant à une conscience populaire abstraite et non à des lois écrites, les tribunaux de camarades effraient les Soviétiques, qui manifestent en général fortement leur préférence pour les tribunaux réguliers [50].

Cette méfiance de la société à l'égard d'institutions qui coïncident mal avec la *légalité socialiste* préconisée depuis 1956 va malheureusement à l'encontre de la tendance qui prévaut actuellement en U.R.S.S. à valoriser et à accroître les compétences de ces tribunaux du peuple. A cette tendance, on peut voir deux raisons. La première est celle qui a contribué à développer, un temps, le personnel administratif volontaire : l'encombrement des tribunaux réguliers, qui se déchargent ainsi des cas peu importants, sur les juridictions parallèles. Mais une autre raison préside au développement de ces tribunaux, plus conforme à l'esprit de la direction soviétique actuelle, qui cherche à contrôler au maximum la société sans que ce contrôle puisse lui être imputé. Le développement des attitudes et des activités asociales — houliganisme, « parasitisme », contestation feutrée — conduit le pouvoir à sévir. Il est tentant de laisser la société sévir, au nom des « indignations spontanées », contre des attitudes politiques que l'on transforme en délits. Ainsi en va-t-il du « parasitisme », qui couvre souvent l'incapacité des individus à trouver du travail parce que leurs prises de position politiques ou nationales les ont fait exclure de partout.

Il y a donc, dans la volonté de déférer un nombre croissant de cas aux tribunaux de camarades, une démarche qui rappelle l'utopie de Khrouchtchev mais en la déformant. L'État transfère ce qui le gêne à la société non pour qu'elle le remplace mais pour qu'elle lui évite de se charger de juger les cas gênants. Il est significatif que les milices populaires aient le droit de déférer des délinquants aux tribunaux populaires tout autant que peuvent le faire les tribunaux réguliers ou le procureur.

Les milices populaires [51] complètent en effet l'activité de contrôle des organisations volontaires. Tout d'abord, par leur champ d'action. On a vu que l'individu est soumis au contrôle social chez lui et au travail. Restait à l'entourer lorsqu'il est dans la rue. Car la rue est le vrai domaine de cette institution créée en 1959. Ces milices populaires sont chargées en premier lieu de veiller à l'ordre public dans les rues et dans tous les lieux de rassemblement. Elles sont constituées d'éléments politiquement actifs, komsomols, étudiants, membres de diverses organisations volontaires, qui veillent aussi à ce que les comportements publics ne portent pas atteinte à l'image idéale du Soviétique. Comme la plupart des institutions de participation, les milices populaires, après avoir été un temps placées sous l'autorité directe, officielle du Parti, sont passées depuis 1974 sous le contrôle des soviets locaux et ont des responsables qu'elles élisent [52]. Ce retrait du Parti correspond à une évolution générale inscrite dans la Constitution. Le Parti se présente toujours plus comme l'animateur du développement social, au lieu d'être rivé à des tâches de supervision et de commandement à la base. Mais cette évolution va aussi de pair avec l'élargissement du Parti. Devenu parti de masse avec ses 16 millions de membres, il est présent par leur intermédiaire dans toutes les organisations sociales. C'est le cas des milices populaires où la part des membres du Parti et du Komsomol est très élevée. Dès lors que les organisations comportent un noyau dur de membres du Parti, installés généralement aux postes les plus responsables, le contrôle officiel du Parti sur l'organisation devient inutile. Et, ici encore, le Parti gagne à s'effacer, dans les tâches ingrates du maintien de l'ordre public, derrière une organisation populaire, dépendant en droit d'instances élues, donc représentant une manifestation de la volonté générale.

Par toutes ces instances de participation, la société est conviée toujours davantage à manifester son sentiment communautaire, à s'intégrer dans la communauté, à soutenir les valeurs sociales et morales qui lui sont proposées. Ce système de participation qui insère l'individu dans un tissu serré d'obligations, de tâches, de contraintes va se développant et caractérise véritablement l'évolution sociale de l'U.R.S.S. brejnevienne [53].

*
* *

On en revient ici à la question initiale. La participation, qui est en U.R.S.S. une réalité présente à chaque instant et à chaque niveau, où mène-t-elle? Est-ce la voie royale qui conduit une communauté de sujets à la formation d'une véritable société civile, une société où s'exerce ce que les politistes nomment la « compétence du citoyen [54] »?

Il faut, pour tenter de répondre à cette question décisive pour la compréhension du système soviétique, faire plusieurs remarques.

La société de participation passe en U.R.S.S. par deux développements : le progrès du pouvoir local et le progrès des activités volontaires aux côtés du pouvoir.

Le développement des pouvoirs locaux, ou plutôt l'insistance sur leur rôle, est un trait permanent de toute l'histoire soviétique. La révolution s'est faite dans le cadre des pouvoirs locaux, représentatifs des volontés populaires. Staline n'a jamais sous-estimé leur importance. Il a écrit : « Leur fonction [celle des soviets] est de servir de baromètre, de détecter chaque changement. De prévenir les tempêtes [55]. »

Khrouchtchev, dont le penchant à l'utopie éclate sur ce point, a espéré un temps faire des pouvoirs locaux tout autre chose qu'un instrument de contact du pouvoir avec la société, qu'un exutoire contrôlé aux aspirations et aux frustrations sociales. Mais sa rêverie sur une participation substituée progressivement à l'État n'est qu'un épisode isolé et incongru dans l'histoire politique de l'U.R.S.S. Tout le mouvement qui rend vie aux soviets locaux, après la mort de Staline [56], et les dispositions récentes en leur faveur, tout cela s'inscrit dans une conception cohérente du pouvoir local. Il est avant tout le lieu de contact privilégié entre pouvoir et société. Cette dernière est exclue du pouvoir de décision, ne peut se manifester et communiquer avec le pouvoir suprême qu'au niveau local. C'est là que la coupure décisive entre pouvoir réel et société est quelque peu atténuée et dissimulée. Le pouvoir local est aussi le *niveau* où l'on peut rationnaliser le fonctionnement du système et l'adapter aux demandes de la société. C'est cette volonté d'utiliser plus efficacement le pouvoir local pour répondre aux demandes du corps social qui a d'ailleurs conduit à étendre le domaine de la participation à de nombreux volontaires. Les Soviets — assemblée et administration — sont constamment débordés par les requêtes, plaintes, etc., puisque les moindres besoins des administrés dépendent d'eux, dans le cours de la vie quotidienne. A toutes ces demandes qui traitent de besoins immédiats — l'état de l'immeuble où on vit, l'incapacité du restaurant voisin à recevoir les clients, le manque de médicaments à la polyclinique, l'insuffisance de places à la crèche ou l'absence de crèche tout simplement, etc. —, les soviets sont souvent incapables de répondre, et ils ne répondent pas; pas plus que le Soviet suprême, inondé lui aussi de plaintes. Les journaux s'en font parfois l'écho, et il arrive qu'au terme d'une exaspération générale quelques responsables soient démis [57]. Mais les plaintes des administrés ont dans l'ensemble moins d'effets que l'appel aux solutions de substitution. C'est ainsi que le pouvoir a fait appel au volontariat de toute sorte, qui rejette la solution des problèmes des instances officielles sur les administrés. Ce système présente des avantages multiples. Tout d'abord, il suggère que la participation des citoyens aux affaires publiques se développe. En fait, ce qui progresse c'est l'aide bénévole que les administrés apportent à une administration incapable de répondre à leurs besoins. La participation à la gestion se réduit en définitive à l'utilisation d'une main-d'œuvre gratuite. Un deuxième avantage est que les pouvoirs locaux sont, grâce à cette participation populaire, capables de répondre à certaines demandes des citoyens, sans pour autant obérer le budget public. Enfin, et ce point est loin d'être négligeable, ce système modère les demandes sociales. Sachant qu'ils devront payer la satisfaction de leurs demandes de quelques jours de travail bénévole, les Soviétiques préfèrent souvent ne pas formuler de demandes. Ainsi, une certaine autocensure se développe qui permet à l'observateur superficiel de conclure que le citoyen soviétique se satisfait parfaitement de ses conditions d'existence et de services insuffisants, alors que son silence traduit seulement le refus d'assumer personnellement les tâches de l'État. Depuis que Khrouchtchev a été éliminé du pouvoir, le sens restreint, utilitaire de la participation, du volontariat s'est imposé aux Soviétiques. Si la participation progresse, c'est moins parce qu'ils s'y précipitent que parce qu'elle leur permet parfois de résoudre eux-mêmes leurs besoins, et surtout parce qu'elle est, aux yeux du pouvoir, un élément essentiel du système politique.

C'est la participation aux organisations sociales de toutes sortes, l'*activisme* de la société — avec la participation politique aux élections, aux grands débats, l'assistance au pouvoir local —, qui permet au pouvoir de parachever son entreprise de socialisation. Cette participation répond à plusieurs de ses préoccupations.

En premier lieu, la disparition de la coercition comme mode de relations principal entre pouvoir et société suppose l'appel à d'autres moyens d'encadrer la société, de l'empêcher de tirer avantage d'une coercition affaiblie pour s'organiser en face du pouvoir. La socialisation, indispensable pour obtenir l'adhésion volontaire et totale de la société au système, passe par les multiples canaux de participation.

L'évolution de la société impose au demeurant au pouvoir d'aller toujours plus loin dans la voie de cette mobilisation sociale. En effet, la société soviétique des années 80 a des traits nouveaux. Elle est éduquée. Elle est moins ignorante du monde extérieur qu'elle ne l'était parce que l'U.R.S.S. n'est plus totalement enfermée dans ses frontières et parce que les radios étrangères font entendre à un nombre considérable de Soviétiques des faits et des idées qui contredisent leur information et leur culture. Quel que soit le degré d'intériorisation des valeurs proprement soviétiques, l'univers mental de chaque citoyen de l'U.R.S.S. est en train de se modifier tout simplement parce que son monolithisme s'effrite. Si les vieilles générations, éduquées dans la peur et refusant l'idée que leurs souffrances et leurs sacrifices ont été vains, s'accrochent parfois à l'univers cohérent du passé, la jeunesse, qui ne connaît plus la peur, qui assiste à la mise en question de nombreuses certitudes, est plus exposée au mouvement des idées. De plus, la société soviétique s'urbanise rapidement [58]. La jeunesse vit dans les villes. L'urbanisation ouvre la voie à de nouveaux comportements, la délinquance croissante en U.R.S.S. en témoigne. De nombreuses études montrent que désormais en U.R.S.S. il y a une délinquance urbaine grave [59], opposée à la stabilité des comportements en milieu rural [60]. Que dans les campagnes en voie d'urbanisation, la criminalité se développe aussi à grands pas.

Ces changements dans l'univers mental des individus et dans les comportements sociaux requièrent sans aucun doute une intervention du pouvoir, qui voit monter rapidement la critique politique, ou au minimum l'incrédulité, et la délinquance pure et simple. Or cette évolution coïncide avec la volonté manifeste des dirigeants d'éviter un retour à la coercition pure et simple. Comment endiguer ces tendances, comment les contrôler, sinon en développant, au moyen de la participation, un contrôle social, une pression de la société sur tous ses éléments qui glissent progressivement hors des normes soviétiques? On comprend que le pouvoir fasse, de façon croissante, appel à la société pour remplir — au premier plan tout au moins — les fonctions de contrôle et de contrainte qu'il ne veut pas assumer. La pression sociale, lorsqu'elle doit tenir lieu de coercition, accorde naturellement une place considérable aux moyens de contrôle, de surveillance, d'intimidation. La montée en importance des tribunaux de camarades et des milices populaires témoigne de cette utilisation de la participation à des fins non seulement éducatives et intégratrices, mais aussi de contrainte déguisée.

L'urbanisation sous ses deux formes — exode rural, urbanisation de la campagne — crée aussi un autre problème d'adaptation au pouvoir soviétique. La culture politique soviétique valorise avant tout la communauté et les valeurs communautaires; l'épanouissement individuel se fait dans la communauté, et l'intérêt de cette dernière est ce qui doit guider la société, tandis que l'intérêt individuel s'efface, se confond avec l'intérêt commun, dont le Parti est porteur et garant. Or, la civilisation urbaine est destructrice du sens communautaire. Elle isole l'individu, le repousse vers la sphère des intérêts individuels, encourage les solidarités étroites — famille restreinte, amis — au détriment des valeurs collectives et des solidarités étendues. Le pouvoir soviétique est ainsi placé dans une situation paradoxale. Il a voulu l'urbanisation pour détruire la société paysanne et son univers moral, parce qu'il était convaincu que l'*homme nouveau* ne pouvait naître que dans les villes, donc coupé de ses racines, et dans les écoles où on le façonnerait. La première partie du programme a été parfaitement réalisée.

L'homme nouveau vit dans les villes, est étranger à l'univers qui fut sien; le monde rural lui-même, au terme de longues tragédies, a perdu sa spécificité et est en quête d'une nouvelle culture. Mais le produit de ce déracinement voulu n'est pas une communauté nouvelle. En tuant le sens de la communauté si ancré dans les sociétés rurales, si divers mais si réel dans les diverses sociétés de l'Empire — *Sobornost'* des orthodoxes, solidarités tribales ou claniques des peuples du Sud, etc. —, c'est à l'individualisme forcené que cette œuvre de transformation des esprits a donné naissance. Et le pouvoir cherche, par la participation, à recréer ce sens communautaire. En incluant les hommes dans des comités de quartier, de rue, d'entreprise, on tente de leur insuffler un sentiment d'appartenance à ces groupes. On tente aussi de les amener à élargir leur cadre de solidarités de la famille, qui a repris une importance considérable, au groupe de résidence ou de travail. Pour le pouvoir soviétique, la famille doit être un chaînon du système de solidarités global, en aucun cas un refuge; or, c'est ce qu'elle est de plus en plus.

Tout le corps immense des activistes de l'U.R.S.S. a pour fonction non seulement d'entraîner les autres vers l'activité, de les convaincre et de les contrôler, mais aussi de vaincre cette tendance au repli sur soi et sur les siens et de créer une nouvelle forme de vie et de sens communautaire.

Enfin, la participation permanente est une digue que le pouvoir édifie contre une organisation sociale qui ne dépendrait pas de lui. Car cette société éduquée, qui a désappris la peur, il craint toujours de la voir s'engager dans la voie d'une vie autonome. Sur ce point, le pouvoir soviétique n'a pas changé depuis 1917, et même Khrouchtchev l'iconoclaste était fidèle à l'essentiel. Le pouvoir veut bien dialoguer avec des individus. Chacun est libre d'envoyer des plaintes ou des requêtes à son soviet, au Comité central ou à Brejnev. Et l'on écrit beaucoup de lettres de ce genre en U.R.S.S. Le pouvoir veut bien aussi que les individus conscients se regroupent dans les organisations sociales. Ce qu'il ne peut admettre, c'est que des regroupements s'effectuent hors de son contrôle. Ce serait consacrer une organisation indépendante de la société, l'édification d'une société civile, la fin du système qui n'a pour interlocuteurs que ceux qu'il choisit. L'effort extraordinaire de mobilisation de la société répond aussi à cette inquiétude. Le pouvoir soviétique occupe, en l'organisant, tout l'espace social, afin de ne laisser place à aucune possibilité, à aucune potentialité de mobilisation ou d'organisation qui lui soit étrangère.

Cette entreprise de mobilisation sociale — unique par son ampleur et sa durée — est d'une extrême cohérence, dans ses finalités et dans les résultats obtenus.

La participation sociale est en U.R.S.S. un phénomène qui ne cesse de s'amplifier, mais ce progrès s'inscrit dans le cadre d'un système inchangé, attaché farouchement à défendre son unité idéologique et le monopole de pouvoir détenu par le Parti.

Par ailleurs, cette participation ne développe aucunement la *compétence du citoyen;* elle ne lui donne aucun accès à la sphère de décision. Sa finalité est d'obtenir l'adhésion et le soutien pour la politique définie par le Parti.

Loin de favoriser la création d'une société civile, la participation étendue est le moyen privilégié du pouvoir soviétique pour l'empêcher de se constituer. La société intégrée par cet effort exceptionnel de socialisation est une société de faux citoyens, car leur domaine de compétence c'est l'adhésion et non le libre choix.

CHAPITRE VIII

DÉSACCORD ET SOCIÉTÉ CIVILE

Quand le pouvoir soviétique fait ses comptes, il porte à son actif — à l'actif du brejnevisme — les progrès de la participation sociale. Il devrait aussi, pour être juste, revendiquer un autre progrès qu'il n'a pas cherché à atteindre, tout au contraire : la multiplication lente mais incontestable de manifestations de désaccord, qui constituent peut-être l'embryon d'une société civile.

Depuis sa naissance, l'État soviétique omnipotent — seul entrepreneur, seul employeur, seul décideur — a su empêcher la constitution dans la société de groupes distincts, conscients de leurs intérêts particuliers, de leur place propre dans l'ordre social et qui se seraient posés en contrepoids au pouvoir politique. La culture politique soviétique pousse à l'intégration sociale totale, avec une hiérarchisation de la société fondée sur les critères du Parti, et non à la différenciation.

Pourtant, depuis une vingtaine d'années, des différenciations s'esquissent et se multiplient au sein de la société. Leur point de départ c'est la distance prise par des individus ou des groupes à l'égard de la culture politique. C'est la *dissidence,* phénomène que les Russes appellent *Inakomysliachtchii,* ou « qui pense autrement ». Ce terme est très explicite et il témoigne d'un grand degré de conscience quant à la signification et à la gravité de ce phénomène. *Penser autrement*, alors que l'essence de la culture politique soviétique c'est l'unanimité et l'adhésion totale, signifie qu'on se situe en dehors de cette culture politique, donc hors du système. Penser autrement n'est d'ailleurs qu'un premier pas. Dès lors que des individus sont capables de sortir du monde clos de la culture politique soviétique, ils savent qu'il n'y a pour eux que deux possibilités : être détruits par le système, qu'ils regardent de l'extérieur (détruits physiquement ou moralement), ou bien tenter de le modifier. Le suicide n'étant pas une aspiration fondamentale de l'homme, cette *pensée autre* qui apparaît en U.R.S.S. sous des formes diverses depuis quelques années cherche les moyens d'atteindre la sphère du pouvoir pour peser sur elle. Penser autrement, être dissident, c'est déjà un système de valeurs nouvelles, des objectifs imprécis mais qui lentement se dessinent. Valeurs et objectifs auxquels s'identifient des individus, qui servent de signes de ralliement à des groupes. D'une société dépendante, formée de sujets, émergent lentement des hommes qui aspirent à une compétence civique et qui cherchent à s'en donner les moyens. Qu'il le veuille ou non, le pouvoir soviétique se trouve, pour la première fois, confronté à des forces qu'il n'a pas suscitées et qu'il ne contrôle pas totalement.

Lorsqu'on parle de dissidence, le terme est immédiatement accolé à quelques noms, à la protestation d'intellectuels isolés. Cette dissidence est trop connue pour qu'on y insiste ici. Mais ce terme peut être utilisé dans son sens large; il couvre tous les foyers de *pensée différente*, toutes les tentatives de la canaliser et de l'organiser pour en faire un contrepoids à un pouvoir encore monolithique.

Ainsi largement entendue, la dissidence, qui est avant tout *différence, désaccord,* se développe dans trois secteurs de la société : dans l'intelligentsia, dans les Églises et les nations, enfin chez les ouvriers.

On voit combien ce désaccord naissant est multiforme et suit des lignes distinctes, difficiles à faire converger. Il s'inscrit aussi dans des cadres institutionnels que l'on ne peut comparer. Tantôt c'est un phénomène qui est aux franges du système et qui lui est presque acceptable, tantôt il lui est étranger, tantôt carrément hostile. Si ces différences dans les signes et les tendances du désaccord le rendent encore peu menaçant pour le système, il serait excessif d'en conclure que la portée du désaccord est faible. Son existence même est une brèche d'une extrême gravité dans un système qui invoque en permanence l'adhésion unanime de ses administrés à sa culture et à ses objectifs, et dont la légitimité repose sur l'identification de la société entière au pouvoir.

Les intellectuels — écrivains, artistes — sont en Union soviétique honorés et privilégiés, en proportion du rôle qui leur est assigné. Ils doivent contribuer à véhiculer la culture politique. Les écrivains ne sont-ils pas nommés les « ingénieurs des âmes »? Le pouvoir soviétique a toujours été clair dans sa définition du rôle social de l'intelligentsia créatrice. Elle est partie intégrante du système, et il n'est pas d'autonomie de la création. Sa noblesse, c'est sa contribution au socialisme. La création doit le refléter, véhiculer ses valeurs, façonner la société. Cette conception des relations entre le projet politique qui soude la société et l'« intelligence » [1] ressort clairement de l'organisation étatique de la création. Les intellectuels, les créateurs reconnus comme tels par l'État se voient, comme des fonctionnaires, assigner une place dans une hiérarchie professionnelle : *unions* de créateurs (écrivains, peintres, musiciens, etc.), académies de république ou de l'U.R.S.S., à titre de membre correspondant ou de membre titulaire, place impliquant leurs droits et leurs privilèges. Droit à être publié, pour un écrivain, dans un État où il n'est d'éditions qu'étatiques; privilèges nettement définis : appartements, datchas, voitures, voyages, etc. Ce qui est important dans ce système, c'est sa hiérarchisation. On retrouve ici une vraie *table des rangs* [2]. Hors de la reconnaissance de l'État, il n'est pas de création. Pour s'en convaincre il suffit de se référer au témoignage des intellectuels rejetés par le système. Deux exemples récents sont particulièrement éclairants. Celui de l'écrivain Lydia Tchoukovskaia, auteur d'une œuvre considérable et notamment d'un ouvrage sur les années de purges, exceptionnel parce que écrit sur le moment [3]. Dans un livre récent, elle relate ses tribulations d'exclue de l'Union des écrivains [4], pour avoir manifesté son désaccord. Cette exclusion a entraîné non seulement l'impossibilité d'être publiée, mais aussi la suppression de tous les textes déjà publiés, et la suppression du nom de l'auteur de toutes les bibliographies ou catalogues où il figurait. A perdre le statut d'« écrivain soviétique », on cesse d'exister, écrit Lydia Tchoukovskaia, en tant qu'écrivain pour le futur, mais aussi pour le passé [5]. L'exemple d'Efim Etkind n'est pas moins significatif [6]. Exclu de l'Union des écrivains le 25 avril 1974, il fut non seulement privé du droit d'être publié, chassé de l'institut Herzen, donc privé de son gagne-pain, mais même dépossédé de ses titres universitaires. En résumé, à *penser autrement*, un intellectuel perd non seulement les moyens de vivre comme un intellectuel, mais les qualifications acquises antérieurement (titres universitaires et œuvre).

On voit ainsi le lien entre le comportement idéologique de l'intellectuel et son statut dans la société. L'adhésion aux valeurs communes prime les capacités et donne aux titres universitaires ou professionnels une signification.

Se mettre en marge de ce système est un acte de courage exceptionnel, qui fait partie de la longue tradition de l'intelligentsia russe. Elle a été la voix qui s'élevait contre le pouvoir impérial et sa censure. Sous Staline, quelques intellectuels ont perpétué cette tradition d'indépendance. Mandelstam est mort d'avoir peint Staline en « mangeur d'hommes [7] ». Mais ce qui fut dans le passé stalinien manifestations totalement isolées et silencieuses (les poèmes de Mandelstam, d'Akhmatova circulaient de bouche à oreille, et Tchoukovskaia écrivait pour son « tiroir » puis dissimulait avec angoisse son manuscrit) a pris dans les années poststaliniennes la forme de manifestations de désaccord ouvertes et publiques. La littérature en fournit le témoignage le plus important et le plus significatif, car l'écrit a toujours été la traduction la plus efficace et la plus claire de la pensée. C'est aussi celle que le pouvoir craint le plus. Dans les années 1956-1962, le désaccord des intellectuels a été parfois accepté et parfois soutenu par le pouvoir. Il faisait partie de la « remise en ordre » de l'époque et était considéré encore comme une contribution à l'œuvre du Parti [8]. C'est pourquoi des auteurs pouvaient alors exiger que la littérature soit mise au service de la vérité [9].

Encouragés à retrouver la voie de la sincérité, faut-il s'étonner si nombre d'intellectuels soviétiques persistent dans cette voie, alors que le Parti a de son côté tourné le dos à ses orientations passées? La littérature officielle elle-même, celle qui a droit de cité, témoigne de cette évolution, à sa manière, en se désengageant. Combien d'œuvres où le réalisme socialiste, l'engagement idéologique n'ont plus de place! Combien d'œuvres aussi qui véhiculent des valeurs proprement russes, une vision idéalisée d'un monde rural harmonieux, étranger à la modernité, au monde ouvrier, à la transformation! Combien d'écrivains, oubliant que le paradis est sur terre, se tournent à nouveau vers des valeurs religieuses et s'interrogent sur le sort de l'homme, comme si la révolution russe n'y avait pas répondu!

Après avoir toléré un temps cette littérature qui s'éloigne de la culture politique soviétique ou l'ignore, le pouvoir ne l'accepte plus [10]. Et, comme il l'avait fait en 1946, le Parti mobilise à la fin des années 70 tous les dignitaires de la culture pour préciser sa position. Tchakovski, rédacteur en chef de la *Gazette littéraire*, a exposé clairement, dans un texte qui a peut-être la même portée normative que les injonctions de Jdanov en 1946, ce qu'est désormais le « devoir » de l'écrivain [11] : « La littérature soviétique est le miroir d'une société transformée et homogène », de là découle la responsabilité de l'écrivain. Son œuvre doit être en accord avec la société, doit la servir, et l'apolitisme en littérature est déjà une trahison. Non seulement Tchakovski condamne la littérature démobilisée, mais il dénonce vigoureusement les nostalgies passéistes, ruralistes, la glorification de l'histoire pré-révolutionnaire, c'est-à-dire tout ce qui est étranger au monde soviétique.

Si la littérature « désengagée » ne constitue pas, en dépit du ton alarmé de Tchakovski, un acte de protestation particulièrement menaçant pour le pouvoir, encore qu'elle témoigne de la lassitude croissante des élites envers un système dont elles récusent les critères intellectuels, ce qui est nouveau et mena-çant, c'est le passage de la pensée autonome individuelle au regroupement. L'aventure des écrivains réunis dans l'almanach *Métropole* en témoigne. En 1979, un groupe d'écrivains connus et reconnus (Axenev, Erofeev, Iskander, Bytov, E. Popov), jouissant de tous les droits attachés à leur statut d'écrivain, ont entrepris de mettre en commun leur aspiration à libérer la littérature des contraintes idéologiques. Ils ont repris la vieille tradition russe du XIXᵉ siècle des revues massives *(Tolstyi Jurnaly)* et rassemblé dans un gros volume de cinq cents pages des textes où ils développaient, pour l'essentiel, les thèmes que l'« écrivain soviétique [12] » n'est pas censé traiter — Dieu, la mort, le sexe, etc. Leur démarche mérite d'être considérée de près. Ils ne se sont pas présentés comme opposants et, pour le souligner, ont adressé leur œuvre, *Métropole* [13], à l'Union des écrivains, puis ont expliqué le sens de leur démarche dans une lettre à Brejnev. Mais, tout en ne s'opposant pas au système, ils ont revendiqué le droit d'écrire sur les thèmes de leur choix et de publier leurs écrits. Plus encore, en se rassemblant, ils se sont engagés sur le chemin, que le pouvoir redoute tant, de la constitution de communautés sociales unies par des valeurs et des intérêts qui leur sont propres; communautés identifiées à des valeurs et qui, par là même, brisent l'homogénéité sociale dont le système se prévaut. La réaction du pouvoir — qui condamne l'ensemble du mouvement [14] et sanctionne quelques-uns de ses membres [15] —, loin d'intimider l'intelligentsia, a provoqué un autre type de manifestation, nouveau aussi et très significatif, l'auto-exclusion de l'Union des écrivains. On a souligné plus haut ce qu'implique pour un intellectuel d'être membre des divers organes professionnels de créateurs. C'est la reconnaissance statutaire et la possibilité de travailler. Depuis le milieu des années 60, l'Union des écrivains avait repris la pratique des exclusions, rejetant ceux des siens qui s'écartaient des normes idéologiques. Ce qui est nouveau, c'est que désormais des écrivains décident d'eux-mêmes de quitter leur Union, en assumant les conséquences d'un tel acte. La première manifestation de ce type fut la démission de l'écrivain Vladimov, en octobre 1977, qui déclara froidement, à l'Union des écrivains : « Je vous exclus de ma vie [16]. » En 1979, tout un groupe d'écrivains — parmi lesquels des grands noms de la littérature soviétique : Aksenov, Iskander, Akhmadulina — quittent à leur tour l'Union pour affirmer leur solidarité avec les exclus de *Métropole.*

On est ici très au-delà de la dépolitisation des intellectuels. De la volonté d'indépendance de l'esprit, ils sont passés au regroupement, et enfin à l'organisation de leur ordre intellectuel propre. La hiérarchie soviétique est inversée dès lors que des intellectuels proclament non seulement leur autonomie, mais leur refus d'être identifiés à l'*écrivain soviétique.* Un second mode d'identification est en train d'apparaître. Peu importe qu'il ne représente qu'une petite minorité. Des pensées hétérodoxes confiées au « tiroir » à cette manifestation organisée de désaccord, un long chemin a été parcouru. Une fraction de l'intelligentsia soviétique considère désormais que les publications parallèles ne sont pas un pis-aller, destiné à remplacer les éditions officielles, mais un véritable moyen d'expression qui doit permettre de former l'opinion en dehors des canaux conformistes. Ces publications sont aussi un moyen d'affirmer, face à l'État et à ses organisations culturelles, que l'intelligentsia renaît à une existence autonome et entend assumer le rôle critique et contestataire qu'elle a si souvent joué au cours de l'histoire russe. Trois revues au minimum attestent de cette prise de conscience de l'intelligentsia qu'elle doit, pour témoigner, posséder ses canaux d'expression. Ces revues, dont la périodicité est souvent brisée par les réactions du pouvoir, se distinguent par leur aptitude à renaître et à se perpétuer. La plus ancienne est la *Chronique des événements courants* [17], qui, en dépit de maints arrêts dus à la répression, réussit depuis 1968 à tenir le journal de bord du réveil des esprits en U.R.S.S.; elle est étroitement liée au Mouvement pour la défense des droits de l'homme. La plus jeune est la revue *Recherche (Poiski)* fondée en août 1978 [18], qui regroupe des tendances politiques très différentes — socialistes-démocrates, socialistes-chrétiens, non-socialistes — dans un débat sur l'avenir russe.

Rêveries innocentes d'intellectuels? Mais ces rêveries ont désormais une portée plus étendue grâce aux techniques de diffusion de la pensée. Au début des années 60, le *Samizdat* ressemblait encore aux libelles clandestins du XIXᵉ siècle; les textes tapés à la machine étaient difficiles à reproduire car les particuliers possèdent rarement l'appareillage nécessaire et leur circulation restait limitée. Mais le *Samizdat* se transforme maintenant en *Magnitizdat,* enregistrement sur bande magnétique, qui permet de reproduire vite une abondante littérature clandestine. Cette littérature se développe dans deux directions distinctes : diffusion d'œuvres proprement littéraires interdites en U.R.S.S., ou impubliables à priori; littérature d'information politique. Dans le second cas, l'information est devenue au cours des dernières années très élaborée et couvre en priorité cinq domaines : limitation des droits nationaux, persécution des croyants, entraves à l'émigration, utilisation politique de la psychiatrie et situation générale des détenus, problèmes sociaux et notamment conditions de travail. De ces publications, qui seront pour l'historien de demain des archives inestimables, se dégage une image de l'U.R.S.S. qui n'a pas de ressemblance avec l'image véhiculée par les « écrivains soviétiques » et les professionnels de l'information en U.R.S.S. Le record de la littérature parallèle est détenu par la Lituanie où paraissent douze publications différentes. Cette activité de l'intelligentsia explique la violence des attaques contre les intellectuels « manipulés par l'impérialisme » et la campagne de mobilisation idéologique dont le décret du Comité central du P.C.U.S. du 6 mai 1979 [19] est la manifestation la plus marquante.

En dépit des appels répétés à la rigueur idéologique, des pressions et de la répression, le bilan de la vie intellectuelle parallèle dans l'U.R.S.S. brejnevienne est impressionnant. En marge de la création étatisée et mise au service de l'État, tout un monde de créateurs se dérobe à l'État et, par son apolitisme croissant, ouvre à son public un univers *autre,* étranger déjà à la culture politique dominante. Enfin, des intellectuels s'engagent pour témoigner, rendre au peuple soviétique la mémoire qui lui est refusée, créer les archives d'un passé et d'un présent qui n'ont pas place dans la pensée soviétique et qui pourtant reflètent le réel. Cette mémoire qui se constitue, s'enregistre, se cache, contribue elle aussi à façonner lentement l'opinion.

Fidélités religieuses : de la foi au rassemblement

L'« homme nouveau » ne doit pas avoir de convictions étrangères à la culture politique soviétique. La religion ne fait pas partie de cette culture. Quant au sentiment national, le pouvoir en a soigneusement défini les limites et le contenu. Durant soixante ans, une société a été éduquée ainsi, et le pouvoir peut aujourd'hui mesurer le succès de son entreprise.

Qu'en est-il d'abord de la foi religieuse? Après avoir été en guerre ouverte contre toutes les religions — de 1921 à 1943 leurs institutions sont soumises à une destruction systématique —, le pouvoir soviétique leur a accordé un droit d'existence limité, un statut, espérant que l'indifférence religieuse d'une société éduquée dans le marxisme conduirait à leur disparition spontanée. A cette époque, cet optimisme est justifié par les comportements sociaux. Les enquêtes faites après la Seconde Guerre mondiale auprès de Soviétiques qui avaient refusé de regagner leur patrie témoignent en effet que les convictions religieuses régressent rapidement [20]. Mais, dès la mort de Staline, quand les comportements sont moins marqués par la contrainte, le pouvoir s'inquiète des « survivances » religieuses qu'il constate dans une partie de la population. La libéralisation ne concerne pas le domaine religieux et Khrouchtchev, par ailleurs attentif aux demandes sociales, va en 1957 lancer à nouveau le pouvoir à l'assaut des Églises. Campagne d'un nouveau type. Il ne s'agit plus de détruire les Églises, mais, par un effort de mobilisation idéologique intense, de les isoler de la société, d'en montrer l'inutilité. Dans la marche accélérée du communisme où Khrouchtchev a engagé son pays, il n'y a pas de place pour ce qu'il nomme volontiers des superstitions [21].

A l'aube d'une nouvelle décennie, le bilan de la lutte idéologique est-il plus positif que celui de la violence stalinienne? Une première réponse découle de l'observation des lieux de culte. Sans doute le nombre de lieux de culte qui « travaillent », selon l'expression soviétique, est-il très limité, et ceci enlève beaucoup de signification au fait que l'affluence y soit grande. Mais les autorités soviétiques elles-mêmes se penchent désormais avec inquiétude sur les comportements religieux de l'« homme nouveau » et s'efforcent de préciser son attitude à l'égard de la religion. Un grand nombre d'ouvrages, d'enquêtes d'opinion, de déclarations sont depuis quelques années publiés en U.R.S.S. [22], qui montrent l'existence incontestable d'un problème religieux. De tous ces matériaux une constatation ressort. La religion, à des degrés divers, est présente dans l'esprit, sinon dans les comportements, d'une fraction non négligeable de la population soviétique. Non négligeable par le nombre de ceux qui font quelque place à la religion dans leur système de valeurs, mais aussi par leur qualité, âge et niveau d'éducation. Un ouvrage récent consacré à la religion et à la lutte idéologique [23] tout en contestant les idées émises en Occident quant à un « réveil religieux » en U.R.S.S. et en affirmant que le nombre de croyants diminue chaque année [24], estime, sur la foi d'enquêtes, que la religion en U.R.S.S. n'a pas disparu et que, dans certaines régions, de 25 à 30 % des adultes subissent une « influence religieuse [25] ».

Plus que la fréquentation des lieux de culte, qui reste un phénomène marginal, c'est avant tout l'affaiblissement des attitudes antireligieuses ou areligieuses qui inquiète les autorités. Toute l'éducation soviétique tend non seulement à écarter les individus de la pratique religieuse, mais à les convaincre qu'ils sont athées. Or, les enquêtes montrent une nette évolution des mentalités, ou du moins de leur expression. Au sortir des années staliniennes, une écrasante majorité sinon l'unanimité des citoyens soviétiques interrogés sur leurs convictions se disait athée. Aujourd'hui, à une enquête menée dans un établissement d'enseignement supérieur [26], 29,4 % seulement des étudiants affichent la même certitude. Sans doute le nombre de ceux qui se proclament ouvertement croyants est-il ridiculement faible : 2 %. Mais, entre ces deux extrêmes, 10 % hésitent ou penchent vers la religion, et la majorité, si elle ne croit pas, n'est pas non plus hostile ni inconsciente du fait religieux. Des sondages effectués en milieu étudiant ou scolaire confirment cette tendance de la jeunesse à rejeter l'athéisme, même si ce rejet ne conduit pas à des convictions clairement exprimées. Les incertitudes religieuses des étudiants ou des écoliers sont déjà étonnantes, si l'on songe à l'influence et à la pression morale qu'exercent sur eux les associations de pionniers et de komsomols.

Mais les réponses sont tout autres dès lors que l'on s'écarte de ce milieu restreint pour se tourner vers d'autres couches sociales, ou vers d'autres religions que l'orthodoxie. En Géorgie, où l'Église orthodoxe autocéphale se dresse comme un symbole de la vie nationale, les manifestations de la foi sont souvent spectaculaires. L'organe du Parti géorgien [27] en a donné un bon exemple en rapportant comment une fête religieuse a transformé le village d'Alaverdi en un vrai centre de pèlerinage où afflue la foule, « où l'on a dressé une ville de tentes bigarrées pour l'accueillir, où pénètre une véritable armada de voitures de toutes marques et où se pressent les enfants que l'on va baptiser ». En Ukraine, le secrétaire de l'Obkom d'Odessa constate que, « si le nombre d'orthodoxes paraît stabilisé, les rangs des sectes religieuses ne cessent de grossir [28] », et le chef du Parti ukrainien, Vladimir Chtcherbitski, se plaint que la réglementation soviétique des cultes soit largement ignorée [29]. En Biélorussie, 16 % de la population urbaine et 39 % de la population rurale affichent volontiers leurs convictions religieuses [30]. En Lituanie, où la population est catholique, les trois quarts d'entre elle affirment leur foi et, plus encore, pratiquent leur religion [31]. Il est vrai qu'ici catholicisme et histoire nationale sont étroitement liés, comme en Pologne. C'est le catholicisme qui a permis à la nation de s'affirmer et de survivre. De même, dans les républiques périphériques du Sud, la population se proclame de manière générale musulmane, et les enquêtes sociologiques montrent qu'*être musulman* couvre aussi bien des convictions religieuses que l'indifférence totale à la religion, et que l'Islam est un moyen d'identification nationale en premier lieu.

Derrière ce que le pouvoir soviétique appelle indifféremment les « survivances religieuses » ou les « superstitions », on a ainsi plusieurs phénomènes distincts : un certain degré de pratique religieuse, plus important à la campagne qu'à la ville, chez les catholiques que chez les orthodoxes et les musulmans, plus développé chez les gens âgés que dans la jeunesse, chez les femmes que chez les hommes — ce dernier point est vrai pour la religion orthodoxe mais, en Lituanie, le degré de pratique chez les hommes et les femmes est assez équilibré —, pratique religieuse qui ne signifie pas toujours, au demeurant, foi religieuse (à de nombreuses enquêtes, une part des personnes interrogées répondent que la pratique religieuse découle chez elles de l'influence subie dans la famille); un certain degré de conviction religieuse qui ne s'accompagne pas obligatoirement de la pratique religieuse; enfin, un recul de l'indifférence totale au fait religieux. Par ailleurs, les convictions n'obéissent pas toujours à des motifs uniformes. Dans le cas des religions non chrétiennes, le lien entre identification religieuse et identification nationale est souvent très fort. Chez les orthodoxes même, la religion est souvent liée à l'existence de la nation (Géorgie), ou encore au développement d'un nationalisme passéiste empreint de valeurs religieuses (c'est le cas de nombreux Russes désormais).

Quelles que soient les formes que revêt le phénomène religieux en U.R.S.S., on peut constater avec les autorités qu'il s'agit bien d'une tendance *présente* de la société soviétique, et non de survivances. Il est significatif que le premier secrétaire de l'Obkom d'Odessa ait évoqué la *stabilisation* du nombre des croyants orthodoxes, propos qui va à l'encontre de la thèse courante d'une religion en voie de disparition. Plus peut-être que la persistance du fait religieux, ce sont surtout ses aspects incontrôlables qui troublent le pouvoir. Les grandes religions ont un statut bien établi qui permet au pouvoir de suivre leurs activités et de réglementer leurs rapports avec les fidèles. Mais les religions contrôlées ne sont pas les seuls centres d'attraction pour ceux qui croient. Les sectes, innombrables [32], qui échappent à tout contrôle, connaissent un très grand succès populaire [33].

Un autre aspect particulièrement intéressant de ces tendances est l'extension des chaînes de « lettres religieuses ». Depuis plusieurs années, le pouvoir soviétique s'inquiète des circuits de correspondance qui s'organisent autour de ce que l'on appelle en U.R.S.S. les « lettres saintes » *(sviatye pisma)*. Ces lettres sont fort curieuses dans leur contenu [34]. Elles partent d'un miracle : l'apparition d'un homme en blanc à un jeune enfant, lui ordonnant de ne jamais oublier Dieu. A partir de ce miracle, ces lettres développent une vision apocalyptique de la fin du monde prochaine. Recopiées en neuf exemplaires par ceux qui les ont reçues et qui se voient promettre le bonheur éternel ou des maux terrestres et immédiats s'ils rompent la chaîne, ces lettres ont une grande diffusion en milieu rural mais aussi dans les grandes villes [35]. Elles débordent l'espace des religions chrétiennes puisqu'on en trouve des variantes chez les Turkmènes [36] et les Uigurs [37].

Ce phénomène est intéressant à trois égards. D'abord parce que, comme le succès des sectes, il témoigne de la méfiance qu'éprouvent les croyants à l'égard des Églises acceptées par l'État. Cela est particulièrement vrai de la hiérarchie orthodoxe, qui jouit — avec l'accord du pouvoir — d'une position privilégiée due aux liens traditionnels entre orthodoxie et nation russe. Cette position éclatait en 1978 dans la pompe avec laquelle le

Patriarcat a pu célébrer le 60ᵉ anniversaire de son rétablissement [38]. Il s'agissait bien d'un événement de portée nationale. Le patriarche Pimène a souligné alors ce qui unissait l'Église orthodoxe à l'État soviétique, à qui il attribue le mérite d'avoir permis à l'Église de vivre une existence indépendante, grâce au décret sur la séparation de l'Église et de l'État. Pour beaucoup de croyants, de telles déclarations témoignent non de la souveraineté mais de l'état de dépendance de l'Église à l'égard du pouvoir et ceci les pousse vers des structures religieuses qui échappent au contrôle étatique. Un autre aspect remarquable des *lettres saintes* tient aux idées qu'elles véhiculent. L'apparition (Dieu lui-même selon un journal soviétique [39]), la certitude de l'apocalypse prochaine, tout contribue à dramatiser la foi, à la couper de la vie quotidienne, à affirmer l'inanité de l'agitation terrestre au regard de la fin qui approche. Si les religions officielles s'efforcent de ménager le pouvoir et ses idéaux, de cohabiter, les *lettres saintes* sont en rupture complète avec lui. Enfin, ces lettres créent des réseaux de diffusion des idées, qui se situent tout à fait en dehors du cadre institutionnel. Ce n'est pas un hasard si certains articles ont évoqué les dispositions du Code criminel sur la diffusion d'idées inacceptables [40]. Dans un système où la propagation des idées est strictement contrôlée, c'est un moyen de tourner la loi. Car le problème religieux réside précisément dans ses prolongements politiques. Le responsable des affaires religieuses au Conseil des ministres de l'U.R.S.S. l'a maintes fois souligné : le régime soviétique accorde à ses administrés la liberté de conscience, donc la liberté de croire ce que leur dit n'importe quelle religion, en revanche il ne reconnaît dans ce domaine que le droit de propagande antireligieuse. Les chaînes de lettres sont donc un moyen adroit de tourner cette discrimination. Le pouvoir interdit surtout de mêler religion et politique et de faire de la religion un instrument politique [41]. Or c'est précisément ce qui se passe en U.R.S.S. aujourd'hui. Les croyants constituent des groupes pour défendre leurs intérêts collectifs, ou encore leurs droits politiques. En Lituanie, le *Comité catholique pour la défense des croyants* créé en novembre 1978 a élaboré les revendications des croyants (et non seulement des catholiques lituaniens) en matière de liberté religieuse. Ces revendications, inscrites dans un document soumis à la signature du clergé lituanien, constituent une véritable charte des droits des Églises, des serviteurs du culte et des croyants [42]. Il est avant tout une condamnation sans appel du *Règlement sur les associations religieuses* adopté en juillet

1976 par le Soviet suprême et qui répond à ces problèmes. Ce que la charte exige, c'est que l'État ne dispose d'aucun moyen, d'aucun canal pour intervenir dans la vie des Églises ou la réglementer; qu'il considère tous les servants du culte et leurs collaborateurs comme des citoyens à part entière (les prêtres n'ont pas de retraite); que tous les enfants puissent recevoir une éducation religieuse et que les mineurs puissent être membres des associations religieuses. Ce programme invoque à la fois la Constitution soviétique et le Droit canon, car pour les auteurs de la charte le croyant choisit comme il l'entend son système de références. Ce groupe, constitué à l'échelle d'une république, se veut véritablement structure représentative des intérêts et des revendications des croyants et il affirme sa volonté de coopérer et de dialoguer avec l'État pour atteindre à l'élaboration d'un statut normal pour les croyants. Il y a là un glissement de l'unité spirituelle à l'unité d'organisation. Cette tendance à s'organiser sur des thèmes précis, on la retrouve dans le *Comité des chrétiens pour la défense des croyants* des orthodoxes, qui s'affirme non politique, prêt à coopérer avec l'État; mais le but de la coopération qu'il propose à l'État est d'élargir la place des Églises en U.R.S.S. et d'assurer aux croyants une liberté totale et les moyens de pratiquer : églises ouvertes, prêtres en nombre suffisant, éducation religieuse. Le pouvoir ne s'y trompe pas qui décèle dans ces comités de vrais groupes de pression [43] et qui dénonce leurs ramifications, petits groupes d'études [44], publications en *Samizdat,* autant d'instruments de liaison et de diffusion d'idées et de matériels religieux. Ce qui est inacceptable pour le pouvoir soviétique, c'est le regroupement pour défendre une cause, qu'elle qu'elle soit; et la diffusion, par des canaux incontrôlés, d'idées qui ne relèvent pas de la culture politique du citoyen soviétique. Ce qui lui est inacceptable, ce sont les demandes *collectives* de visas d'émigration des *pente-côtistes,* qui invoquent à l'appui de leurs demandes leurs convictions religieuses et s'identifient ainsi comme pentecôtistes et non comme Soviétiques [45]. Ce sont les attitudes des *adventistes du septième jour* [46] *ou des baptistes,* qui s'organisent en communautés actives pour propager leurs convictions, défendre leurs droits, et surtout affirmer que leur choix religieux prévaut sur les normes et le mode de vie soviétiques. Les baptistes donnent, au mépris des règlements soviétiques, une éducation religieuse aux enfants et les écartent de l'organisation des *pionniers* pour qu'ils ne soient pas exposés à une idéologie antireligieuse. Les *vrais orthodoxes*, séparés de l'Église orthodoxe depuis qu'en 1917 ils ont refusé d'accepter les principes soviétiques en matière religieuse, vivent aujourd'hui encore totalement en dehors du système, sur le territoire soviétique. Ils ne travaillent pas pour l'État, n'envoient pas leurs enfants à l'école, ne votent pas, ne vont pas à l'armée, refusent de communiquer avec le reste de la société soviétique [47]. Au demeurant, ils ne demandent rien non plus à l'État, ni aides ni retraites, et se trouvent surtout dans des camps. La lecture de la presse soviétique permet de multiplier indéfiniment le recensement des manifestations du sentiment religieux en U.R.S.S., manifestations orthodoxes ou hétérodoxes, et de l'activité des Églises. Elle témoigne des hésitations du pouvoir sur l'attitude à adopter devant ce phénomène qu'il ne nie plus. Périodiquement, il s'inquiète de la faiblesse du système éducatif et idéologique, qu'il tient pour responsable de cette faillite de l'athéisme, et par moments il réprime les activistes religieux, dès lors que leur activité paraît déboucher sur la politique [48]. La vigilance du pouvoir, l'exaspération dont les responsables politiques font preuve sont-elles justifiées? La religion est-elle un phénomène inquiétant en U.R.S.S. et pourquoi? La montée du sentiment religieux — même s'il s'agit de sentiments confus, même si ce phénomène reste limité — traduit sans aucun doute l'insuffisance de la culture politique à répondre à toutes les questions que se pose l'homme et son incapacité à occuper tout l'espace idéologique. Mais le système soviétique, qui s'est accommodé de beaucoup de survivances et de fidélités maintenues — au lopin individuel, au patriotisme —, ne peut-il s'accommoder aussi du sentiment religieux? Jusqu'à un certain point sans doute, comme en témoigne la cohabitation instaurée entre l'État et les religions depuis 1943. Mais il est des aspects du réveil religieux que le système soviétique ne peut admettre. Il ne peut tout d'abord accepter la compétition idéologique. Que le sentiment religieux soit une affaire privée est acceptable. Mais que les religions, comme systèmes de valeurs, soient diffusées dans la société, que celle-ci place sur le même plan le marxisme et la religion et passe de l'un à l'autre est inacceptable car cela signifie que l'on enlève à la culture politique soviétique sa valeur absolue : relativisée, elle est mise en question.

Au refus de la compétition des idées s'ajoute le refus de laisser se constituer dans la société des groupes rassemblés autour d'intérêts particuliers, auxquels ils s'identifient. Or les divers groupes de chrétiens qui se sont constitués au cours de la dernière décennie se sont définis par leur appartenance religieuse et, au nom de cette appartenance, ils se sont faits les défenseurs de droits particuliers — religieux ou politiques. Si l'État s'inquiète particulièrement de ces groupes, en eux-mêmes peu dangereux car ils ne rassemblent pas des foules innombrables, c'est qu'il est mal armé pour lutter avec les Églises et leurs substituts. Dans le réseau serré des contrôles soviétiques, les Églises sont, en effet, les seules institutions qui disposent — en vertu de la séparation de l'Église et de l'État — d'une certaine marge d'action. Les lieux de culte sont des lieux où on peut se rassembler sans autorisation préalable, les idées peuvent être diffusées sans contrôle par les sermons et les publications religieuses. En d'autres termes, les seuls lieux de rassemblement libres, les seuls véhicules de diffusion des idées moins contrôlés, ce sont les Églises qui en disposent. Elles disposent aussi de filières d'accès au pouvoir et de liaisons avec le monde extérieur. Le patriarcat de Moscou a une activité internationale intense, qu'il met au service du système [49], mais ceci n'est pas vrai pour les religions transnationales — catholiques, protestants, juifs, musulmans, bouddhistes —, qui ont des liens et des solidarités en dehors du territoire soviétique. Dans certains domaines, le pouvoir soviétique a déjà pris la mesure des problèmes que lui créent les croyants ou ceux qui se réclament des religions. Si les pentecôtistes qui s'adressent au président Carter sont trop peu nombreux pour être entendus, la communauté juive soviétique doit à l'appui de la communauté juive des États-Unis les visas d'émigration qui lui sont — parcimonieusement — alloués. Les croyants soviétiques découvrent progressivement qu'ils disposent de structures exceptionnelles pour défendre leurs idées. Malgré les différences d'une religion à l'autre et d'une Église à l'autre, ils ont en commun un système de valeurs étranger à celui qui fonde le régime soviétique, et les regroupements auxquels on a assisté chez les chrétiens témoignent que la solidarité des croyants face à l'athéisme est aussi en progrès. Ce sont ces potentialités d'organisation, d'utilisation des structures ecclésiales et l'identification croissante à un système de valeurs global fondé sur la foi qui inquiètent le pouvoir, bien plus que les activités immédiates des groupes religieux et la fréquentation des églises. Le pouvoir voit dans les manifestations religieuses une évasion idéologique pour le présent, mais peut-être un levier d'action politique pour l'avenir. Et, s'il peut éventuellement s'accommoder de croyants qui sont des « évadés » ou des « émigrés de l'intérieur », il ne peut accepter l'hypothèse que leurs organisations soient des moyens de construire une société civile.

Fidélités nationales : la défense de la diversité

Les religions en progrès ne sont pas les seuls centres de rassemblement de la société soviétique, jusqu'à présent si bien intégrée par le Parti. Les fidélités nationales sont une autre voie vers la différence [50]. Ici comme en matière religieuse, le pouvoir soviétique est freiné par l'ambiguïté de sa propre politique, mélange d'égalitarisme théorique qui reconnaît les différences et d'une pratique fondée sur le contrôle rigoureux de ces différences. La finalité constante de cette pratique est de neutraliser les différences dans le court terme et de les supprimer dans le long terme. Ce compromis entre la théorie et la pratique, entre un projet internationaliste bien défini et les exigences du réel, entre le « fond » socialiste et les « formes » nationales concédées à tous les peuples de l'U.R.S.S., a jusqu'à présent encouragé les différences plutôt que la marche à l'unité. Ayant pris au cours des dix dernières années la mesure des volontés de survie des nations, à travers divers types de réactions (démographie, résistance culturelle, volonté d'émigration, opposition ouverte, etc.), le pouvoir soviétique fait preuve désormais d'une plus grande prudence dans la définition de ses perspectives politiques et se lance à l'assaut des nationalismes par une bataille linguistique d'une ampleur sans précédent. Sur les perspectives d'avenir le pouvoir s'efforce d'apaiser les nations inquiètes. La Constitution de 1977 a maintenu le principe fédéral, qui donne un cadre juridique à l'existence des nations. Et le pouvoir passe désormais sous silence le projet de constituer une « seule *nation* soviétique [51] » en défendant l'idée d'un *peuple* soviétique (*sovetskii narod* au lieu de *sovetskaia natsiia* [52]) qui est défini en termes d'unité sociale et non plus ethnique [53]. Les peuples de l'U.R.S.S. ne doivent donc pas se fondre artificiellement en une seule entité qui absorberait leurs différences ethniques et culturelles : ils sont appelés à former une communauté soudée par un développement social et historique commun [54].

Mais les concessions théoriques sont compensées par la lutte que le pouvoir soviétique mène pour implanter véritablement la langue russe comme langue commune et, par là, affaiblir les différences culturelles entre les peuples. Le rôle assigné à la langue russe est précis. C'est d'abord le véhicule des idées politiques du système, et l'on rappelle volontiers en U.R.S.S. le poème écrit par Maïakovski en 1927, *Notre jeunesse*, qui dit, qu'en toutes circonstances :

> *J'aurais appris le russe*
> *car c'est en russe que s'exprimait Lénine.*

La langue russe, parce qu'elle façonne les esprits, est un élément décisif de l'intégration du peuple soviétique. Elle est aussi indispensable à sa défense, car l'armée soviétique n'utilise que cette seule langue et l'on touche ici à une très sérieuse préoccupation du pouvoir. Les dommages causés à la défense nationale par la méconnaissance du russe ont été abondamment étudiés ces dernières années en U.R.S.S. Comment utiliser des conscrits qui ne comprennent pas les ordres les plus élémentaires et qui, « ayant appris certains articles des règlements militaires par cœur, sont incapables d'expliquer ensuite ce qu'ils ont ainsi retenu [55] » ?

Les conséquences de l'ignorance presque totale du russe chez certains peuples sont multiples. Les recrues sont inutilisables et l'on tend à les pousser vers des tâches auxiliaires, « ce qui affecte le moral des conscrits..., conduit à la répression et parfois à une attitude négative envers le service militaire [56] ». La préparation au combat de tels conscrits, donc la qualité des futurs combattants et l'efficacité de l'armée en sont affectées [57]. Par ailleurs, la méconnaissance du russe interdit de recruter des officiers dans les nations repliées sur leur propre langue, ce qui contribue à donner à l'armée soviétique — de métier cette fois — une coloration par trop européenne, dans laquelle certains peuples ne peuvent se reconnaître [58].

En définitive, ce qui ressort de nombreuses déclarations et publications sur l'état actuel de l'armée soviétique [59] c'est que, au moment où l'équilibre démographique bascule en faveur des peuples non russes, où la part de leurs ressortissants croît dans l'armée, le pouvoir constate que des recrues qui ne comprennent pas la langue militaire commune sont un poids et non une force pour la défense nationale; qu'écartés des tâches de responsabilités militaires les non-Russes, loin d'être intégrés par l'armée, y développent des frustrations nationales; qu'enfin la société non russe ne peut guère s'identifier à une armée dont la langue lui est étrangère et dont les officiers sont en majorité russes. On a pu constater la justesse de ces analyses lors de l'invasion de l'Afghanistan en décembre 1979 : le pouvoir a d'abord concentré dans les troupes d'intervention des soldats non russes, issus des républiques d'Asie centrale, qu'il a dû rapidement relever et remplacer par des Européens pour couper court à la fraternisation avec la population afghane.

Ceci explique la campagne engagée depuis 1970 pour étendre rapidement la connaissance du russe à toute la population scolarisée. En 1975 [60] et 1979 [61], deux conférences tenues à l'échelle de l'Union soviétique ont rassemblé les responsables de l'éducation de toutes les républiques, des responsables du Parti, du Komsomol et des divers établissements culturels, pour définir une politique générale d'enseignement du russe aux peuples non russes. Entre les deux conférences, le Soviet suprême de l'U.R.S.S. a précisé par décret du 13 octobre 1978 [62] les mesures qui devaient permettre d'atteindre en U.R.S.S. à un bilinguisme véritable. Les réunions et décisions multipliées des années 70-79 ont permis de donner à la langue russe une place plus importante à tous les niveaux de l'enseignement. Elle doit pénétrer le plus tôt possible dans l'enseignement préscolaire, souvent dès le jardin d'enfants; on a instauré des cours intensifs dans l'enseignement secondaire et technique au détriment d'autres matières et multiplié les activités « russifiantes » en marge de l'enseignement, telles les « journées russes » et les « olympiades de russe » organisées dans les républiques. Enfin on substitue le russe aux langues étrangères dans l'enseignement supérieur, etc. Ces dispositions sont complétées par un effort considérable d'amélioration du matériel pédagogique — publications, techniques audio-visuelles — mis à la disposition des professeurs de russe dans les écoles non russes [63]. Les effets d'un effort si intense et étendu sont certains. Le recensement de 1979 et des indications dispersées en témoignent. Au recensement de 1979, le nombre de non-Russes qui ont adopté le russe comme langue maternelle passe de 13 millions en 1970 à 16 300 000 et celui des bilingues connaissant bien le russe passe de 41 800 000 à 61 100 000 [64]. Ce progrès est très important, supérieur aux prévisions. Sans doute faut-il ajouter que l'assimiliation linguistique (passage complet de la langue maternelle au russe) atteint surtout les peuples qui y sont exposés par la proximité de leur langue avec le russe — Ukrainiens et Biélorusses — et les peuples noyés dans un environnement russe — Tatars, Tchouvaches, etc. —, enfin ceux qui n'ont pas de territoire national propre. Les progrès du bilinguisme — 46 % de 1970 à 1979 — sont beaucoup plus impressionnants parce qu'ils sont généraux; ils concernent pratiquement tous les peuples de l'U.R.S.S., mais au premier chef les peuples d'Asie centrale, peu ouverts au russe il y a dix ans et qui désormais accèdent très vite, au dire des statisticiens, au bilinguisme. Sans doute peut-on mettre en question certains succès par trop spectaculaires (le progrès du bilinguisme chez les

Uzbeks atteindrait 361 % [65]); néanmoins, il est évident que le pouvoir soviétique enregistre sur le terrain linguistique des résultats à la mesure d'un effort exceptionnel, auquel les nationalités ont dû se plier. Des républiques aussi viennent des informations qui corroborent ces résultats en soulignant que le bilinguisme est accompagné, et cela est normal, par une « extension » des domaines où le russe est désormais utilisé [66]; qu'il est accompagné aussi par une modification de l'équilibre linguistique des établissements culturels et des médias. Ainsi, en Kirghizie, où, en 1940, 21 % des livres publiés étaient en langue russe, leur part est désormais de 50 % [67]. On peut avoir une idée précise de cet effort de promotion du russe par l'exemple, extrême au demeurant, de la Biélorussie, dont le ministre de l'Éducation affirmait, à la conférence de 1979, que « le peuple biélorusse avait toujours voulu maîtriser le russe pour accéder à la grande culture russe [68] ». Dans cette république, 61 % de la population scolaire fréquente les écoles où l'éducation est dispensée en russe et, dans les écoles en langue biélorusse, l'étude du russe, ou plutôt les études *en* langue russe occupent 36 h 30 par semaine, c'est-à-dire que la quasi-totalité de l'enseignement en Biélorussie est désormais de langue russe [69]. Même si les résultats du recensement projettent une réalité légèrement améliorée — la *qualité* de la connaissance du russe est un autre aspect du problème —, cette bataille linguistique est perçue dans les républiques comme une menace réelle pour la survie des nations. La langue reste un moyen privilégié, même si ce n'est pas l'unique moyen, de transmission des valeurs nationales et d'identification à une communauté de culture et de destin. Ceci explique que les réactions nationales les plus vives se manifestent sur ce terrain. En Ukraine, l'écrivain et académicien Oles' Honchar a proclamé publiquement devant toute l'Académie des sciences d'Ukraine que, si le russe était la langue de l'amitié et des relations entre nations, « l'ukrainien qui s'est forgé dans le cours des siècles par les efforts conjoints des masses et de l'intelligentsia, qui a été la langue de la résistance à la réaction tsariste, a un grand avenir. La langue ukrainienne permet d'appréhender les cinquante-cinq volumes de l'œuvre immortelle de Lénine, de transmettre à travers les âges l'impérissable beauté des œuvres d'Homère et la totalité des connaissances contemporaines, ainsi par exemple l'encyclopédie de la cyber-nétique [70] ».

Cette déclaration, en dépit du salut obligatoire, bref au demeurant, à la langue russe, montre l'ampleur des réactions nationales. Honchar enlève à la langue russe toute utilité, à sa pénétration en Ukraine toute justification, en affirmant que la langue ukrainienne peut tout transmettre, la pensée marxiste-léniniste, la culture mondiale et la technologie moderne. Privée de sa fonction idéologique, culturelle et modernisatrice, la langue russe n'est plus qu'une langue parmi d'autres. Enfin, Honchar conclut en appelant ses compatriotes à protéger leur « environnement spirituel »; il prend ainsi ouvertement le contre-pied des positions officielles et de l'idée constamment répétée que l'usage de la langue russe va bien au-delà des communications entre nations et qu'elle est le moyen « de maîtriser et d'accumuler les réalisations de la civilisation contemporaine [71] ».

C'est là en effet que réside le débat essentiel désormais. Entre ceux qui prônent l'expansion du russe au nom de sa supériorité sur les autres langues, et qui assimilent russification et modernisation, et ceux qui, à l'opposé, considèrent qu'une nation vit parce qu'elle développe une civilisation qui est la sienne, et qui veulent participer à l'univers soviétique en conservant leur propre environnement.

La Géorgie fournit, peut-être, le meilleur exemple des tendances actuelles du débat national en U.R.S.S. Dans cette république indocile, le Parti communiste de l'U.R.S.S. a imposé en 1972 un changement du personnel politique en prenant prétexte de la corruption généralisée qui y régnait de longue date. Depuis lors, le nouveau chef du Parti géorgien, Eduard Chevarnadze, conduit une politique subtile qui l'apparente, à beaucoup d'égards, au Hongrois Janos Kadar, porté au pouvoir par l'U.R.S.S. en 1956, au lendemain de l'invasion de la Hongrie. Comme Kadar, Chevarnadze fait preuve d'une fidélité inconditionnelle à Moscou. Il proclame constamment que la Russie a de tout temps joué un rôle émancipateur à l'égard de son pays et affirme la nécessité pour tous les Soviétiques de maîtriser la langue russe [72]. Surtout, il continue à lutter inlassablement contre toutes les formes de corruption en épurant les bureaucraties géorgiennes, notamment les appareils policiers [73] et judiciaires [74] dont l'indulgence ou la collusion [75] avec les pratiques non socialistes semblent se perpétuer dans la république. Par ces purges, Chevarnadze essaie de substituer à l'image traditionnelle de la Géorgie corrompue et méprisant les règles de comportement soviétiques une nouvelle image, celle d'une république modèle, où règne un « ordre social absolu [76] ».

Mais cette adhésion aux intentions du pouvoir central n'est

pas dénuée de compensations, qui toutes ont un contenu national. Fort du soutien que lui vaut son attitude à Moscou, Chevarnadze y plaide pour le développement du potentiel industriel en Géorgie [77]. Une des grandes revendications des nationalités concerne en effet la division du travail économique à l'intérieur de l'U.R.S.S. et la spécialisation des républiques, ce qui les place dans une situation de totale dépendance à l'égard du centre. Les Géorgiens ne veulent pas être réduits au rang de producteurs de produits tropicaux de luxe (thé, agrumes). Pour prix de la remise en ordre dans son pays, Chevarnadze demande que leur soient donnés les moyens d'une activité économique différenciée. En Géorgie même, il accepte l'idée que la difficulté de la langue géorgienne impose un effort dans le domaine de l'éducation, portant en priorité sur l'amélioration de l'enseignement de cette langue [78]. Et il assure l'intelligentsia que sa langue sera développée et conservera une place intacte dans le développement de la société [79]. Ce discours national contraste sans doute avec les mises en garde répétées du Parti contre les « manifestations d'exclusivisme nationaliste et tous phénomènes négatifs du même genre [80] ». Mais force est de constater que Chevarnadze s'inquiète publiquement de l'affaissement démographique géorgien [81] et qu'il appelle ses compatriotes à avoir des familles plus nombreuses, à suivre en cela l'exemple de la tradition géorgienne [82]. Malgré les précautions oratoires dont il entoure ses appels, c'est l'intérêt du peuple géorgien, son avenir qui se profilent derrière chaque proposition qu'il fait. Et de même, il faut souligner que la littérature géorgienne publiée au cours des dernières années par des canaux officiels rend un son étonnamment national. Ce qui y domine, c'est l'intérêt pour l'héritage historique et culturel de cette nation et la volonté, sans cesse répétée, de préserver les valeurs traditionnelles de la société. On voit ici qu'une politique imposée du centre pour réduire les particularismes nationaux peut conduite à une expression inattendue de ces particularismes. Que Chevarnadze en soit consciemment ou non l'artisan, il est clair que sa politique accroît le sentiment national et lui permet en même temps de s'exprimer.

Un dernier aspect de ces manifestations du sentiment national est lié à la force qu'il peut, dans certains cas, tirer du monde extérieur. C'est le cas des peuples musulmans, dont les liens avec l'Islam extérieur contribuent à encourager le particularisme, surtout lorsque l'Islam devient une force politique active aux frontières de l'U.R.S.S. Les premières indications précises concernant des influences extérieures sur les musulmans soviétiques sont récentes, mais combien significatives. Elles viennent du responsable du Département d'agitation et de propagande du Turkménistan. Il a déclaré en 1979 (quelques semaines avant la chute du Chah [83]) que la population turkmène, proche de l'Iran, écoutait régulièrement les émissions religieuses diffusées par Radio-Gorgan (cette station émet de la ville de Gorgan, dans le Khorassan iranien). Des enquêtes effectuées en Turkménie ont montré que ces émissions ont contribué à maintenir les convictions et les pratiques islamiques. Et leur impact a été d'autant plus important qu'elles ont été enregistrées puis diffusées dans des communautés de musulmans trop éloignées de la frontière pour entendre directement les émissions [84]. Cette diffusion est d'autant plus importante qu'elle n'est pas faite seulement par les mollahs ayant un statut officiel, mais par tous les servants du culte hors statut et les membres des confréries, nombreuses en U.R.S.S. et qui participent à cette « information musulmane » d'origine étrangère. On voit ainsi se développer dans les terres d'Islam soviétiques la propagande religieuse par cassettes, qui a joué un si grand rôle dans la venue au pouvoir de l'ayatollah Khomeiny en Iran. Il n'est pas inutile de rappeler que l'ayatollah Khomeiny manifeste un intérêt certain pour ses frères soviétiques [85].

L'influence de ces émissions est difficile à préciser, mais on peut tenir pour assuré qu'elles ont quelque effet sur les consciences. En juin 1980, le premier secrétaire du P.C. turkmène, Gapurov, y a insisté dans une intervention publique [86]. Il a expressément accusé Radio-Gorgan et Radio-Meched de se livrer à une propagande qui développe des idées « nationalistes » dans les républiques voisines. Et il a lié les croyances religieuses aux idées nationales car, a-t-il dit, « elles se nourrissent l'une l'autre ». Que la religion d'Allah ait des adeptes en U.R.S.S., il l'affirme nettement : « Nous avons beaucoup de croyants dans la République. Il faut de plus garder présent à l'esprit que nos ennemis idéologiques mettent actuellement l'accent très fortement sur la propagation de l'Islam... pour enflammer le conflit national et saper l'unité idéologique et politique du peuple soviétique ». A en croire le premier secrétaire du Parti turkmène, le problème est d'autant plus sérieux que les croyants ne sont pas seuls troublés, mais que les activistes, agitateurs, propagandistes et autres auxiliaires du Parti confondent les valeurs sociales inacceptables empruntées à la religion et au passé avec les normes de la vie sociale communiste. Peut-on dire plus nettement que le nationalisme fondé sur l'Islam, loin de régresser, gagne du terrain et que les croyants ne sont pas seuls concernés [87]? Sans doute ces manières différentes de définir l'attachement à la nation limitent-elles, pour l'heure, la portée des revendications nàtionales. Le pouvoir soviétique a, en face de lui, des communautés nationales éparses. Mais sur deux points elles ont des frustrations, voire des revendications identiques. Elles désirent toutes une vie économique plus équilibrée, c'est-à-dire plus autonome. N'est-ce pas là la revendication qui, au sein du camp socialiste, a dressé la Roumanie contre l'U.R.S.S.? Elles refusent toutes aussi d'être dépossédées de leur culture. Et ici, les conséquences des progrès accomplis par le pouvoir soviétique dans la voie du bilinguisme, voire de l'assimilation linguistique, peuvent être dommageables soit à l'intégrité des nations, soit à l'U.R.S.S. Pour l'heure, les réactions en Ukraine, en Géorgie semblent indiquer que ces progrès mobilisent les sentiments nationaux plutôt qu'ils ne les érodent.

Les ouvriers : contestataires de demain?

Les idées et les comportements de la classe ouvrière — la partie la plus nombreuse de la société soviétique — sont difficiles à cerner car les données qui permettraient de les étudier font défaut. Pourtant, les indices ne manquent pas qui signalent des moments d'agitation dans la classe ouvrière; et l'activisme de la classe ouvrière polonaise en 1970 et en 1980 témoigne que, dans les pays socialistes, le mécontentement ouvrier est une réalité. En Union soviétique, la situation de la classe ouvrière est caractérisée par plusieurs traits. Par un changement statutaire d'abord. Les décrets de guerre qui enchaînaient l'ouvrier à son travail ont été abolis en 1956 et l'ouvrier acquiert alors une grande liberté de mouvement. Il peut quitter son travail à sa guise et s'embaucher où il veut. Les besoins de main-d'œuvre dans les régions en développement — Sibérie, extrême Nord — et, à partir des années 70, la pénurie générale de main-d'œuvre encouragent la mobilité ouvrière, qui est à la fin de la décennie de l'ordre de 20 %, c'est-à-dire que chaque année un ouvrier sur cinq change de lieu de travail [88]. L'absentéisme, l'instabilité, les départs sans préavis désorganisent la vie des entreprises.

L'inégalité est un autre aspect de la vie ouvrière. Une barrière rigide sépare les ouvriers qualifiés de ceux qui ne le sont pas. Les salaires d'une catégorie à l'autre, d'un secteur industriel à l'autre, enfin d'une région à l'autre sont très différents. Ces salaires ont été, au demeurant, relevés à plusieurs reprises et notamment en 1979 [89]. Le salaire mensuel moyen d'un ouvrier d'industrie est en 1979 de 176 roubles (dans la construction : 191 roubles), celui d'un manœuvre se situe autour de 100 roubles, mais sur les chantiers du B.A.M. (la voie ferrée Baïkal-Amour) un ouvrier moyen gagne 360 à 370 roubles et ceux qui sont hautement qualifiés atteignent 500 roubles [90].

Enfin, la classe ouvrière est difficile à cerner car elle intègre constamment des paysans, pour qui le monde urbain et industriel est synonyme de mieux-être. Depuis 1974, les paysans ont reçu le droit de posséder un passeport intérieur; ils échappent ainsi à la situation serve qui était la leur jusqu'alors et peuvent quitter la campagne. Mal qualifiés, ils acceptent à la ville les emplois les moins rémunérés, qui constituent pourtant à leurs yeux un progrès certain, même si le pouvoir tente, par des mesures sociales et une amélioration de l'environnement rural, de les retenir à la campagne.

En dépit des progrès statuaires et matériels des deux dernières décennies, en dépit d'une discipline très affaiblie, les ouvriers soviétiques manifestent, lorsqu'ils sont interrogés, un mécontentement réel et qui s'est accru. Ainsi, dans une enquête effectuée en 1968, 54 % des ouvriers interrogés s'étaient plaints de l'insuffisance de leurs salaires. En 1973, après plusieurs hausses de salaires, les mécontents à cet égard sont 66 %. En outre, 70 % des ouvriers se plaignent des conditions de travail et 28 % portent un jugement négatif sur toute leur existence [91].

Mais les mesures prises en 1970-1980 par le gouvernement pour améliorer le fonctionnement de l'économie ont toutes chances d'accroître nettement les frustrations plus ou moins exprimées. Le pouvoir a en effet décidé de renforcer le contrôle sur les ouvriers, de mettre fin à l'absentéisme et surtout de limiter la mobilité de la main-d'œuvre. La réforme économique de juillet 1979 [92] prévoit, entre autres, l'organisation des travailleurs en brigades (méthode Zlobin), qui est un moyen de les encadrer et de les contrôler plus efficacement. Un décret de janvier 1980 restaure la discipline du travail, en prévoyant une série de sanctions sévères pour les retards [93], les flâneries au travail, les absences injustifiées. Ce durcissement des conditions de travail coïncide avec un durcissement dans l'attitude des dirigeants. Dès 1979, Tchernenko en appelait, pour améliorer la production, à une « discipline très stricte dans la production [94] » et il soulignait ce que sont les vertus ouvrières nécessaires au succès économique; le stakhanovisme, les dépassements du plan, l'enthousiasme ouvrier, la discipline, l'inspiration idéologique [95]. Il est remarquable qu'il n'évoque que des stimulants moraux et non des stimulants matériels.

Dans quelle mesure la classe ouvrière peut-elle se satisfaire de ces appels à l'ordre et au travail? Dans quelle mesure peut-elle accepter de voir la liberté dont elle jouissait considérablement réduite?

Un mouvement de protestation ouvrière est encore difficilement imaginable parce que la classe ouvrière n'a pas de cohésion, mais est désintégrée en groupes multiples que séparent les différences d'éducation, de compétence et de salaire. Elle n'a de plus aucune expérience d'organisation autonome, car les syndicats sont avant tout des organes de production, même s'ils sont censés défendre les intérêts de la classe ouvrière. Mais ces intérêts sont entendus comme « dépendants du progrès de la production ».

La création en 1978 (février et octobre) de deux mouvements ouvriers se présentant comme des *syndicats libres* est une manifestation importante du mécontentement ouvrier. Car il ne s'agit pas ici d'initiatives de l'intelligentsia, mais bien d'un mouvement parti de la classe ouvrière. Le premier syndicat — *Association des syndicats libres des ouvriers de l'Union soviétique* — a été fondé par un mineur, Klebanov, qui a rassemblé autour de lui des ouvriers sans emploi et qui s'est adressé à la fois aux organismes internationaux de défense des travailleurs et aux pouvoirs publics soviétiques pour manifester son existence et expliquer ses buts. Ce que soulignent les fondateurs du syndicat libre, c'est que toute initiative des ouvriers pour mettre en place des organismes de défense réelle de leurs intérêts, c'est-à-dire hors des syndicats officiels, est immédiatement sanctionnée en U.R.S.S. et transforme les intéressés en chômeurs. Ce syndicat est donc un rassemblement de ceux qui revendiquent un rôle autonome pour les ouvriers et de ceux qui ont déjà payé cette revendication de leur emploi, voire de leur liberté [96]. Rapidement neutralisé par la réaction policière (Klebanov a été expédié dans un hôpital psychiatrique), ce premier syndicat est remplacé aussitôt par l'*Association libre interprofessionnelle des ouvriers* (S.M.O.T.), qui tient une conférence de presse à Moscou le 28 octobre 1978. La différence essentielle entre le syndicat Klebanov et le S.M.O.T. qui part aussi d'une initiative ouvrière, est que les organisateurs du S.M.O.T. ont plus d'expérience politique que leurs prédécesseurs. Certains fondateurs du S.M.O.T. — tel Vladimir Borisov — ont déjà eu des activités politiques dans le passé, et le mouvement s'appuie sur la revue *Poiski,* bénéficiant ainsi d'un canal d'expression et d'une aide de l'intelligentsia. Les fondateurs du S.M.O.T. peuvent surtout tirer les leçons de l'expérience syndicale qui les a précédés et tenter par là d'assurer plus d'efficacité et de sécurité à leur organisation. Contrairement à son précédesseur, qui avait publié la liste des candidats à une éventuelle élection syndicale libre, le S.M.O.T. n'a rendu publics que les noms des 8 membres de son Conseil, mais dissimule l'identité des autres adhérents ou sympathisants. Pour les protéger, il a aussi adopté une organisation par groupes restreints, concentrés à Moscou et Leningrad. Mais, ici encore, les enregistrements sur bandes permettent au S.M.O.T. d'atteindre des sympathisants lointains, pour qui le syndicat a préparé un véritable matériel d'éducation politique et syndicale.

Il faut se garder tout en même temps d'exagérer la portée de ces initiatives ouvrières et d'en méconnaître l'importance. Sans doute s'agit-il d'initiatives extrêmement limitées : quelques centaines de personnes regroupées dans les plus grandes villes industrielles. Ces groupes sont, de surcroît, très vulnérables en raison de l'efficacité du K.G.B., mais aussi de la mobilisation de la classe ouvrière par le pouvoir, ce qui leur enlève dans l'immédiat toute chance d'être entendus par elle.

Mais, ces réserves faites, il faut prendre la mesure réelle de l'événement. Malgré le coup d'arrêt brutal que constitue l'arrestation des principaux meneurs identifiés des deux syndicats, il est remarquable qu'aussitôt le premier syndicat anéanti une relève soit apparue. Aussi limité que soit le nombre des ouvriers attachés à fonder des syndicats libres, la preuve est faite désormais qu'une volonté de changement existe sur ce point et que, pour l'imposer, des hommes sont capables d'affronter la privation de travail et surtout la privation de liberté. De plus, ces syndicats, par leur existence même, tout éphémère et menacée qu'elle ait été, ont posé le problème du droit de l'État à s'identifier aux ouvriers. Ils ont montré que l'unité de la société soviétique était un mythe, que le conflit entre État-Parti et ouvriers existait toujours dans la première des sociétés socialistes. Que les meneurs syndicaux soient taxés de schizophrénie, que la presse soviétique dénonce les syndicats libres comme une « manœuvre impérialiste et antisoviétique fomentée de l'étranger [97] » ne peut dissimuler le fait que l'attitude paternaliste de l'État soviétique à l'égard de ses ouvriers est désormais mise en question de l'intérieur même de la classe ouvrière de l'U.R.S.S. L'idée de la liberté syndicale, d'élections libres avec des candidats choisis par la classe ouvrière et non imposés par les organisations sociales a pénétré, même si c'est faiblement, dans la société soviétique.

Dès lors que cette idée chemine et s'étend dans d'autres pays socialistes, voire s'impose comme en Pologne, la répression des syndicats libres embryonnaires de l'U.R.S.S. compte moins pour l'avenir que les germes ainsi plantés et l'écho des événements extérieurs. Les tentatives de création de syndicats libres en U.R.S.S. sont d'abord un témoignage des frustrations ouvrières et de l'existence parmi les ouvriers d'une petite frange d'éléments politiquement conscients et prêts à l'action.

Au-delà du témoignage, se pose la question de l'extension du mouvement à la classe ouvrière soviétique. Peut-elle se mobiliser et devenir une force active? Sa grande faiblesse est son manque d'unité, qu'accroît l'arrivée permanente parmi elle d'éléments paysans. Cette hétérogénéité de la classe ouvrière engendre un grand degré d'indifférence politique plus que d'adhésion consciente au système en vigueur. Les enquêtes effectuées en milieu ouvrier en témoignent et montrent quelle fraction de la classe ouvrière serait perméable à l'agitation. Ce qui en ressort, c'est la différence d'attitude et de curiosité entre les ouvriers non qualifiés, dont le niveau d'éducation est faible, et les ouvriers qualifiés, qui ont reçu une éducation plus poussée (8 années d'études ou éducation secondaire incomplète). Les premiers se déclarent volontiers peu attirés par les activités socio-politiques et ne savent que peu de choses des réformes économiques qui pourtant les concernent directement. Ainsi, 63 % d'ouvriers interrogés à Taganrog et ayant fréquenté l'école pendant 4 ans seulement ont répondu qu'ils n'avaient pas la moindre idée du contenu des réformes [98]. De surcroît, ils ne manifestaient aucun désir d'être informés. En revanche, l'attitude des ouvriers ayant reçu une éducation secondaire complète ou incomplète était toute différente. Ils étaient, pour plus de 90 % d'entre eux, informés des réformes les intéressant, prêts, selon d'autres enquêtes — à Kharkov par exemple —, à participer (aux alentour de 80 %) à des activités socio-politiques [99]. Le contenu des bibliothèques familiales révèle les mêmes distorsions. Presque tous les ouvriers qualifiés d'Ukraine interrogés ont dit posséder chez eux des ouvrages politiques et être abonnés à des journaux, tandis qu'un tiers seulement des ouvriers non qualifiés avaient leurs propres livres, qui n'étaient pratiquement jamais politiques [100]. Ces enquêtes, dont on pourrait multiplier les exemples, témoignent de deux réalités : l'hétérogénéité de la classe ouvrière et le clivage par l'éducation, qui est lié en général à un clivage de générations. La généralisation de l'éducation secondaire de huit ans suggère que la catégorie des ouvriers peu éduqués recouvre des tranches d'âges plus élevées. Les jeunes ouvriers sont plus éduqués, plus intéressés politiquement. Si une politisation ouvrière, en dehors des structures officielles, s'opère, c'est dans cette partie de la classe ouvrière qu'elle se fera. Parce que les curiosités politiques y sont plus grandes. Parce que, aussi, ces ouvriers jeunes, relativement bien éduqués, ne sont pas satisfaits de leur condition sociale. Leur éducation est souvent trop élevée pour les emplois qu'ils occupent. Leur sentiment d'être déclassés dans le monde du travail est réel, d'autant plus que le travail manuel ne jouit d'aucun prestige, même lorsque les salaires qui le sanctionnent sont élevés. Sans doute l'extension de la méthode Zlobin à toute l'industrie est-elle destinée, entre autres finalités, à intéresser directement les ouvriers au travail, en donnant des responsabilités particulières et une certaine autonomie à la brigade [101]. Mais il est douteux que ceci suffise à apaiser les frustrations d'une jeunesse ouvrière bien éduquée et qui se heurte à un monde du travail dont la stratification s'accentue, où les chances de promotion diminuent et où la discipline restaurée impose de multiples contraintes. Il faut enfin se souvenir que, si les générations ouvrières plus âgées peuvent comparer leur condition présente à l'univers étouffant du stalinisme, la génération des moins de trente ans compare le climat de discipline et d'ordre moral en voie de restauration au laxisme des années précédentes, met en regard le piétinement économique que l'U.R.S.S. connaît [102] et la croissance rapide des années 70. Ici encore, ce sont les motifs de mécontentement qui l'emportent. C'est donc dans cette fraction jeune, éduquée, peu ou pas du tout marquée par un passé tragique, que pourrait naître une revendication ouvrière cohérente, dont on voit déjà, et cela ne doit pas être oublié, des signes avant-coureurs.

*
* *

La stabilité et l'unanimité apparentes de la société soviétique ne doivent pas faire totalement illusion. Sans aucun doute cette société reste parfaitement encadrée, disciplinée, unanime dans ses manifestations de soutien au pouvoir. Les journaux font une large place à cette « voix » de la société, qui exige avec vigueur la condamnation et le rejet de ceux qui, en pensant autrement, s'excluent de l'univers soviétique. Combien de mineurs du Donetz, de kolkhoziens perdus dans des campagnes lointaines, d'ouvriers modestes de Leningrad ou de Rostov-sur-le-Don pour écrire à la *Pravda* ou aux *Izvestia* et exprimer la « colère populaire » contre la « trahison » de Pasternak ou, plus tard, de l'académicien Sakharov [103]. A compiler ces manifestations innombrables, on devrait conclure que l'unité du Parti et du peuple est totale, et que les manifestations de désaccord ne sont que le signe d'un déséquilibre individuel qui mérite la pitié plus que l'indignation.

Pourtant, cette première conclusion qui part de comportements sociaux étendus doit être corrigée à la lumière de comportements sociaux de même envergure. La société soviétique est en proie à des maux sociaux condamnés par le Parti, et dont l'ampleur et le développement sont attestés non seulement par le Samizdat ou les témoignages des observateurs, mais par le pouvoir soviétique lui-même. La criminalité montante en est un aspect. Cependant, on ne le retiendra pas ici au chapitre des comportements étrangers à l' « homme nouveau » parce qu'elle fait partie du paysage urbain de toutes les sociétés industrielles et que l'urbanisation rapide de l'U.R.S.S. a été payée de ce prix. Deux phénomènes de masse en revanche sont caractéristiques de la société soviétique contemporaine et en rupture avec ses normes, l'alcoolisme et la fraude permanente. L'alcoolisme d'abord, dont les ravages sont impressionnants. Traditionnel comportement masculin, l'alcoolisme s'étend désormais aux femmes. Il est responsable d'innombrables accidents du travail et de drames familiaux. Le pouvoir soviétique tente de le freiner en augmentant sans cesse le prix des alcools. Les mesures de renforcement de la discipline du travail prévoient la répression de l'ivrognerie lorsqu'elle se manifeste sur le lieu de travail. Mais ce qui donne la mesure véritable de ce fléau social, c'est l'existence d'institutions spécialisées, les *dessaouloirs,* qui accueillent quotidiennement les ivrognes ramassés sur la voie publique. C'est surtout l'intégration de la lutte antialcoolique dans les organes gouvernementaux. Il est remarquable qu'il y ait désormais au sein du gouvernement de la république fédérative de Russie un *Comité pour combattre l'alcoolisme* [104], qui se situe dans la même catégorie institutionnelle que le Comité pour le contrôle populaire. Cet alcoolisme généralisé est une manifestation de fuite dans un autre univers que l'univers quotidien;

même s'il ne traduit pas un désaccord de la société il rend compte au minimun d'une insatisfaction généralisée. Et l'extension de ce phénomène, en dépit des entraves économiques et de la mobilisation constante de propagandistes et d'éducateurs sur ce thème, montre nettement les limites de leur influence.

La fraude généralisée est un autre aspect de la réalité soviétique. La société soviétique « triche » en permanence et à tous les niveaux avec l'État. Sur les heures de travail, sur le bien public — voler l'État ce n'est voler personne —, avec les statistiques, les réalisations du plan, etc. Généralement l'État ferme les yeux sur la fraude courante, car elle est un moyen de survie. De temps à autre, il découvre les gros fraudeurs et les réprime en allant parfois jusqu'à la peine de mort. Mais aussi, il intègre parfois dans son système des éléments qui se situent à mi-chemin de la débrouillardise et de la fraude et qui pourtant sont indispensables à son fonctionnement. C'est ainsi que le *Tolkatch* [105] (intermédiaire entre les entreprises et les administrations, chargé de procurer n'importe comment, par les voies les plus contestables, aux entreprises les autorisations, biens d'équipement ou pièces détachées leur permettant de fonctionner), longtemps regardé avec suspicion et tenu en tout cas pour une excroissance inacceptable du système économique, est en train d'y être intégré et d'acquérir une respectabilité et un statut [106]. Les oscillations et l'empirisme du pouvoir face à la fraude permanente n'en limitent ni l'usage ni la signification. Tout Soviétique sait qu'il faut, pour être sauf, connaître les limites dans lesquelles la fraude est possible. Et l'on peut dire que la fraude est aussi stratifiée que la société, qu'à chaque niveau statutaire correspondent des pratiques et une ampleur particulières. La fraude a aussi sa géographie et elle est liée dans certaines républiques, au Caucase notamment, à une tradition séculaire. C'est pourquoi fraude et volonté de défi à l'égard du pouvoir central se confondent volontiers, et la répression de la fraude est alors perçue comme une atteinte aux droits nationaux. Mais, d'une république à l'autre ou d'un milieu à l'autre, il reste que les comportements asocialistes sont la règle en U.R.S.S., ce qui est un autre indice de la distance qui sépare l' « homme nouveau » de son double vivant. L'homme soviétique est un *homme double* [107], et l'unanimité ne concerne que l'une des faces de cet homme double.

Ce que l'alcoolisme, les tricheries, la dualité de l'homme soviétique, voire la criminalité montrent, c'est l'existence dans le consensus social de failles profondes. Mais ces failles ne sont souvent pas perçues comme telles par les intéressés, ni articulées. Révélatrices des limites de la transformation sociale, ces « défenses » des hommes ne conduisent à aucune organisation de la société, bien au contraire elles contribuent à l'apaiser. L'alcool, la fraude sont des exutoires aux frustrations, tout autant qu'elles les manifestent.

Il en va tout autrement des manifestations de désaccord plus ou moins explicitées que sont la dissidence ou l'indifférence des intellectuels, le réveil d'une conscience religieuse, le ralliement aux symboles de la nation et les premiers pas hésitants d'un syndicalisme indépendant. Ce que toutes ces manifestations ont en commun, c'est qu'elles mettent en avant un système de valeurs, des signes d'identification qui ne sont pas ceux de la culture politique soviétique. Toutes prétendent séparer deux sphères idéologiques, celle du pouvoir, qu'elles ne mettent pas obligatoirement en question, et celle des choix et des fidélités personnels. Par là même, ces manifestations introduisent dans l'univers soviétique des germes de pluralisme idéologique qui sont inacceptables à un système dont la raison d'être est le monolithisme des idées et le monopole de l'autorité. Ces manifestations de désaccord, aussi faibles et dispersées soient-elles, enlèvent au système sa légitimité, fondée sur l'adhésion unanime de la société qu'il s'emploie constamment à organiser, car elles démontrent que l'adhésion n'est pas unanime, ni certaine.

Enfin, ce qui est nouveau dans le désaccord, ce sont les tentatives faites pour l'organiser.

« Ceux qui pensent autrement », dans tous les domaines, sont passés progressivement du stade du dissentiment individuel, solitaire, à la volonté d'expliciter ce dissentiment et d'unir autour des idées ainsi dégagées d'autres consciences en quête de changement. L'*explication* et le *rassemblement* sont les premiers pas, mais des pas décisifs, sur la voie de l'action politique. Dès lors que des individus se regroupent autour d'intérêts et d'idées auxquels ils s'identifient, une société n'est plus tout à fait informe ni amorphe; on peut y entrevoir les germes d'une société civile. Le rassemblement permet en effet d'exprimer les revendications, d'attirer autour d'elles de nouvelles sympathies et d'accéder progressivement, par la pression ou le dialogue, à la sphère close du pouvoir. La société soviétique est encore loin sans aucun doute d'être une société civile capable de se dresser en face du pouvoir, mais on y décèle des éléments propices à une telle évolution. Faut-il rappeler que l'histoire russe, plus qu'aucune autre, a été caractérisée par une extraordinaire passivité sociale mais que, sporadiquement, des tourmentes sont parties du fond de cette société immobile, menaçant chaque fois d'emporter le pouvoir, et qu'en 1917, les circonstances extérieures aidant, elles l'ont définitivement détruit? L'histoire ne se répète pas, sans doute, mais toute société a des traditions profondément enracinées en elle et l'histoire récente de l'U.R.S.S. montre que la société soviétique est composée d' « hommes nouveaux » qui restent farouchement attachés à des traits anciens.

CONCLUSION

A l'historien du présent qui assiste à un événement, celui-ci semble d'abord décisif. Mais, avec le temps, l'événement perd souvent de sa signification, jusqu'à s'effacer, dans certains cas, du souvenir. La chute de Khrouchtchev en 1964 a retenti dans le monde comme un coup de tonnerre, même si son départ semblait alors plus important que l'arrivée au pouvoir d'une équipe dont on attendait qu'elle assure une simple transition. Près de deux décennies plus tard, l'émotion du moment est confirmée par les faits. Octobre 1964 a bien été une date capitale dans l'histoire politique de l'Union soviétique. Une époque s'ouvre alors, caractérisée par une exceptionnelle stabilité intérieure, la personnalisation extrême du pouvoir, la transformation internationale de l'U.R.S.S. de puissance régionale en superpuissance globale. Si les tendances qui définissent l'évolution de l'U.R.S.S. après octobre 1964 sont claires, si l'importance d'octobre 1964 est incontestable, une question subsiste, celle qui concerne la signification réelle de cette date et de la période qui suit. Est-ce que 1964 est une rupture radicale dans l'histoire soviétique, l'engagement dans une voie nouvelle, ou bien est-ce tout simplement le passage d'une politique connue à une autre politique connue, dans le cadre d'une histoire cyclique, caractérisée par une continuité fondamentale? L'autorité manifeste de Brejnev, la chasse aux dissidents, l'expansionnisme extérieur ont inspiré des jugements sans nuances. Après le « dégel » de Khrouchtchev, l'ère de Brejnev ne serait qu'un retour aux « glaciations » staliniennes.

La distance est grande pourtant du stalinisme au système soviétique actuel, et rien ne paraît dans son fonctionnement et son évolution conduire à nouveau au stalinisme.

Le pouvoir de Staline était caractérisé par la dictature personnelle, le volontarisme, l'arbitraire total dans ses relations avec la classe politique tout autant qu'avec la société, enfin par le fait que tout y était imprévisible.

Le pouvoir soviétique est désormais, et depuis près de deux décennies — la *durée* est ici très importante car elle pèse en faveur de la stabilité —, exercé par une oligarchie qui s'exprime au nom du Parti unique et, à bien des égards, le représente réellement. Ce pouvoir oligarchique est fondé sur plusieurs éléments.

Tout d'abord sur le maintien, au sommet de la pyramide, d'une équipe cohérente — le noyau permanent du Politburo — installée depuis 1964 et que soude la volonté de perpétuer son pouvoir en écartant toute solution alternative. Cette coalition a pu durer parce que l'accord existe en son sein sur quelques points essentiels qui définissent les règles de fonctionnement du pouvoir à ce niveau suprême. Elle se réserve le pouvoir de décision, mais l'exerce collectivement. Une certaine unanimité lui est nécessaire, même s'il y a débat, au moment où la décision est prise et rendue publique. Brejnev a d'ailleurs souligné que le Politburo ne votait que rarement, que la discussion y durait aussi longtemps qu'il le fallait pour atteindre au consensus [1]. Sous Khrouchtchev, au contraire, où le Praesidium était divisé, le vote était une pratique courante [2]. L'unanimité qui règne dans la coalition lui a permis de mettre en avant un dirigeant qui la représente, qui incarne ses solidarités, mais qui à aucun moment ne menace de la déborder. La personnalisation du pouvoir par le secrétaire général du Parti témoigne, dans la période ouverte en 1964, de l'autorité globale du Parti, de l'unité et de l'accord de ceux qui sont placés au sommet. Le pouvoir de Brejnev découle de la confiance de ses pairs, il est limité par eux, il est en définitive l'incarnation du consensus de la coalition. D'ailleurs, les succès et les échecs sont désormais associés au système tout entier, beaucoup plus qu'à celui qui le personnalise. Brejnev émerge de la classe politique comme son représentant, comme l'incarnation de la puissance de l'U.R.S.S., mais son prestige personnel, avec les passions qu'il soulève, est loin d'atteindre celui dont jouissaient Khrouchtchev et plus encore Staline.

Ce consensus autour du leader et dans la décision est fondé sur le refus d'aborder des problèmes générateurs de conflits, où un compromis serait difficile à atteindre. La coalition s'est donné pour but premier, dès 1964, de maintenir l'esprit collégial qui l'avait soudée et portée au pouvoir; ceci impliquait l'asbence de débats fondamentaux, donc un pragmatisme systématique au lieu de projets utopiques qui sont générateurs de divisions; ceci impliquait la reconnaissance du rôle et des intérêts de chaque membre de la coalition.

Le second fondement du pouvoir oligarchique instauré en U.R.S.S. en 1964 est le lien entre la coalition et les grandes bureaucraties. Les membres de la direction suprême de l'U.R.S.S. ont atteint le sommet parce qu'ils représentent des bureaucraties et non à titre personnel. Le Politburo n'est plus un rassemblement de personnes luttant pour accroître leur domaine de compétence ou leur influence, mais le lieu où les divers appareils bureaucratiques sont représentés et où leurs intérêts sont pris en compte et s'équilibrent. Ceci signifie-t-il que le pouvoir soviétique ait évolué vers un pluralisme institutionnel, c'est-à-dire vers la représentation équitable des appareils? Sans aucun doute, non. Dans ce système, le Parti reste l'élément intégrateur. C'est en son sein, et d'abord dans le Politburo, que les différentes bureaucraties accèdent à la sphère du pouvoir. Le Politburo est le lieu d'arbitrage entre les intérêts bureaucratiques, mais c'est le Parti qui exerce cet arbitrage. Il est important de constater que, lorsque Brejnev, secrétaire général du Parti, est absent du Politburo, la présidence des séances est assurée par Souslov ou Kirilenko, c'est-à-dire par les deux hommes qui suivent Brejnev dans la hiérarchie du Parti, et non par le chef du gouvernement ou par le chef de l'État, avant que Brejnev n'accède à ce poste. La prééminence de la hiérarchie du Parti sur tous les appareils de l'État soviétique est clairement montrée. Le Parti assure aussi son autorité sur les bureaucraties qu'il associe au pouvoir par la *Nomenclature,* qui lui donne un contrôle sur leurs dirigeants.

Le troisième fondement de ce pouvoir, c'est la reconnaissance des aspirations des élites bureaucratiques. Khrouchtchev avait engagé en 1956 le système dans cette voie, mais il avait rapidement, par les incohérences de ses choix, perdu le soutien de ces élites. En en appelant à la circulation constante des élites, en s'appuyant alternativement sur des élites différentes (les militaires, les élites régionales ou nationales, etc.), en les jouant les unes contre les autres, il avait recréé chez elles un sentiment d'insécurité — insécurité de l'emploi et non plus insécurité physique — qui les a finalement dressées contre lui.

La coalition brejnevienne, née de ces frustrations et de ces craintes, a assuré la sécurité aux élites. L'absence de décisions importantes, conflictuelles, y a considérablement contribué. Les réformes effectuées au fil des ans ont pris en compte les avantages acquis, tout en permettant d'assurer la montée de nouveaux venus. Deux exemples en témoignent. L'élargissement du Comité central, utilisé traditionnellement pour éliminer des adversaires, a servi depuis 1964 à promouvoir des cadres qui piétinaient, tout en maintenant en place ceux qui appartenaient à ce corps. Le programme d'investissement dans les régions agricoles défavorisées de la R.S.F.S.R. a ouvert les portes du Comité central aux secrétaires d'Obkom des régions bénéficiaires de ce plan et accru par là même la représentation du groupe tout entier au Parlement du Parti. Presque toutes les décisions prises ont ainsi stabilisé les situations existantes et assuré un certain élargissement des élites. A cet égard, le pouvoir brejnevien a bien mérité des privilégiés. Il a restauré certains privilèges supprimés par son prédécesseur. Il a surtout mis fin à l'idée utopique qu'il fallait en revenir à un certain égalitarisme, en limitant les privilèges et en renouvelant ceux qui y ont accès par la rotation des cadres. Depuis octobre 1964, les élites savent que leur emploi et les privilèges qui y sont liés leur sont garantis. Les conséquences d'un tel choix sont claires. La stabilité des années brejneviennes a permis l'épanouissement d'élites puissantes, sûres d'elles, attachées à leur statut, à ses avantages, à la possibilité de se reproduire. Ces élites soutiennent la coalition qui exerce le pouvoir, parce qu'elles lui doivent leur propre part de pouvoir et la stabilité de leurs positions. C'est là le fondement de leur fidélité aux dirigeants de l'U.R.S.S. Mais cette fidélité est conditionnelle. Les élites veulent être à l'abri de toute initiative, de tout changement qui menacerait leurs positions et leur capacité d'autoreproduction. Le pouvoir des dirigeants trouve là ses limites. Ses choix doivent coïncider avec les intérêts des élites bureaucratiques et, pour cela, le moyen le plus sûr est encore d'éviter les grands changements, les décisions radicales qui obligatoirement remettent en question des intérêts particuliers.

Ce consensus à l'intérieur du groupe dirigeant et entre lui et les élites lui assure une grande sécurité, mais le condamne aussi à l'immobilisme. Il ne peut que gérer ce qui existe et qui est accepté de tous.

A considérer l'évolution du système politique soviétique sur près de deux décennies, on y voit deux époques distinctes et qui se complètent. La première va de 1964 à 1976. Elle a été marquée par l'institutionnalisation d'un pouvoir collégial, par l'institutionnalisation aussi de la représentation des bureaucraties qui le sous-tendent et celle des procédures. On atteint ainsi un système difficilement définissable si l'on en appelle aux catégories de la pensée politique occidentale, qu'Alec Nove a baptisé le *pluralisme centralisé*. Même si le terme *pluralisme* est générateur de malentendus, il a le mérite de traduire une tendance à la représentation de groupes bureaucratiques différents, ayant sur certains points des intérêts distincts. Cette tendance est particulièrement claire dans le domaine de l'économie et de la gestion. Au début des années 70, une discussion se développe en U.R.S.S. qui sépare le politique de l'économique et considère que la rapidité du progrès scientifique et technique impose de laisser une large autonomie à ceux qui ont une compétence réelle pour diriger l'économie ou l'administration. Est-ce l'ère des « managers » qui s'ouvre? La création d'un *Institut d'administration de l'économie nationale,* en 1971, l'influence croissante du gendre de Kossyguine, Gvichiani, dans les débats le suggèrent. Certains auteurs vont jusqu'à proposer que les « managers » soient recrutés par *concours,* sur la base de leurs compétences, mettant ainsi implicitement en question le principe de la Nomenclature, donc la possibilité, pour le Parti de maintenir son contrôle et ses critères dans le choix des dirigeants. Le Parti lui-même semble un moment encourager la promotion de professionnels compétents auxquels il ouvre ses rangs.

Mais, à partir du milieu de la décennie, et le XXV⁰ Congrès en 1976 en rend compte, s'ouvre la seconde étape, où le Parti montre avec netteté *qui* détient le pouvoir.

La mise en avant du secrétaire général (la personnalisation du pouvoir se développe dans cette phase), la concentration dans ses mains des fonctions étatiques et de l'autorité militaire suprême soulignent que le pouvoir est l'affaire du Parti et qu'il domine tous les appareils. La Constitution de 1977 va dans le même sens lorsqu'elle affirme, et c'est la première fois que l'on trouve cette précision dans un texte fondamental de l'État, que le Parti est la *force dirigeante* de l'U.R.S.S. L'autorité du Parti s'affirme aussi dans le débat sur les critères politiques et la compétence. Partout les critères politiques l'emportent, et Mikhaïl Souslov souligne à maintes reprises que l'esprit de Parti — *Partiinost'* — est la caractéristique première de l'aptitude à exercer des responsabilités dans n'importe quel domaine. La politique des cadres du Parti rend compte de cette insistance nouvelle sur sa primauté. Le Parti fait confiance avant tout à ceux qui ont derrière eux une longue carrière dans l'appareil. Ce qui ne signifie pas pour autant qu'ils soient des bureaucrates incompétents, car le Parti recrute dans les milieux les plus éduqués, il insiste sur la formation technique de ses cadres et dispose ainsi, aux niveaux décisifs — régional surtout —, de dirigeants qui sont en même temps des hommes d'appareil et des spécialistes de bon niveau des problèmes concrets qu'ils doivent traiter [3]. La « professionnalisation » du Parti, qui s'est effectuée un temps par ouverture au monde des professionnels, se poursuit mais de l'intérieur.

L'évolution du système politique soviétique depuis 1964 n'est pas anodine. Le système a progressé vers la collégialité, la réduction continue du pouvoir personnel, en dépit d'une personnalisation parallèle du pouvoir, la sécurité assurée à tous ceux qui participent au système. Sans doute, sur un point fondamental, le système soviétique n'arrive pas à sortir de l'enfance : par son incapacité à assurer un système de succession normal, connu, régulier. Mais, hormis cette faiblesse, le progrès vers l'institutionnalisation est certain. Cependant, ce progrès, et ceci est une caractéristique essentielle du système soviétique, se situe *à l'intérieur de la sphère du pouvoir* et à l'intérieur de la culture politique soviétique. Il ne concerne que ceux qui participent au pouvoir et ne modifie pas les rapports du pouvoir avec la société.

Ici aussi, des éléments de changement sont apparus qui ont pesé différemment selon les moments.

Le pouvoir soviétique est resté fidèle, après 1964, dans son refus de recourir à nouveau à la terreur. Mais ce choix, qui a modifié profondément les comportements sociaux — la disparition de la discipline dans le domaine du travail en est une manifestation —, impliquait un nouveau type de relations avec une société qui, libérée de la peur, a commencé à exprimer ses besoins matériels et parfois son désir d'une plus grande liberté. Le développement continu de la mobilisation sociale a été l'une des réponses du pouvoir à ce problème. En multipliant les organes de participation populaire et les appels à participer, le pouvoir s'efforce, dans le même temps, de connaître en permanence les aspirations et les réactions de la base, d'en inclure ce qui est possible dans ses choix, d'endiguer et de contrôler les mouvements sociaux. A aucun moment de l'histoire soviétique la participation sociale n'a été aussi étendue et multiforme, à aucun moment le pouvoir n'en a aussi clairement précisé les finalités et les limites. Des revendications populaires, il a retenu en premier lieu celles qui concernent les besoins matériels de la société. L'austérité n'est plus depuis longtemps une vertu qui mobilise les Soviétiques. De là les efforts de cette équipe pour régler les problèmes économiques les plus urgents. Le plan quinquennal adopté en 1966 avait des objectifs moins grandioses que ceux qu'avançait Khrouchtchev — « rattraper et dépasser les États-Unis » —, mais il témoignait d'une reconnaissance des défauts du système économique soviétique et de l'attention prêtée au consommateur. Cependant, la volonté de répondre aux besoins sociaux s'inscrit toujours dans les limites d'une même exigence, sauvegarder les principes essentiels du système : centralisme, priorité permanente accordée à l'industrie lourde et militaire et, après 1964, souci de ménager l'autorité des cadres politiques. Le pouvoir soviétique oscille ainsi entre une volonté de réalisme économique et les pesanteurs du système. Toutes ses réformes essaient de combiner ces deux préoccupations. La réforme économique de 1965 allie l'initiative accordée localement aux entreprises et le système de planification centralisée et autoritaire. La réforme d'avril 1973 sur les *associations industrielles* est avant tout un constat de l'échec de la réforme de 1965, qui s'est heurtée partout à l'inertie bureaucratique. La réforme de 1979, qui tente, une fois encore, d'améliorer le fonctionnement de l'économie, est enfermée dans le même dilemme : comment encourager les initiatives sans enlever la moindre autorité aux organes du pouvoir central? Ce débat perpétuel entre les priorités du système et l'intérêt de la société a affaibli la portée d'une politique par ailleurs raisonnable. Les allocations de ressources consenties aux secteurs trop oubliés de l'industrie légère ont permis d'augmenter et d'améliorer quelque peu la production des biens de consommation. Mais ces efforts ont été totalement insuffisants, parce que le pouvoir a maintenu en même temps la traditionnelle priorité accordée au secteur A. Les améliorations qui en ont résulté ont d'abord réconforté la société, puis, parce qu'elles étaient sans commune mesure avec les besoins sociaux, ont exaspéré les frustrations des consommateurs.

L'agriculture, éternel problème des dirigeants soviétiques depuis la révolution, a été un autre champ d'action de l'équipe brejnevienne, qui a cherché tout à la fois à faire enfin la paix avec la paysannerie et à améliorer la production. Pour faire la paix entre le pouvoir et la campagne [4], bien des dispositions ont été prises. Investissements si considérables dans l'agriculture qu'Alec Nove [5] écrit : « par opposition au temps où l'agriculture était exploitée au bénéfice de l'industrie, elle devient désormais une charge majeure pour le reste de l'économie. »

Les avantages matériels et statutaires concédés aux paysans

sont les pièces centrales de cette politique de réconciliation. La production livrée à l'État est payée plus cher; les kolkhozes, dont la contribution à la vie du consommateur est essentielle (ils fournissent encore 60 % des pommes de terre, 30 % des légumes et des produits laitiers, 35 % des œufs, etc. [6]), sont presque alignés, pour les conditions d'existence, sur les sovkhozes. Les kolkhoziens ont désormais un salaire minimum garanti, un système d'assurances et des retraites. L'État reconnaît aussi de manière toujours plus ferme que le secteur privé de l'agriculture a sa place dans l'économie soviétique; la Constitution de 1977 y fait référence, de même que Léonid Brejnev dans la *Trilogie* qui lui a valu le prix Lénine de littérature. N'écrit-il pas qu' « un paysan qui n'a pas sa terre est un arbre sans racines [7] »?

Le pouvoir a même créé en 1969 une structure de participation propre à la paysannerie coopérative, le *Conseil des kolkhozes,* qui fonctionne à divers niveaux territoriaux — république, région, district — et permet en principe aux représentants de ce secteur de l'agriculture de communiquer et éventuellement de participer à l'administration économique du niveau correspondant.

Enfin, la délivrance des passeports intérieurs aux paysans a mis fin à leur situation serve et en a fait des citoyens à part entière.

Pour importantes qu'elles aient été, ces réformes n'ont pas suffi à régler les problèmes qui pèsent sur l'U.R.S.S. Les nouveaux droits des paysans ne les réconcilient pas avec une campagne qui a perdu son cadre de vie matériel et spirituel. De plus, le pouvoir, ici aussi, est incapable d'aller au bout de ses choix. Il veut, tout en même temps, rassurer les paysans, les gagner, mais aussi intégrer toujours plus la campagne au mode de vie soviétique. Les unités agricoles — sovkhozes et kolkhozes — sont atteintes de gigantisme [8]; l'urbanisation de la campagne se poursuit inexorablement, transformant les campagnes en pitoyables succédanés des villes; l'avenir c'est la ville agricole, *l'agrogorod.* On comprend pourquoi les paysans, dès lors que la liberté de mouvement leur est reconnue, fuient cette campagne dont le paysage social est défiguré et, à terme, condamné pour aller vers ce qui reste le modèle, la ville véritable. La production agricole se ressent de la désertion des éléments jeunes et actifs et, au bout de la chaîne, le consommateur constate que l'État est incapable d'assurer un progrès continu de l'économie. Toutes les réformes conduisent au bout de quelques années vers des impasses. Et ces impasses sont inéluctables, parce que les réformes s'inspirent d'une volonté de résoudre les problèmes sans toucher à ce qui les a engendrés pour l'essentiel : la centralisation. l'initiative dévolue aux seules bureaucraties, le refus de laisser le corps social participer à la gestion de ses intérêts. Ce choix du pouvoir soviétique a des conséquences inévitables. Toutes les réformes éveillent des espoirs. Leur succès mitigé ou leur semi-échec accroît les frustrations et les demandes sociales. Deux réponses sont alors possibles. Des réformes profondes, dans tous les domaines, desserrant l'étau de la centralisation, accordant une part d'initiative et de pouvoir à tout le corps social. Un tel réformisme modifierait le système et porterait atteinte aux droits et privilèges de la classe dirigeante. C'est pourquoi le pouvoir soviétique, ébranlé par les timides initiatives de ce type prises entre 1953 et 1964, refuse totalement la voie du réformisme. La logique de la coalition mise en place en 1964, son assise bureaucratique, le soutien de tous les appareils, c'est précisément ce refus de modifier le système. L'autre option, c'est le retour pur et simple à la coercition, et cela non plus l'équipe brejnevienne ne peut l'envisager. La coercition ne peut s'accommoder de l'institutionnalisation croissante du pouvoir, de la sécurité que la classe dirigeante s'est assurée. La sécurité du pouvoir est liée à la transformation du mode de relation avec la société. Refusant à la fois la contrainte et le réformisme, le pouvoir se condamne à l'immobilité absolue. Après avoir fait preuve d'un certain dynamisme, le système soviétique est totalement bloqué.

Comment justifier ce blocage, face à des demandes sociales qui s'expriment plus ou moins clairement? L'époque brejnevienne n'est pas seulement caractérisée par cette évolution vers l'immobilisme, mais aussi par le progrès général de la société et de sa conscience. L'éducation généralisée, la peur qui s'estompe, les signes multiples des hésitations du pouvoir, l'information extérieure, tout a contribué à modifier les comportements sociaux. Si la masse des citoyens soviétiques se contente de « grogner », il est manifeste qu'elle le fait de plus en plus fort. Le mécontentement contre *leur* incapacité à répondre aux besoins quotidiens est évident dans tous les propos. Mais la « grogne » populaire est déjà un phénomène dépassé dès lors que de la société émergent des groupes qui expriment ces mécontentements, et qui cherchent des moyens de les organiser afin de pouvoir peser sur le système politique. La société, aussi passive qu'elle soit encore, constate l'existence de ces groupes. Elle constate surtout que les demandes articulées par des groupes et non par des individus ont parfois des résultats positifs. Le droit à l'émigration, même s'il est limité et payé très cher par les intéressés, a été acquis par la communauté juive, voire par des Allemands, parce qu'ils se sont rassemblés, ont formulé des intérêts communs, cherché des appuis à l'extérieur. Que des pentecôtistes, si désarmés par ailleurs, aient compris cette leçon au point de se regrouper et de s'adresser au président des États-Unis témoigne que l'idée du rassemblement autonome, comme moyen d'action, progresse en U.R.S.S.

Les Soviétiques entrevoient que les structures de participation mises en place par le pouvoir ont pour finalité de véhiculer les seules demandes sociales que le pouvoir peut accepter. C'est pourquoi l'idée de syndicats indépendants capables de présenter des demandes non contrôlées, donc de mobiliser la société ouvrière dans des structures de participation en compétition avec les structures officicielles, n'a pas sa place dans les conceptions soviétiques. La rapidité et la dureté avec lesquelles les tentatives syndicales de ce type ont été réprimées contrastent avec les hésitations du pouvoir lorsqu'il s'agit de briser l'action de dissidents isolés.

Cette société mieux éduquée, comment lui faire accepter encore un système incapable d'écouter ses demandes et de résoudre ses problèmes? L'absurdité de la situation est éclatante. Lorsqu'il a confisqué le pouvoir il y a plus de soixante ans, le Parti a invoqué sa mission historique — il était porteur du progrès social — et le retard de la société. Au début des années 80, le Parti est incapable, pour sauvegarder son pouvoir, de réaliser le moindre progrès, tandis qu'une société évoluée reste dépossédée du pouvoir, dont elle saurait user à son profit. Quelle est désormais la légitimité dont se réclament les dirigeants soviétiques? Max Weber a recensé trois types de légitimité[9]. Une légitimité *charismatique* fondée sur l'autorité totale d'un homme; une légitimité *rationnelle-légale* qui fait appel à la conviction que le système établi et ses règles reposent sur la légalité; enfin, une légitimité fondée sur la *tradition*. Le système soviétique a connu une période de légitimité charismatique à ses débuts, celle de Lénine, père de la Révolution et fondateur du système. La légitimité stalinienne a été plus complexe. Elle s'est coulée dans le charisme hérité de Lénine, parce que Staline s'est posé en seul et vrai héritier de Lénine et qu'il a tué tous ses concurrents potentiels, parce qu'il a appuyé son autorité sur celle du Parti auquel il s'est pleinement identifié, parce que enfin il a revendiqué une mission historique, celle du *modernisateur* et du fondateur du premier État socialiste du monde. Les successeurs de Staline ont voulu recourir à la légitimité rationnelle-légale, en restaurant l'autorité idéologique du Parti, en revenant à la *légalité socialiste,* en rationalisant le système dans tous les domaines. La sécurité et la prospérité devaient être les moyens pour la société de constater cette légitimité et d'y adhérer. Mais cette légitimation du système a échoué sur deux plans. Une fraction de la société s'est emparée de la *légalité socialiste* pour exiger la reconnaissance de droits et d'une compétence *civique.* Ainsi, le sens donné à la *légalité socialiste* par le pouvoir et celui qui lui est donné par les secteurs les plus actifs politiquement de la société divergent totalement. Quant à la prospérité, l'immobilisme du système l'a condamnée. Le pouvoir soviétique n'a pas de légitimité rationnelle-légale, parce que la société sait — au moins dans certains secteurs — que la légalité n'est pas ce que le Parti désigne de ce nom et que la rationalité bute sur les impératifs du maintien du système. Ce qui légitime le pouvoir désormais, c'est tout simplement qu'il existe et se perpétue. C'est une simple légitimité de tradition, où le pouvoir invoque la mission historique du Parti et son *savoir.* Est-ce qu'un parti révolutionnaire et porteur de progrès social peut se maintenir au pouvoir par une simple légitimité de tradition? Non, sans aucun doute. C'est pourquoi, incapable de trouver une légitimité interne, le pouvoir soviétique se réfugie désormais dans une légitimité de puissance, fondée sur son action extérieure. Cette recherche d'un nouveau type de légitimité explique la situation paradoxale de l'U.R.S.S. A l'intérieur, le pouvoir ne rencontre que des difficultés croissantes — économie en dégradation, société plus consciente dont des secteurs entiers mettent en question le monolithisme existant — auxquelles il oppose un attachement inflexible aux fondements du système et l'immobilisme. Mais, à l'extérieur, le même pouvoir fait preuve d'une flexibilité et d'un dynamisme qui lui ont permis de hisser l'U.R.S.S. au rang des États-Unis. La puissance militaire accumulée, la puissance navale nouvellement acquise — en 1964 l'U.R.S.S. était pratiquement absente des mers —, l'expansion en Afrique, en Asie, des relations normalisées avec l'Europe et les États-Unis, la reconnaissance des acquisitions est-européennes de 1945, tout cela c'est l'œuvre des successeurs de Khrouchtchev. Les septuagénaires prudents du Kremlin ont été, en politique extérieure, des hommes d'État audacieux et novateurs, prenant au dépourvu, par des initiatives innombrables, tous les gouvernants. Leur flexibilité internationale n'est pas moins remarquable que leur esprit d'entreprise. Avec le monde occidental, ils parlent un langage de paix et de stabilité. « La détente est irréversible. » Mais, en même temps, là où la détente ne s'applique pas, dans le Tiers-Monde, l'U.R.S.S. poursuit une œuvre de déstabilisation, fondée soit sur le soutien aux « volontés nationales », soit sur l'exploitation des « chances révolutionnaires ». Pour cette double politique — « détente » d'un côté, déstabilisation de l'autre —, tous les instruments politiques et extrapolitiques sont utilisés : relations diplomatiques, partis communistes ou organisations de sympathisants, relations économiques, fournitures d'armements, activités scientifiques et éducatives, etc.

On a ainsi l'impression qu'il existe deux Union soviétique juxtaposées. Un pays vulnérable, où le système doit faire le compte de ses échecs. Une puissance triomphante, qui n'enregistre pas que des succès, certes, mais qui a montré sa capacité à intervenir à tout moment efficacement à l'autre extrémité du globe. De même que l'homme soviétique est double, le pouvoir soviétique semble atteint de dédoublement.

Mais il faut faire appel à Lénine pour comprendre ce qu'il y a derrière cette apparente contradiction. Le fondateur de l'U.R.S.S. disait : « Il est faux et périlleux de séparer politique intérieure et politique extérieure. » Et son lointain successeur Brejnev lui fait écho en disant : « Notre politique extérieure est notre grand moyen de politique intérieure. »

Cette continuité de l'espace intérieur à l'espace mondial, c'est ce qui reste en U.R.S.S. de l'internationalisme originel. Et chaque dirigeant s'en sert à sa manière. Staline justifiait son pouvoir en invoquant la menace que faisait peser sur l'U.R.S.S. l'*encerclement capitaliste*. Khrouchtchev avait constaté la fin de l'encerclement et tenté d'ouvrir l'U.R.S.S. au monde extérieur pour résoudre ses problèmes. Ses successeurs ont retenu de ses ouvertures la possibilité de freiner la course aux armements et aussi d'apporter à une économie défaillante et à une technologie attardée les bénéfices des échanges Est-Ouest. Mais l'équipe brejnevienne va bien au-delà. Par une politique extérieure dynamique, elle vise plusieurs buts. Trouver une légitimité dans les succès extérieurs. La progression du communisme dans le monde n'est-elle pas un témoignage irréfutable de la mission historique du Parti ? Ne montre-t-elle pas que sa mission est loin d'être achevée ? La puissance internationale est aussi un moyen remarquable de protéger le système contre ses difficultés internes. Les citoyens soviétiques savent que le pouvoir soviétique ne veut pas user de la coercition contre eux, mais qu'il a les moyens militaires d'écraser n'importe quel mouvement de masse. Ils savent aussi que la puissance soviétique contraint le reste du monde à accepter comme définitif l'ordre communiste en U.R.S.S. et dans l'Est européen, et qu'aucun soulèvement national ou ouvrier ne pourra bénéficier d'une aide extérieure. Par sa puissance internationale, le système soviétique définit ainsi les limites des revendications de ses administrés. La puissance extérieure de l'U.R.S.S. est à la fois destinée à protéger le système et à lui donner un nouveau dynamisme, que les succès remportés depuis 1975 en Afrique et en Asie confortent. Sans doute peut-on dire que l'affaiblissement du monde occidental, ses divisions, la déstabilisation de l'Afrique, de l'Asie et de l'Amérique latine ne sont pas toujours le résultat direct de la politique soviétique, ni toujours à son bénéfice. Mais l'idéologie soviétique a évolué dans la période brejnevienne, abandonnant la vision ouverte du monde esquissée par Khrouchtchev pour en revenir, sinon au manichéisme stalinien, tout au moins à une conception plus structurée et dualiste des forces mondiales.

La détente s'inscrit dans le cadre d'une compétition à long terme entre l'Est et l'Ouest, qui suppose des vainqueurs et des vaincus. Et tout ce qui affaiblit le monde occidental renforce le monde soviétique.

Trois questions se posent ici. Premièrement, ce progrès mondial de l'U.R.S.S. mobilise-t-il la société dans un élan patriotique et compense-t-il à ses yeux les difficultés internes? Il est clair que la réponse est négative. D'abord, parce que la société est sensible à ses difficultés immédiates et qu'elle évalue aisément le coût de la puissance. Staline, pour la mobiliser, usait d'une argumentation logique. Il disait à ses administrés : « Nous sommes encerclés, parce que nous sommes faibles. » Ses successeurs affirment tout à la fois que l'U.R.S.S. est toute-puissante, que l'Occident est affaibli, ravagé par une crise grave, *et* que l'U.R.S.S. est menacée. Habitués à contempler la puissance militaire de leur pays, bercés de ses succès, les Soviétiques ont du mal à ressentir réellement une menace venant de l'extérieur. Le pays qui les effraie réellement c'est la Chine, proche et innombrable, et dont ses dirigeants lui disent qu'elle est en pleine décomposition. Cette argumentation complexe et contradictoire est peu mobilisatrice. Le patriotisme, qui tient une place croissante dans le système de valeurs soviétique, à la mesure du rôle croissant joué par l'armée, a aussi une grande faiblesse.

Depuis longtemps, ce patriotisme soviétique s'emplit d'un contenu russe. Parce que le passé auquel on fait référence est russe; parce que la langue et les traditions de l'armée, grande porteuse de ce patriotisme, sont russes. Et cette *russification du* patriotisme soviétique contribue à en limiter le rôle, dans la mesure où il ne concerne plus qu'une partie — la moitié à peine — de la population soviétique. Pour tous les autres, ce patriotisme est symbole de domination.

Une deuxième question concerne la manière dont cette politique étrangère — la seule politique active du pouvoir soviétique — est décidée. Qui décide de cette politique? Est-elle le fruit d'un consensus de la classe politique ou bien le résultat de conflits? On a coutume de tracer une ligne de démarcation dans la classe politique soviétique entre ceux qui seraient les artisans de ce dynamisme, les « durs » ou « faucons », et les « colombes » qui tenteraient désespérément de contenir les premiers. Cette division qui tente de replacer le système soviétique dans des catégories traditionnelles ne s'accorde pas à l'analyse des faits réels. Qu'il y ait débat autour de toutes les décisions, qu'il y ait des désaccords, cela est certain. Mais que des clivages permanents partagent des personnes et des groupes, cela heurte l'évidence. Devant chaque problème les dirigeants soviétiques réagissent en fonction d'une situation donnée et non d'une attitude préétablie. Pour le comprendre, il faut considérer le cercle étroit où s'élabore la politique extérieure. Les quatorze hommes appelés à se prononcer (cf. tableau en annexe III) sont en majorité membres du Politburo et du Secrétariat, c'est-à-dire qu'ils expriment avant tout les intérêts du Parti. Ils sont presque tous interchangeables, par l'âge et par le cursus. Pour la plupart, ils appartiennent à la génération née entre 1900 et 1910; à un milieu social modeste; ils ont presque tous été formés dans des instituts techniques, industriels ou agricoles, dans les années du premier plan quinquennal, et ont atteint des positions importantes dans l'appareil du Parti et de l'État à la faveur des purges ou de la guerre. Ils ont depuis lors travaillé côte à côte et survécu côte à côte au stalinisme et aux embûches de la déstalinisation. Cette communauté d'origine, de génération, de formation, d'expérience crée sans aucun doute une vision commune des problèmes. De plus, cinq membres de ce groupe, Souslov, Ponomarev, Gromyko, Patolitchev et Skatchkov, ont été impliqués dans les problèmes de politique extérieure, au même poste, pendant plus de deux décennies. La continuité des carrières contribue aussi à créer une perception commune des faits. Cette équipe a pris dans le même temps des décisions contradictoires. En 1968 elle décide de mettre fin au printemps de Prague et en 1969 elle « normalise » brutalement la Tchécoslovaquie. Mais elle tend alors le rameau de paix à l'Europe occidentale et s'engage dans la voie de la détente. Faut-il considérer que les « faucons » ont parlé plus haut pour la Tchécoslovaquie et les « colombes » plus haut pour la détente ou qu'il y a eu un marchandage pour donner satisfaction aux uns et aux autres? Mais, là encore, ce que l'on sait des positions défendues par certains dirigeants ne permet pas de soutenir l'idée d'un tel découpage. Ainsi Souslov, que l'on classe immanquablement dans le camp des « faucons » parce qu'il parle au nom de la rigueur idéologique, a plaidé contre l'intervention en Tchécoslovaquie, dont il voyait les effets idéologiques négatifs. La même logique lui fait adopter une attitude réservée à l'égard de la détente. Brejnev, que l'on crédite volontiers du titre de « colombe » et de partisan acharné de la détente, a défendu continûment les intérêts de l'industrie lourde et poussé en avant nombre de ses anciens collaborateurs qui représentent désormais au sommet le *complexe militaro-industriel*, dont on fait le centre des « faucons ». Khrouchtchev lui-même, que l'on oppose volontiers à ses successeurs comme apôtre de la coexistence, a été bien plus loin qu'eux dans la voie de la confrontation avec l'Occident (à Berlin en 1961 et à Cuba en 1962) et a fait preuve au Moyen-Orient d'un aventurisme qui faisait frémir Molotov, l'ancien ministre des Affaires étrangères de Staline, catalogué pourtant comme « dur ». Ce sont les circonstances qui inspirent les positions, et le Parti, ici comme dans le domaine intérieur, décide en tenant compte des enjeux, dont le premier est son autorité.

Une dernière question concerne l'avenir de l'U.R.S.S. Elle est liée au déplacement de l'activité gouvernementale du champ intérieur au champ international.

Dans quelle mesure la relève politique qui doit avoir lieu, en vertu tout simplement des lois de la nature, sera-t-elle affectée par la politique extérieure? Les militaires ou le K.G.B. [10], dont le rôle international s'accroît, sont-ils par là mieux placés désormais dans la course au pouvoir? Et, en retour, la relève est-elle de nature à infléchir la politique extérieure?

La réponse découle d'une simple observation du fonctionnement soviétique et des précédents historiques. Ce que le système et le passé montrent, c'est que le pouvoir est toujours tombé dans les mains de ceux qui contrôlaient la machine du Parti et qui étaient là bien placés pour manipuler les hommes et les postes. Ces « hommes forts » se sont toujours présentés dans la course au pouvoir en défenseurs du système, de son idéologie, de l'ordre, et se sont appuyés sur les appareils correspondants. Staline a utilisé la police, Khrouchtchev en 1956 et ses successeurs en 1964 ont pris appui sur l'armée, contraignant leurs rivaux à se placer hors de la tradition et à en appeler à des forces dispersées et secondaires. Il est plus que vraisemblable que la relève viendra de l'intérieur du système, en s'appuyant sur ses valeurs et sur les forces militaires et policières. La politique extérieure pourra, en d'autres mains, différer sur de nombreux points, mais sa logique restera identique, elle aura à conforter le pouvoir et à le perpétuer.

En définitive, ce qui ressort de l'analyse du système soviétique c'est son anachronisme et ses contradictions. Les améliorations apportées au système de gouvernement ont transformé une tyrannie personnelle sanglante en dictature administrative d'une oligarchie. Mais cette transformation ne modifie pas le fond du système, elle l'aménage. Le système soviétique est resté identique à lui-même depuis soixante ans. Le pouvoir reste aux mains d'un groupe dirigeant cohérent, appuyé sur des appareils bureaucratiques; il détient toujours le contrôle de toutes les ressources nationales et est par là le véritable propriétaire de l'État. Du sommet à la base de cette pyramide du pouvoir se distribuent les privilèges liés aux fonctions exercées. L'assise du pouvoir dans ce système est très spécifique. Elle n'est pas liée en effet à la possession du capital, mais découle du simple fait que l'on se situe à l'intérieur de la sphère du pouvoir et que l'un des privilèges fondamentaux que confère cette position est la possibilité de la perpétuer. La classe dirigeante et ses ramifications s'autorecrutent et se reproduisent. Leur volonté de conserver leurs positions et leurs privilèges, leur capacité absolue de tout contrôler ont considérablement réduit la mobilité sociale au cours des deux dernières décennies. Mais la société a changé. La conscience sociale, que le pouvoir s'efforce de mobiliser complètement, découvre qu'elle est dépossédée d'un pouvoir qui lui revient. Elle sait qu'elle n'obtiendra rien par l'intermédiaire des structures de participation qui lui sont offertes, qu'elle doit chercher ses propres structures de rassemblement pour accéder enfin à la sphère du pouvoir et le modifier. Que cette conscience sociale soit encore faible, dispersée, mal exprimée importe peu, l'essentiel existe, c'est ce décalage absurde et perçu entre un pouvoir pétrifié qui survit pour survivre, incapable de s'adapter à la réalité sociale, et une société changée. La puissance extérieure démesurée n'est d'aucune utilité à l'intérieur, sinon comme force d'intimidation et de dissuasion. Pour Lénine, l'histoire des sociétés humaines était un perpétuel affrontement : *Kto kogo?* « Qui aura raison de qui ? » Telle est en effet la question ultime : d'un pouvoir pétrifié, acharné à se perpétuer et d'une société vivante acharnée à vivre, qui aura raison de qui ?

POLITBURO 1952-1980

Date des Plenums qui ont modifié la composition du Politburo

Date
16 Oct. 52
6 Mar. 53
7 Juil. 53
12 Juil. 55
27 Fév. 56
14 Fév. 57
29 Juin 57
29 Oct. 57
3 Nov. 57
17 Déc. 57
18 Juin 58
5 Sept. 58
4 Mai 60
16 Juil. 60
18 Janv. 61
31 Oct. 61
25 Avr. 62
23 Nov. 62
13 Déc. 63
14 Oct. 64
16 Nov. 64
26 Mar. 65
9 Déc. 65
8 Avr. 66
21 Juin 67
9 Avr. 71
23 Nov. 71
19 Mai 72
18 Déc. 72
27 Avr. 73
16 Avr. 75
5 Mar. 76
26 Mai 77
3 Oct. 77
27 Nov. 78
27 Nov. 79
23 Juin 80

	Nom
V.M.	ANDRIANOV
A.B.	ARISTOV
L.P.	BERIA
L.I.	BREJNEV
N.A.	BOULGANINE
M.F.	CHKIRIATOV
N.M.	CHVERNIK
N.G.	IGNATOV
S.D.	IGNATEV
P.F.	IOUDIN
I.G.	KABANOV
L.M.	KAGANOVITCH
N.S.	KHROUCHTCHEV
D.S.	KOROTCHENKO
A.N.	KOSSYGUINE
O.V.	KUUSINEN
V.V.	KOUZNETSOV
G.M.	MALENKOV
V.A.	MALYCHEV
L.G.	MELNIKOV
N.A.	MIKHAILOV
A.I.	MIKOIAN
V.M.	MOLOTOV
N.S.	PATOLITCHEV
N.M.	PEGOV
M.G.	PERVOUKHINE
P.K.	PONOMARENKO
A.M.	POUZANOV
M.Z.	SABOUROV
I.V.	STALINE
M.A.	SOUSLOV
D.I.	TCHESNOKOV
I.F.	TEVOSIAN
K.I.	VOROCHILOV
A.Ia.	VYCHINSKI
A.G.	ZVEREV

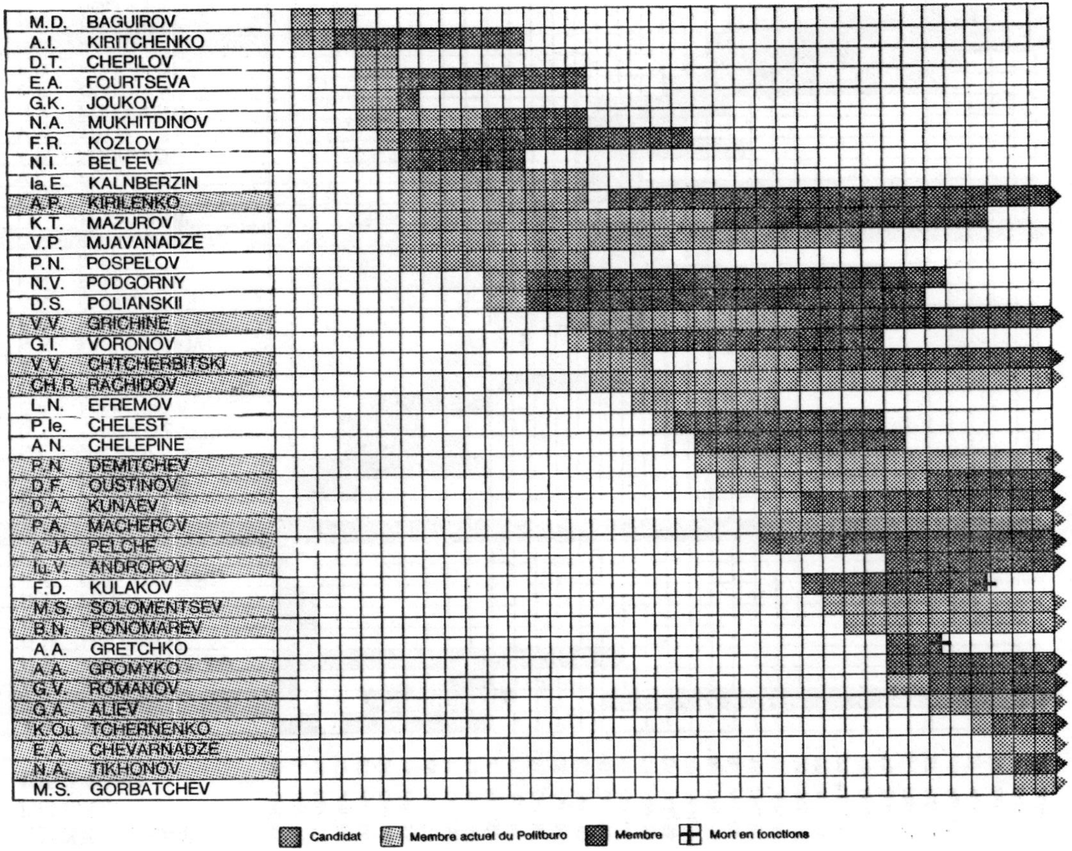
M.D. BAGUIROV
A.I. KIRITCHENKO
D.T. CHEPILOV
E.A. FOURTSEVA
G.K. JOUKOV
N.A. MUKHITDINOV
F.R. KOZLOV
N.I. BEL'EEV
Ia.E. KALNBERZIN
A.P. KIRILENKO
K.T. MAZUROV
V.P. MJAVANADZE
P.N. POSPELOV
N.V. PODGORNY
D.S. POLIANSKII
V.V. GRICHINE
G.I. VORONOV
V.V. CHTCHERBITSKI
CH.R. RACHIDOV
L.N. EFREMOV
P.Ie. CHELEST
A.N. CHELEPINE
P.N. DEMITCHEV
D.F. OUSTINOV
D.A. KUNAEV
P.A. MACHEROV
A.JA. PELCHE
Iu.V. ANDROPOV
F.D. KULAKOV
M.S. SOLOMENTSEV
B.N. PONOMAREV
A.A. GRETCHKO
A.A. GROMYKO
G.V. ROMANOV
G.A. ALIEV
K.Ou. TCHERNENKO
E.A. CHEVARNADZE
N.A. TIKHONOV
M.S. GORBATCHEV
Candidat
Membre actuel du Politburo
Membre
Mort en fonctions

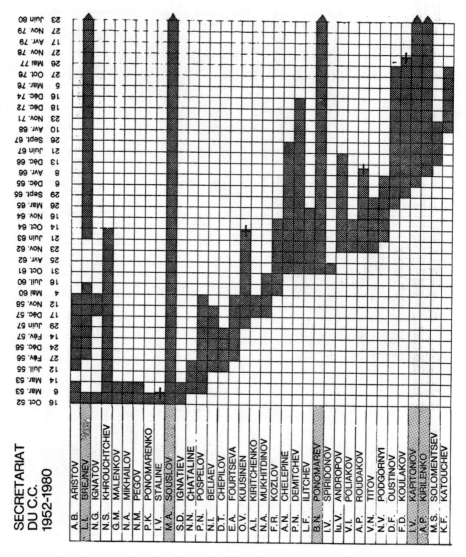

Date des Plenums affectant la composition du Secrétariat

SECRETARIAT
DU C.C.
1952-1980

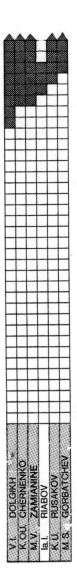

SECRETARIAT DU C.C. 1952-1980

Noms :
- V. I. DOLGIKH
- K. OU. CHERNENKO
- M. V. ZAMIANINE
- Ia. I. RIABOV
- K. U. RUSAKOV
- M. S. GORBATCHEV

Dates :
16 Oct. 52 · 6 Mar. 53 · 14 Mar. 53 · 12 Juill. 55 · 27 Fév. 56 · 24 Déc. 56 · 14 Fév. 57 · 29 Juin 57 · 17 Déc. 57 · 12 Nov. 58 · 4 Mai 60 · 16 Juill. 60 · 31 Oct. 61 · 25 Avr. 62 · 23 Nov. 62 · 21 Juin 63 · 14 Oct. 64 · 16 Nov. 64 · 26 Mar. 65 · 29 Sept. 65 · 6 Déc. 65 · 8 Avr. 66 · 13 Déc. 66 · 21 Juin 67 · 26 Sept. 67 · 10 Avr. 68 · 23 Nov. 71 · 18 Déc. 72 · 16 Déc. 74 · 5 Mar. 76 · 27 Oct. 76 · 26 Mai 77 · 27 Nov. 78 · 17 Avr. 79 · 27 Nov. 79 · 23 Juin 80

Légende :
- Membre actuel du secrétariat
- Membre du secrétariat
- Mort en fonctions
- 1. Date approximative

ANNEXE I

APPAREIL EXÉCUTIF DU C.C. DU P.C.U.S. EN JUIN 1980

I. — | POLITBURO |

14 membres : Andropov, Brejnev, Grichine, Gromyko, Kirilenko, Kossyguine, Kunaev, Oustinov, Pelche, Romanov, Chtcherbitski, Souslov, Tchernenko, Tikhonov.
9 candidats : Aliev, Chevarnadze, Demitchev, Gorbatchev, Kouznetsov, Macherov, Ponomarev, Rachidov, Solomentsev.

II. — | SECRÉTARIAT |

L. I. Brejnev : secrétaire général.
Secrétaires : Dolgikh, Gorbatchev, Kapitonov, Kirilenko, Ponomarev, Rousakov, Souslov, Zimianine, Tchernenko.

III. — | COMITÉ DE CONTRÔLE DU PARTI |

A.Ia. Pelche.

ADMINISTRATION DU C.C. DU P.C.U.S.

Départements du Comité central *		Année de naissance	Position
Administration	G. S. Pavlov	1910	C.C.
Agriculture	V. A. Karlov	1914	C.C.
Cadres à l'étranger	N. M. Pegov	1905	C.C.
Commerce	I. I. Kabkov	?	Cand. C.C.
Construction	I. N. Dimitriev	1920	C.C.C.
Constructions de machines	V. S. Frolov	?	Cand. C.C.
Culture	V. F. Chauro	?	Cand. C.C.
Département général	K. U. Tchernenko	1911	P.
Industrie de défense	I. D. Serbine	?	Cand. C.C.
— lourde	V. I. Dolgikh	1924	C.C.
— chimique	V. I. Listrov	—	
— légère et alimentaire	F. I. Motchaline	1920	C.C.C.
Département international	B. N. Ponomarev	1918	P.
Information internationale	L. M. Zamiatine	1922	C.C.
Liaison avec les PC et les partis ouvriers des pays socialistes	K. V. Rusakov	1909	C.C.
Organes administratifs	N. I. Savinkin	?	Cand. C.C.
Planification et finances	B. I. Gostev	?	Cand. C.C.
Propagande	E. M. Tiajel'nikov	1928	C.C.
Sciences et Éducation	S. P. Trapeznikov	1912	C.C.
Transports et communications	K. S. Simonov	1917	C.C.C.
Travail organisationnel du Parti	I. V. Kapitonov	1915	C.C.

(*) Les noms soulignés sont ceux des membres du Secrétariat
C.C. = Membre du Comité central. (Pour les Candidats = Cand. CC)
C.C.C. = Membre de la Commission centrale de contrôle
P. = Membre du Politburo

ANNEXE III

GROUPE « DÉCIDEUR » EN POLITIQUE EXTÉRIEURE[1]

Noms	Fonctions	Années de naissance
L. I. Brejnev	Secrétaire général du P.C.U.S. Président du Praesidium du Soviet suprême Président du Conseil de défense Membre du Politburo	1906
A. N. Kossyguine	Président du Conseil des ministres Membre du Politburo	1904
M. A. Souslov	Second secrétaire du C.C. Membre du Politburo	1902
A. A. Gromyko	Ministre des Affaires étrangères Membre du Politburo	1909
Iu. V. Andropov	Président du K.G.B. Membre du Politburo	1914
D. S. Oustinov	Ministre de la Défense (chargé des problèmes des industries de défense) Membre du Politburo	1908
B. N. Ponomarev	Secrétaire du C.C. Responsable du département international du C.C. Membre du Politburo	1905
K. V. Rousakov	Secrétaire du C.C. Responsable du département Liaisons avec les P.C. et les partis ouvriers des pays socialistes Membre du C.C.	1909
I. V. Arkhipov	Vice-président du Conseil des ministres et président de la Commission du commerce extérieur au Conseil des ministres Membre du C.C.	1907

1. Source : ce tableau est établi avec la liste donnée par Hough (J.) dans *The Coming Generational Change in the Soviet Foreign Policy making Elite*, paper. AAASS, 14 oct. 1977, p. 1 à 3.

Noms	Fonctions	Années de naissance
N. S. Patolitchev	Ministre du Commerce extérieur Membre du C.C.	1908
S. A. Skatchkov	Président du Comité d'État aux relations économiques extérieures Membre du C.C.	1907
N. M. Pegov	Responsable du département des « cadres à l'étranger » au C.C. Membre du C.C.	1905
A. M. Alexandrov Agentov	Assistant de L. Brejnev au Secrétariat général Candidat du C.C.	?
V. F. Mal'tsev	Premier ministre adjoint aux Affaires étrangères Membre du C.C.	1917

NOTES

CHAPITRE PREMIER

1. L'analyse de PLAMENATZ (J.), *Man and Society,* Londres, 1963, vol. II, chapitre VI, est très stimulante sur ce point.

2. MARX ENGELS, *Werke* (Berlin 1961), XXI, p. 167.

3. *Ibid,* XXII, p. 198.

4. BERDIAEV (N.), *Les sources et le sens du communisme russe,* Paris, 1970, p. 121.

5. Sur le concept cf. Père I. MEIENDORFF in Auty & Obolensky eds., *Companion to Russian studies,* vol. I, p. 315 sqq.

6. *Op. cit.,* p. 40 à 42.

7. PASCAL (P.), *La révolte de Pougatchev,* Paris, 1971, 260 p. La révolte de Stenka Razine se situe en 1670, celle de Pougatchev en 1773-1775.

8. BERDIAEV, *op. cit.,* p. 114.

9. *Obchestvennoe dvijenie v Rossii 60-70 gody XIX veka,* Moscou, 1958; VENTURI (F.), *Les intellectuels, le peuple et la révolution,* Paris, 1972, 2 vol., retrace leur itinéraire. BAYNAC (J.), *Les socialistes révolutionnaires,* Paris, 1979, 395 p.

10. *Polnoe sobranie sotchinenii,* t. 33, p. 1-120 (5ᵉ édition) désigné plus loin : *Polnoe...*

11. C'est la démonstration de SUKHANOV (N.), *Zapiski o revoliutsii,* Berlin, 1922-1923, 7 vol; on peut en lire la présentation condensée de CARMICHAEL (J.), *The russian revolution 1917,* Londres, 1955, 691 p. ou l'édition française abrégée, Paris, 1965, 371 p.

12. FERRO (M.), *La révolution de 1917 et la chute du tsarisme,* Paris, 1967, p. 255 sqq.

13. GALKIN (I.), *Sovety kak taktitcheskaia problema revoliutsii,* Moscou, Leningrad, 1928, p. 99 sqq. Cf. « La vision de cette stratégie par le XXᵉ Congrès », *Voprosy Istorii,* 1957, p. 17-42.

14. *La commune* in Rubel. éd. *Pages de Karl Marx,* Paris, 1970, vol. II, p. 128-129.

15. *Protokoly TSK RSDRP,* Moscou, 1958, p. 138

16. *VIII s'ezd RKP (b) mart 1919. Protokoly,* Moscou, 1959, p. 428-429.

17. LÉNINE, *Polnoe...* t. XXVII, p. 277-278; sur la réalité du pouvoir à cette époque, GORODETSKII (E. N.), *Voprosy Istorii* 8, 1955, p. 26-39.

18. LÉNINE, *ibid,* p. 279.

19. RIGHBY (H.), « Politics in the mono-organizational society », *Authoritorian*

Politics in Communist Europe: uniformity and diversity in one-Party States, Berkeley, 1976.

20. *VIII s'ezd RKP (b)*, op. cit., p. 390-410.

21. *Polnoe...* t. 33, p. 93.

22. *Ibid*, t. 27, p. 315.

23. MATTHEWS (M.), *Privilege in the Soviet Union*, Guildford, 1978, p. 67.

24. DANILOVA (E. N.), *Deistvuiuschtchie zakonodatel'stvo o trude SSSR*, Moscou, 1927, vol. I, p. 358.

25. *Pravda*, 18 décembre 1927, définit les tâches de la Tcheka.

26. ROSENBERG (A.), *Histoire du bolchevisme*, Paris, 1967, 359 p.; pour une discussion utile de ce point.

27. *Literaturnaia gazeta*, n° 16, 5 août 1929, éditorial; permet de comparer l'idéologie des humbles et celle du tournant.

28. CARR (E.A.), *The bolchevik revolution*, Londres, 1966, t. I, p. 167-174.

29. *Ibid.*, p. 187 sqq.

30. MATTHEWS, *op. cit.*, p. 89. PARCHIN (M.Ia), *L'goty voenno-slujachtchim i ih sem'iam*, Moscou, 1976.

31. BOLDYREV (N.I.), éd. *Direktivy VKP (b) i postanovlenie sovetskogo pravitel'stva o narodnom obrazovanii*, Moscou, 1947, 2 vol., les décrets de 1918-1920 figurent dans le volume I. Cf. Lenine, *O vospitanie i obrazovanie*, Moscou, 1963, p. 337-349.

32. *Pravda*, 7 mars 1929.

33. *Pravda*, 21 décembre 1929. Discours de Staline, *Sotchineniia*, Moscou, 1951, vol. XIII p. 55, 59-68.

34. MATTHEWS, *op. cit.*, p. 106.

35. Cité par CONNOR, *Socialism Politics and Equality*, Columbia, 1979, p. 250.

36. Sur sa première manifestation, *Dekrety Sovetskoi Vlasti*, vol. III, p. 552.

37. MURRAY (N.), *Ispied for Stalin*, New York, 1951, p. 84.

38. ALEXEIEV (T.D.), *Jilichtchnoe zakonodatel'stvo*, Moscou, 1947, p. 164; donne des détails précis sur les loyers de l'armée et du NKVD.

39. MATTHEWS, *op. cit.*, p. 123.

40. *Gosudarstvennye Universitety*, Moscou, 1934, p. 12-44 et DE WITT (N.), *Education and professionnal Employment in the USSR*, Washington, p. 655.

41. MOVCHOVITCH (M.I.), KHODJAEV (A.M.), *Vyschaia chkola*, Moscou, 1948, p. 65.

42. Cité par Sr. FITZPATRICK, *The Commissariat of Enlightenment*, Cambridge, 1970, p. 220.

43. Sur les avantages afférents, *Bol'chaia Sovetskaia Entsiklopedia*, Moscou, 1939, vol. 43.

44. MATTHEWS, *op. cit.*, p. 121.

45. *Literaturnaia gazeta*, n° 60, 29 octobre 1935 et n° 65, 24 novembre 1935; STAKHANOV (A.), *Razkaz o moei jizni*, Moscou, 1937.

46. *Literaturnaia gazeta*, n° 4, 20 janvier 1939.

47. CARRÈRE D'ENCAUSSE (H.), *Staline, l'ordre par la terreur*, Paris, 1979, chap. IV.

48. *Ibid.*, p. 66.

49. *Ibid*, p. 59.

50. GUINZBOURG (E.), *Le ciel de la Kolyma*, Paris, 1980, p. 335-346.

CHAPITRE II

1. *Pravda*, 10 juillet 1953.

2. KOLKOWITZ (R.), *The Soviet Army and the Communist Party*, p. 127, *The New York Times*, 24 décembre 1953.

3. Sur toute cette période, deux ouvrages éclairent les changements : TATU (M.), *Le pouvoir en U.R.S.S.*, Paris, 1967, 604 p. et LINDEN (C.), *Khruschchev and the Soviet Leadership*, Baltimore, 1966, XII, 273 p.

4. *Pravda*, 6 avril 1953.

5. BERMAN (H.), *Justice in the U.S.S.R.*, Cambridge, 1963, p. 66 sqq.

6. *Pravda*, 4 mars 1951; 5 mars 1951; *Bakinski Rabotchii*, 26 mai 1951.

7. DJILAS (M.), *Conversations avec Staline*, Paris, 1962, p. 78 sqq.

8. *Izvestia*, 9 février 1954, *Sovetskoe Gosudarstvo i Pravo*, 3 (mars) 1956, p. 6-7.

9. *Deputaty Verkhovnogo Soveta*, 1958.

10. C'est la première fois que l'on oppose, au C.C., les réussites occidentales aux dysfonctionnements de l'économie soviétique.

11. DINERSTEIN (H.), *War and the Soviet Union*, New York, 1962, p. 28 sqq.

12. *XX S'ezd Kommunistitcheskoi partii Sovetskogo Soiuza, Stenografitcheskii otchet*, Moscou, 1956, 2 vol.

13. NEKRITCH (A.), *Otrechis' ot straha*, Londres, 1979, p. 119 sqq.

14. *Ibid.*

15. TCHOUKOVSKAIA (L.), *Entretiens avec Anna Akhmatova*, Paris, 1980, p. 278.

16. TATU, *op. cit.*, p. 117-125.

17. *Izvestia*, 8 et 11 mai 1957.

18. *Izvestia* 28-3-1958;1-4-1958.

19. *Pravda*, 4 juillet 1957.

20. *XXII S'ezd K.P.S.S.*, t. I, p. 251 sqq.

21. TATU, *op. cit.*, p. 274-275.

22. *Ibid.*

23. BLACKWELL (R.E.) Jr., *Cadres Policy in the Brejnev Era, Problems of Communism*, mars-avril 1979, p. 32-33.

24. MATTHEWS (M.), *Privilege in the Soviet Union*, Londres, 1972, p. 101.

25. *Izvestia*, 24 et 25-12-1958.

26. *Izvestia*, 15 et 16-1-1960, suivi de décisions contradictoires, *Pravda*, 9 juillet 1961, *Pravda*, 5 décembre 1963.

27. PICHUGINA (I.P.), *Pravo na obrazovanie v S.S.S.R.*, Moscou, 1957, p. 89.

28. *Ibid.*, p. 83.

29. *Ibid.*, p. 90.

30. RUTKEVITCH (M.N.), SENNIKOVA (L.I), in *Sotsial'nye razlitchiia i ikh preodolenie*, Sverdlovsk, 1969, p. 60 sqq., montrent le peu d'effet de la réforme sur la composition sociale du milieu étudiant.

31. TATU, *op. cit.*, p. 275.

32. *Pravda*, 25 novembre 1962 et *Spravotchnik partiinogo rabotnika*, Moscou, 1964, p. 300 sqq.

33. Cf. par exemple, *Belorusskaia S.S.S.R., Kratkaia Entsiklopedia*, 1979, t. I, p. 101, 145, 186, 212, 388, 406, qui donne la composition des secrétariats d'Obkom depuis 1938.

34. *Spravotchnik partiinogo rabotnika*, 1964, p. 299.

35. *Plenum Tsentral'nogo Komiteta Kommunistitcheskoi Partii Sovetskogo Soiuza*, (24-26 mars 1965), Moscou, 1965, p. 89.

36. *Programma Kommunistitcheskoi Partii Sovetskogo Soiuza, Proekt*, Moscou, 1961, version révisée, Moscou, 1968.

37. *Pravda*, 7 mars 1964 et *Kommunist*, 15 (octobre) 1964, p. 42-46.

38. COCKS (P.M.), « The purge of Marshal Zhukov », *Slavic Review*, XXII, n° 3 (septembre) 1963, p. 48-49. *Pravda*, 3 novembre 1957.

39. *Pravda*, 12 mai 1963; sur l'histoire de la publication, SOLJENITSYNE (A.), *Le chêne et le veau*, Paris, 1975, p. 65 sqq.

40. *Pravda*, 22 décembre 1962, lance l'attaque contre les arts.

41. *Pravda*, 16 octobre 1964.

1. Constitution de 1977, *Konstitusiia (osnovnoi zakon)* Moscou, 1977, chap. I, art. 2, p. 6.

2. *Ibid.*, art. 6.

3. HOUGH (J.F.), FAINSOD (M.), *How the Soviet Union is governed,* Harvard, 1979, p. 409.

4. RESHETAR (J.S.), *The Soviet Polity,* New York, 1978, p. 115.

5. *Partiinaia Jizn',* 10 (mai) 1976, p. 13-22.

6. Compilé à partir de Reshetar, *op. cit.,* p. 115-119.

7. *Voprosy Istorii,* 5 mai 1970, p. 13-15, sur le fonctionnement des instances suprêmes durant la guerre.

8. Le C.C. est convoqué 6 fois entre mars 1953 et février 1956.

9. MEDVEDEV (R.), *Le Stalinisme,* Paris, 1972, p. 241 sqq.

10. Les listes des membres des C.C. ont été compilées à partir de la presse soviétique et de *Bol'chaia Sovetskaia Entsiklopedia Ejegodnik.*

11. Les notices nécrologiques publiées par la *Pravda* permettent de suivre l'évolution du C.C.

12. *Partiinaia Jizn'* 10 (mai) 1976, p. 13-22.

13. *Ibid.*

14. GALAY (N.), « Military representation in the Higher Party echelons », *Bulletin Institute for the study of the U.S.S.R.,* III, n° 4, (april 1956), p. 6-7. Liste des élus dans les comptes rendus des congrès, *XXII S'ezd...* III, p. 356-360; *XXIII S'ezd,* p. 381 sqq, *XXIV S'ezd,* II, p. 313-318 et *Pravda,* 6 mars 1976.

15. *Bol'chaia Sovetskaia Entsiklopedia Ejegodnik,* 1977.

16. *Ibid.*

17. *Ibid.*

18. *Ibid.*

19. *Pravda,* 6 et 7 mars 1979.

20. Un autre critère est la représentation des travailleurs : les travailleurs sont en majorité russes et en minorité ukrainiens. Les autres républiques n'ont pas d'élus issus de ce groupe.

21. DANIELS (R.V.) in *The Dynamics of Soviet politics,* Harvard, 1976, p. 78.

22. Née en 1923, élue pour la première fois en 1971, directement membre titulaire du C.C., cette ouvrière est « représentative » de la catégorie des travailleurs.

23. DANIELS, *op. cit.,* p. 80.

24. La périodicité théorique est de deux réunions par an. Les dates des plénums ont été compilées à partir de *Bol'chaia Sovetskaia Entsiklopedia Ejegodnik.*

25. *Plenum Tsentral'nogo Komiteta — Stenografitcheskii otchet,* Moscou, 1959-1965.

26. *Pravda,* 23 juin 1980.

27. Pour le plénum des 27-30 novembre 1979, *Pravda,* 28-29-30 novembre et 1ᵉʳ et 2 décembre 1979. Présentation du plan par N.K. Baibakov; du budget par le ministre des Finances V.F. Garbuzov.

28. LEVITSKY (B.), *The Soviet political elite,* Stanford, 1970, p. 745-747.

29. Le dernier remaniement date de novembre 1979, *Pravda,* 13 novembre 1979.

30. Comme en 1973 dans le Politburo de 1953 (*Pravda,* 7 juillet 1953), on trouve les 3 ministres (Défense, Affaires étrangères, Police).

31. La représentation républicaine n'était assurée que par 2 suppléants en 1953. (*Pravda,* 7 juillet 1953), et progresse à partir de 1957 (*Pravda,* 19 décembre 1957).

32. La police n'a pas été représentée depuis la chute de Béria en 1953 (*Pravda,* 7 juillet 1953), l'armée était représentée par Boulganine; puis après la chute de Joukov (1957) n'est plus représentée jusqu'en 1973. L'entrée d'Andropov et Gretchko les y ramène. (*Pravda,* 28-4-1973).

33. Cf. par exemple le C.C. de novembre 1979, *Pravda*, 13 novembre 1979.

34. LEVITSKY (B.), *The Soviet political elite*, op. cit., p. 745-757.

35. Sur le fonctionnement du Secrétariat, *Voprosy Istorii K.P.S.S.*, 12 décembre 1976, p. 33.

36. TATU (M.), *Le pouvoir en U.R.S.S.*, Paris 1965, p. 451-452.

37. G.E. TSUKANOV (né en 1919), membre du C.C.; A.I. BLATOV, membre de la Commission de contrôle; A.M. ALEXANDROV-AGENTOV, candidat au C.C.; K. RUSAKOV avait tenu cet emploi avant d'être nommé au Secrétariat en 1977.

38. La composition de cet appareil se modifie selon les besoins du C.C.. *Pravda*, 4 mai 1976, annonce ainsi la création d'un département « Correspondance ».

39. *Pravda*, 26 février 1976.

40. *Pravda*, 17 octobre 1964.

41. *Spravotchnik partiinogo rabotnika*, Moscou, 1957, p. 319.

42. DALLIN (A.), WESTIN (A.I.), Ed. *Politics in the Soviet Union, Seven Cases*, New York, 1966, p. 113-164.

43. Il hérite ici naturellement de la fonction de chef de gouvernement que Khrouchtchev avait obtenue en 1958, pour des raisons de politique extérieure. RODIONOV (P.A.), *Kollektivnost' — Vyschyi printsip partiinogo rukovodstva*, Moscou, 1967, p. 219, dit que le plénum d'octobre 1964 a décidé de séparer Parti et gouvernement.

44. HOUGH (J.), « The Brejnev Era ». *Pravda*, 5 avril 1965; 3 et 5 juillet 1966, etc.

45. *Pravda*, 11 et 12 juillet 1965.

46. *Pravda*, 10 décembre 1965.

47. *Pravda*, 1er avril 1966.

48. *Pravda*, 4 avril 1966.

49. *Pravda*, 1er avril 1966.

50. *Pravda*, 15 octobre 1976, *Bakinski Rabotchii*, 25 octobre 1976, *Zaria Vostoka*, 19 décembre 1976; Suslov, *Partiinaia jizn'*, 2, 1979, p. 4.

51. *Pravda*, 15 octobre 1976.

52. Ponomarev in *Kommunist*, n° 17, 1977, p. 26.

53. *Partiinaia jizn'*, 1, 1979, p. 6.

54. *Ibid*, 2, 1979, p. 22.

55. *Pravda*, 19 décembre 1978. Les décorations sont assorties de facilités et avantages fixés par décret du 6-9-1967 et complétés par décret du 30-4-1975. *Pravda*, 2-5-1975.

56. *Pravda*, 12 novembre 1978, *Literaturnaia gazeta*, 17, 1979, p. 3.

57. *Actualités soviétiques*, n° 186, 4 janvier 1980. Il faut souligner qu'auparavant Brejnev avait reçu le « *prix international Lenine* » destiné à récompenser sa lutte pour la paix.

58. *Pravda*, 19 décembre 1976.

59. Discours de Brejnev in *Pravda*, 3 mars 1979, p. 1 et 2; discours de Kossyguine, *Pravda*, 2 mars 1979, p. 1 et 2; discours de Suslov, *Pravda*, 1er mars 1979, p. 2; discours de Kirilenko, *Pravda*, 28 février 1979, p. 2. Les autres discours ont été publiés entre le 15 et le 27 février. Plus le rang du dirigeant à l'intérieur du Politburo est élevé, plus la publication de son discours est tardive.

60. Les candidats du Politburo et les secrétaires du Comité central se sont exprimés les premiers et leurs discours ont été publiés du 3 au 14 février sur un espace variant de 3 colonnes à 3 1/2, et toujours en page 2.

61. Entré au C.C. au XXIIe Congrès. Travaille à la rédaction de *Sovetskii Soiuz*. Il est limogé le 14 octobre 1964 et exclu du C.C. au plénum de novembre.

62. *Pravda*, 22 mars 1979. Le décret de nomination a été publié dans *Sobranie postanovlenii pravitel'stva S.S.S.R.*, 9, 1979, p. 196. Il faut noter que la promotion au poste de ministre adjoint en 1976 n'a pas fait l'objet de publicité.

63. Au XXVe Congrès il est élu à la Commission de contrôle.

64. *Izvestia*, 28 février 1980.

65. Le général Paputine se trouvait en Afghanistan en décembre 1979; sa mort a été annoncée dans *Pravda,* 3 janvier 1980.

66. Mikhail Suslov lui-même, gardien officiel de l'orthodoxie du Parti a utilisé cette désignation, *Partiinaia jizn',* 2, 1979, p. 4.

67. Ce qui est le cas au XXV⁰ Congrès.

68. HARASYMIW (B.), « Nomenklatura », *Canadian journal of political science,* 4, 1969, p. 493-512.

69. Cf. Khrouchtchev, *Souvenirs,* Paris, 1971, qui reste silencieux sur ce point.

70. *Pravda* des 17 et 18 juin 1977.

71. *Pravda,* 19 avril 1979.

72. *Pravda,* 25 mai 1977.

73. *Pravda,* 1ᵉʳ janvier 1974.

74. *Pravda,* 17 avril 1975.

75. *Communiqué de Radio Moscou,* 8 mai 1976; un article du général-colonel Sredin dans *Voennyi Vestnik* 10, 1977, mentionne qu'il est commandant en chef des armées soviétiques.

76. La composition du Conseil de Défense n'est pas connue car la plus grande discrétion entoure ce corps. On sait cependant que quatre membres du Politburo en font partie en 1976, Brejnev, le chef du gouvernement Kossyguine, le président du Praesidium du Soviet suprême Podgorny et le ministre de la Défense Oustinov.

77. *Pravda,* 14 décembre 1976; cette révision du passé militaire de Brejnev va à l'encontre du témoignage apporté par le général Grigorenko, *Mémoires,* Paris, 1980, pp. 327 sqq.

78. *Pravda,* 21 février 1978.

79. Sur les conditions d'attribution de cet ordre, *Sbornik zakonov S.S.S.R. i ukazov Presidiuma verkhovnogo soveta S.S.S.R., 1938, 1958.* — Moscou, 1959, p. 332.

80. *Pravda,* 29 et 31 mars 1978, n° du 1ᵉʳ au 10 mars inclus et 15 mars 1978.

81. *Voenno Istoritcheskii jurnal* 12, 1976, p. 5.

82. Durant l'échange de cartes du Parti (1972-1975), la carte marquée du n° 1 a été attribuée — à titre posthume — à Lénine et la carte n° 2 à Brejnev! Sur l'échange de cartes : Brejnev, *Otchet Tsentral'nogo komiteta K.P.S.S. i ocherednye zadatchi partii,* Moscou, 1976, p. 77; *Pravda,* 24-6-1976.

83. C'est ce qui était écrit sur la statue dressée à Staline au sommet de l'Elbrouz.

84. Discours Chevarnadzé au XXV⁰ Congrès, 27 février 1976.

85. *Pravda,* 20 juillet 1966.

86. *Pravda,* 26 août 1979.

87. M. WEBER, *The Interpretation,* p. 230.

88. *Pravda,* 18 avril 1979.

89. *Pravda,* 19 avril 1979.

90. Cf. *Pravda,* 4 août 1966; 16 juillet 1970; 27 juillet 1974.

91. *Pravda,* 18 avril 1979.

92. Cf. *Sovetskaia kul'tura,* 10 septembre 1976 et *Pravda,* 15 octobre 1976 (Kirilenko reçoit *L'ordre de Lénine* et la 2ᵉ médaille d'or « Faucille et marteau »); *Pravda,* 20 novembre 1977 (Suslov reçoit l'ordre de la révolution d'octobre); *Pravda,* 10 mai 1973; *Pravda,* 18 juillet 1977; *Pravda* 24 août 1979 (2 remises successives de l'ordre de Lénine et un « héros du travail socialiste » à Aliev membre du Politburo.

CHAPITRE IV

1. (Constitution de 1977). *Konstitutsia-osnovnoi zakon,* Moscou, 1977, art. 71, 84, 85, 86, 87, 88, p. 26 à 33.

2. *Bol'chaia Sovetskaia Entsiklopedia-Ejegodnik,* 1979, p. 11 et 13. Cité plus loin : *B.S.E.-Ejegodnik.*

3. Dans la Constitution de 1977, art. 3, *op. cit.,* p. 6.

4. HOUGH (J.), *The Soviet Prefects,* Harvard Un. Press, 1969, p. 3.

5. *B.S.E.-Ejegodnik, op. cit.,* p. 13 : 16 721 322 membres au 1ᵉʳ janvier 1979.

6. *Partiinaia Jizn',* n° 10, 1976, p. 7.

7. *Narodnoe Khoziaistvo S.S.S.R.,* 1973, p. 33, et *Partiinaia Jizn',* 14, 1973, p. 12.

8. Brejnev : *Otchet tsentral'nomu Komitetu K.P.S.S. : Otcherednye zadatchi Partii v oblasti vnutrennei i vnechnei politiki,* Moscou., 1976, p. 77.

9. KERBLAY (B), *La société soviétique contemporaine,* Paris, 1978, p. 207-209.

10. KERBLAY, *op. cit.,* p. 207 et *Narodnoe Khoziaistvo,* 1973, p. 456 et 468.

11. *K.P.S.S. v tsiffrakh,* in *Partiinaia Jizn',* 10, 1976, p. 7.

12. *Ibid.,* p. 209.

13. *Partiinaia Jizn',* 10, 1976.

14. *Ibid.,* et *Partiinaia Jizn'* 21, 1977, p. 32-33. Et pour 1978, *B.S.E.-Ejegodnik, op. cit.,* p. 13, dit 25,6 % de femmes dans le P.C.U.S.

15. *Partiinaia Jizn',* 10, 1976 et *B.S.E., Ejegodnik, op. cit.,* p. 17, qui indique que les effectifs du Komsomol se montent en 1978 à 38 459 000 membres.

16. *Vsesoiuznaia perepis' naseleniia 1959 goda S.S.S.R.,* p. 75, et *Partiinaia Jizn',* 14, 1973, p. 16.

17. *Narodnoe Khoziaistvo S.S.S.R., 1974* (p. 33 à 42) et *1975,* p. 38, et *Partiinaia Jizn',* 10, 1976 et 21, 1977, p. 29.

18. *Partiinaia Jizn',* 1, 1962, p. 44; 19, 1967, p. 14 et 10, 1976, p. 16.

19. CARRÈRE D'ENCAUSSE (H.), *L'Empire éclaté,* Paris, 1978, p. 34-45.

20. *Ibid.,* p. 56 sqq.

21. Les non-Russes installés en R.S.F.S.R. ont plus de chances d'entrer au Parti que leurs compatriotes restés dans leur république, et parfois que les Russes. *Partiinaia Jizn'* 21, 1977, p. 22; *B.S.E.-Ejegodnik,* 1979; *Narodnoe Khoziaistvo,* 1973, p. 35-38.

22. Compilé à partir des tableaux de *Partiinaia Jizn',* 10, 1976.

23. *Ibid.*

24. Cf. par exemple, *Partiinaia Jizn',* 3, 1979, p. 27-32; 9, 1979, p. 50-54.

25. *Ibid,* 10, 1976 et 21, 1977, p. 39-40.

26. KERBLAY, *op. cit.,* p. 246.

27. *Survey,* 22 (spring) 1976, p. 64.

28. HOUGH, FAINSOD, *How the Soviet Union is governed,* p. 495.

29. A l'ouvrage déjà cité de HOUGH (J.), il faut ajouter MOSES (J.C.), *Regional Party Leadership and Policy Making in the U.S.S.R.,* New York, 1974, 263 p.

30. Compilé à partir des journaux locaux.

31. Compilé à partir de *Bol'chaia Sovetskaia Entsiklopedia, Ejegodnik,* 1979, p. 90 sqq.

32. RIGHBY (H.), « The Soviet Regional Leadership, The Brejnev Generation », *Soviet Studies,* mars 1978, p. 1-25.

33. MOSES, *op. cit.,* p. 213 sqq.

34. HOUGH, *op. cit.,* p. 62 sqq, notamment, tableau p. 63.

35. FLERON (F.), « Towards a reconceptualization of political change in Soviet Union », *Comparative Politics,* 2 janvier 1969, p. 228-244 et *Pravda,* 1ᵉʳ février 1959, p. 4, *Kommunist,* 13 (septembre) 1965. p. 88.

36. *Partiinaia Jizn',* 20, 1964, p. 3 à 7, *Zaria Vostoka,* 29 juin 1965.

37. HOUGH, *art. cit.,* p. 20-25.

38. BREJNEV, in *XXIV s'ezd K.P.S.S.,* vol. 1, p. 118 sqq, *Partiinaia Jizn',* 5 (mars) 1972, p. 32 sqq.

39. *Plenum Tsentral'nogo Komiteta K.P.S.S., mart 1965,* p. 119, sur les réactions

devant cette clause. Le discours est prononcé par Solomentsev, premier secrétaire de l'Obkom de Rostov.

40. *Kommunist*, 16, 1964, p. 7-8.

41. *Pravda*, 17 novembre 1964.

42. *XXIII S'ezd...* vol. I, p. 90.

43. MAL'BAKHOV (T.K.), premier secrétaire de la R.A. Kabardino-Balkare, nommé en novembre 1956 et SENKIN (I.I.), premier secrétaire de la R.A. de Carélie, 22 septembre 1958.

44. C'est le cas de Katouchev nommé premier secrétaire de l'Obkom de Gorki (*Pravda*, 28 décembre 1965), secrétaire du C.C. en 1968 et actuellement vice-président du Conseil des ministres de l'U.R.S.S., en dépit de son exclusion du Secrétariat.

45. Brejnev, *XXIV S'ezd*, vol. I, p. 124, et *Kommunist*, 3 (février) 1972, p. 38.

46. Dans les bureaux d'Obkom, on ne connaît la présence à des postes élevés que de D.P. Komarova, présidente de l'Ispolkom de Briansk de 1962 à 1966 et L.P. Likova, second secrétaire de la région de Smolensk, de 1955 à 1961, *Deputaty Verkhovnogo Soveta*, 1966 et *B.S.E.-Ejegodnik*, 1962 et 1979. Toutes les autres femmes (une quinzaine) sont spécialisées dans la propagande.

47. Élus le 6 décembre 1978; et les 15 juin 1975 et 31 décembre 1975 (les deux secrétaires de la R.A. Tchétchène Ingouche ont été changés en 1975).

48. Les régions se répartissent de la manière suivante : Ukraine : 25, Kazakhstan :19, Uzbekistan : 11, Biélorussie : 6, Turkmenistan : 5, Tadjikistan et Kirghizie : 3. *B.S.E.-Ejegodnik*, 1979.

49. Kiev a une organisation autonome depuis 1975 (*Radyanska Ukraina*, 15 mai 1975.)

50. Rachidov élu en Uzbekistan en 1959, Usubaliev en Kirghizie en 1961 et Bodiul en Moldavie, en 1961.

51. *Pravda*, 5 avril 1978, *Kazakhstanskaia Pravda*, 15 décembre 1979 et 26 mars 1980.

52. *Pravda*, 8 juillet 1979.

53. *Ibid.*

54. *Pravda Vostoka*, 19 décembre 1979. Sur ce thème cf. ZEMTSOV (I.) *La corruption en Union Soviétique*. Paris, 1976, 189 p. (sur l'Azerbaidjan).

55. *Pravda*, 5 avril 1978.

56. *Kazakhstanskaia Pravda*, 13 décembre 1979.

57. Il s'agit de deux premiers secrétaires d'Ukraine (Poltava et Odessa) et d'un Kazakh (Kazakhstan Nord).

58. HARASYMIW (B.), « Nomenklatura : the Soviet Communist Party's Leadership Recruitment System », *Canadian Journal of Political Science*, 4, 1969, p. 493-511, et LEVIN, PERFILEV, *Kadry apparata upravleniia v S.S.S.R.*, Leningrad, 1970, 252 p.; SALISBURY (H.H.) éd., *Sakharov speaks*, Londres, 1974, p. 145-146.

59. *Dvenatsaty S'ezd R.K.P. (b)*, Moscou, 1968, p. 64. MOROZOV (P.), *Leninskie printsipy podbora, rasstanovki i vospitaniia kadrov*, Moscou, 1959, p. 39.

60. *Partiinaia Jizn'*, 5, 1975, p. 68-73.

61. MOROZOV, *op. cit.*, p. 40.

62. KERBLAY, *op. cit.*, p. 258.

63. HOUGH, *op. cit.*, p. 151-154.

64. « Kalinkin considérait qu'il n'était pas n'importe qui, mais un homme de la Nomenclature », *Sovetskaia Litva*, 25 février 1962, cité par HOUGH, *op. cit.*, p. 390.

65. *Partiinaia Jizn'*, 20, 1975, p. 41.

66. *Kommunist*, 14 (septembre) 1977, p. 49-61.

67. *Partiinaia Jizn'*, 10, 1976 et 21, 1979, p. 40.

68. *Radio Vilnius*, 20 août 1978. Programme répondant aux questions des auditeurs américains sur la vie en U.R.S.S.

69. Pour Alec Nove : « Y a-t-il une classe dirigeante en U.R.S.S.? », *Revue des*

études comparatives est-ouest, 4, 1975, p. 5-44, la Nomenclature est l'instrument du pouvoir politique.

70. Le contrôle qui complète ce dispositif est une préoccupation permanente du Parti : *Partiinaia Jizn'*, 4, 1977, p. 50-57; 23, 1979, p. 49-54; 9, 1979, p. 54-60.

71. BOTTOMORE (T.D.), *Elites and Society*, New York, 1964, p. 8.

CHAPITRE V

1. *Pravda*, 17 octobre 1964 et 6 novembre 1964.

2. A été aussi membre de la Commission de révision à partir de 1939; du C.C. depuis 1941; du Praesidium depuis 1955; secrétaire d'Obkom de 1937 à 1944; rédacteur en chef de la *Pravda* en 1949-1950. HODNETT (G.), in *Soviet Leaders*, p. 108-115, fait le portrait de Suslov.

Pour les carrières en général : HODNETT (G.), OGAREFF (V.), *Leaders of the Soviet republics, 1952-1972*, Canberra, 1973, 453 p.

3. CHVERNIK (N.M.), entré au P.C. en 1905, au C.C. en 1925, candidat au Praesidium de 1939 à 1952, 1953-1957; titulaire 1952-1953 et 1957-1966. Président du Praesidium du Soviet suprême de la R.S.F.S.R., 1944-1946; président du Praesidium du Soviet suprême de l'U.R.S.S., 1946-1953; puis président des syndicats et de 1956 à 1966 président du Comité de contrôle du Parti. *Deputaty verkhovnogo soveta*, 1962.

4. Sur la position de Podgorny, cf. L'analyse de TATU (M.), *Le pouvoir en U.R.S.S.*, Paris, 1967, p. 541-546.

5. Cf. portrait de Chelepine par SLUSSER(R.M.) in *Soviet Leaders, op. cit.*, p. 95-103.

6. *XXII s'ezd K.P.S.S.*, t. II, p. 405 sqq.

7. *Pravda*, 17 novembre 1964.

8. HEYKAL (M.), *Le sphynx et le commissaire*, Paris, 1980, p. 165.

9. Cf. TATU, *op. cit.*, p. 543 et 558.

10. TITOV (V.N.), secrétaire du C.C. chargé de l'organisation, est démis en avril 1965 et envoyé au Kazakhstan comme 2ᵉ secrétaire. HODNETT, OGAREV. *op. cit.*, p. 150-151.

11. *Partiinaia jizn'*, 15 (août) 1965, p. 23-25.

12. Cité par *International Herald Tribune*, 30 janvier 1979.

13. *Pravda*, 7 décembre 1965.

14. In *Pravda*, 7 mai 1965, l'article de SEMITCHASNYI sur l'autorité policière n'annonce nullement cette chute.

15. Cf. RESHETAR (J.S.) Jr, *The Soviet polity*, New York, 1978, p. 146-150.

16. La carrière de KIRILENKO entre 1957 et 1964 suit un cours sinueux absolument identique à celle de Brejnev. Cf. les livraisons correspondantes de *Deputaty verkhvnogo soveta*.

17. HOUGH (J.), FAINSOD (M.), *How the Soviet Union is governed*, Harvard, Londres, 1979, p. 247.

18. TATU, *op.cit.*, p. 558.

19. *Pravda*, 17 novembre 1964.

20. *XXIII s'ezd*, vol. II, p. 292.

21. Selon *Polititcheskii dnevnik*, p. 243, au printemps 1967 Chelepine est à nouveau en position de force.

22. *New York Times*, 20 juin 1967.

23. HEYKAL, *op. cit.*, p. 244.

24. *Ibid.*, p. 227.

25. Les critiques de CHELEST ont été exprimées à maintes reprises dans *Pravda Ukrainy*, 15 novembre 1969, 19 mai 1971, 22 septembre 1971, 11 novembre 1971, 2 mai 1972.

26. TATU (M.), « Kremlinology : the mini crisis of 1970 », *Interplay*, octobre 1970,

p. 13 à 19. MEISSNER (B.), « Die KPd.S.U und der Sowjet staat zwischen dem XXIII und XXIV Parteitag », *Europa Archiv* 7, p. 223-248.

27. NIXON (R.), *Mémoires*, Paris, 1978, p. 419.

28. *Ibid.*, p. 379 et 387.

29. *Ibid.*, p. 433 et 441.

30. *Ibid.*, p. 450 et 451.

31. *Ibid.*, p. 451.

32. *Ibid.*, p. 455 et 461.

33. Cf. discours prononcé au XVᵉ congrès des syndicats, *Pravda*, 21 mars 1972 et *Kommunist*, n° 18, 1972, p. 17; *Kommunist Ukrainy*, n° 4, 1973, p. 77-82.

34. *Pravda*, 25 mai 1977 et 17 et 18 juin 1977.

35. LEVITSKY (B.), *The Soviet political elite*, Stanford, 1970, p. 745-747; *Pravda*, 7 mars 1953 (pour la période antérieure au XXᵉ Congrès).

36. RAKOWSKA HARMSTONE (Th.), in *The dynamics of Soviet Politics*, Harvard Un. Press, 1976, p. 62-65.

37. *Pravda*, 6 mars 1976.

38. *Pravda*, 3 mars 1972.

39. CARRÈRE D'ENCAUSSE (H.), *L'Empire éclaté*, Paris, 1978, p. 220-221.

40. *Radio Moscou*, 16 avril 1975 annonce en ces termes le plénum tenu la veille : « Nous venons juste d'être informés qu'un plénum du C.C. a eu lieu hier »; et consacre l'essentiel de son information au discours de politique étrangère du ministre Gromyko.

41. *Turkmenskaia Iskra*, 16 décembre 1978.

42. *Reuter*, 12 novembre 1977.

43. *The military in contemporary soviet politics*, New York, 1977, p. 16-65.

44. *Ibid.*

45. *Pravda*, 10 décembre 1964 et 20 octobre 1964.

46. *Pravda*, 12 juillet 1965.

47. Cf. discours BREJNEV pour le 47ᵉ anniversaire de la révolution, *Pravda*, 7 novembre 1964.

48. *Pravda*, 8 novembre 1964; et pour le texte complet *New York Herald Tribune* (éd. internationale, 9 novembre 1964).

49. Sur l'éviction de ZAKHAROV, *Krasnaia zvezda*, 28 mars 1963 (son retour est dû à la mort accidentelle de son successeur).

50. *Krasnaia zvezda*, 4 février 1965.

51. KOSSYGUINE, présent à Hanoï à ce moment, fait des déclarations sur la solidarité soviétique, (*Izvestia*, 9 février 1965).

52. MALINOVSKI dans *Krasnaia zvezda*, 24 septembre 1965.

53. *Krasnaia zvezda*, 22 septembre 1965.

54. *Kommunist voorujennykh sil*, n° 8 (avril) 1965, p. 17.

55. *Ibid.*, p. 18.

56. *Ibid.*, n° 13 (juillet) 1965, p. 8 et 9.

57. *Voprosy Istorii*, n° 2, février 1963, p. 7 à 11.

58. Dans *Pravda*, 10 décembre 1964, KOSSYGUINE annonce une réduction des dépenses militaires pour 1965 sur les prévisions déjà faibles de KHROUCHTCHEV. *Planovoe Khoziaistvo* 4, avril 1965, p. 6.

59. *Pravda*, 22 mai 1965.

60. *Pravda*, 5 juin 1965.

61. Rapport du ministre des Finances, V.F. GARBUZOV, *Pravda*, 8 décembre 1965.

62. Rapport BREJNEV au XXIIIᵉ Congrès, *XXIII s'ezd...*, vol. I, p. 93. Cf. aussi rapport KOSSYGUINE, *ibid.*, vol. II, p. 64.

63. CARRÈRE D'ENCAUSSE (H.), *La politique soviétique au Moyen-Orient*, Paris, 1975, et *Pravda*, 24 janvier 1968.

64. Rapport BREJNEV, *XXIII s'ezd...*, vol. I, p. 39 à 44.

65. Intervention de MALINOVSKI, *XXIII s'ezd...*, vol. I, p. 411 sqq.; intervention IEPICHEV, *ibid.*, p. 548.

66. *Pravda*, 30 octobre 1961.

67. *XXIII s'ezd*, vol. II, p. 381 sqq.

68. *XXIII s'ezd*, vol. I, p. 415.

69. *Krasnaia zvezda*, 5 janvier 1967.

70. *Krasnaia zvezda*, 25 avril 1969.

71. *Krasnaia zvezda*, 6 avril 1967.

72. *Krasnaia zvezda*, 5 janvier 1967.

73. *BSE*, 3ᵉ éd., VII, p. 319.

74. *KPSS v resoliutsiakh i recheniakh s'ezdov, konferentsii i plenumov TSK*, Moscou, 1972, vol. IX, p. 329.

75. « Des sommes considérables sont dépensées pour la Défense, et le peuple soviétique en comprend la nécessité. La révolution socialiste, MARX et LÉNINE nous l'ont appris, doit pouvoir opposer à son ennemi de classe une puissance militaire invincible ». Discours jubilaire de BREJNEV le 3-4 novembre 1967 in *Leninskim kursom : retchi i stat'ii*, Moscou, 1970, t. II, p. 126.

76. *Krasnaia zvezda*, 20 février 1968.

77. PAUL (D.W.), « Soviet foreign policy and the invasion of Tchecoslovakia », *International studies, quarterly*, XV, n° 2 (june 1971), p. 194 sqq.

78. *Le Monde*, 4 mai 1968.

79. *Krasnaia zvezda*, 27 avril 1969. Le communiqué annonçant cette mesure précise qu'il s'agit d'une décision conjointe du C.C. du Parti et du Conseil des ministres.

80. *Pravda*, 28 avril 1973. Cf. la discussion des critiques occidentales par le général OGARKOV in *Krasnaia zvezda*, 10 juillet 1973.

81. *Kommunist*, n° 3, février 1974, p. 23.

82. Le seul militaire qui intervient au congrès est le général-major Kotchemasov, qui fait une intervention sans grande portée (*Pravda*, 29 février 1976); *Izvestia*, 25 février 1976, publie une photo de Gretchko pendant le congrès; mais dans *Krasnaia zvezda*, 17 mars 1976, Gretchko publie un article sur le XXVᵉ Congrès où il souligne que l'armée compte toujours plus de membres du Parti et que ceux-ci sont à tous les postes clés.

83. *Pravda*, 27 avril 1976.

84. *Krasnaia zvezda*, 31 juillet 1976.

85. *Izvestia*, 9 mai 1976. Le décret a été publié le même jour dans *Krasnaia zvezda*.

86. *Pravda*, 11 mai 1976.

87. *Pravda*, 21 février 1978.

88. *Kommunist*, n° 7 (mai 1962), p. 64; *Izvestia*, 10 février 1975.

89. *Krasnaia zvezda*, 10 août 1975, publie les déclarations de Guilovani, vice-ministre de la Défense, sur le rôle économique de l'armée qui a construit dans la première partie des années soixante-dix 30 % des constructions industrielles préfabriquées et participe largement aux constructions destinées à l'habitation; selon GUILOVANI, les prévisions pour le plan quinquennal 1976-1980 assignent un rôle semblable à l'armée.

90. *Pravda*, 28 août 1975; sur la participation des troupes du district militaire d'Asie centrale aux récoltes. (Il est à noter que les soldats gagnant 7 roubles par mois, la contribution de l'armée à l'économie est donc très rentable.)

91. GELARD (P.), *Les systèmes politiques des États socialistes*, Paris, 1975, p. 278-279.

92. Décret du Praesidium du Soviet suprême, 13 décembre 1978.

93. *Izvestia*, 21 décembre 1967.

94. Sur le M.V.D., *Pravda*, 29 novembre 1968, p. 1.

95. FESCHBACH (M.), RAPAWY (S.), « Soviet Population and manpower trends and policies », *US congres : Joint Economic Committee*, octobre 1976, p. 131.

96. *Pravda*, 5 mars .1977.

97. *Voprosy Istorii KPSS*, août 1978, p. 66.

98. BYALER (S.), « Succession and Turnover of Soviet Elites », *Journal of international affairs*, vol. XXXII, n° 2 (fall Winter 1978), p. 181-200.

99. ZVEREV, ministre des Industries de défense, mort à soixante-six ans le 12 décembre 1978; ALEXEEIVSKI, ministre des Ressources hydrauliques, mort à soixante-douze ans le 1ᵉʳ janvier 1979; GRICHMANOV, ministre des Constructions de matériels industriels mort à soixante-douze ans le 4 janvier 1979.

100. RIGHBY (H.), « The soviet government since Khrushchev », *Politics*, 12 mai 1979, p. 5 à 22.

101. HOUGH (J.), « The Brejnev Era, the man and the system » in *Problems of Communism*, mars-avril 1976, p. 1 à 17.

102. *Kommunist*, 5 mars 1972, p. 57.

103. *Pravda*, 24 juin 1980.

104. Sans doute les plénums du C.C. fixent-ils généralement à l'avance l'agenda du congrès. Ce fut le cas pour le XXIVᵉ Congrès. Cf. *Pravda*, 14 juillet 1970. Mais en revanche lors du XXVᵉ Congrès le compte rendu du plénum qui en fixait la date restait muet sur l'organisation du congrès (*Pravda*, 17 avril 1975) et ce n'est que peu avant le congrès qu'un ultime plénum en a fixé l'agenda *(Pravda*, 2 décembre 1975).

CHAPITRE VI

1. Sur le concept de culture politique, cf. BROWN (A.), GRAY (J.), eds, *Political culture and political change in Communist states*, Londres, 1977, p. 3-10 et p. 58.

2. Sur l'usage du slogan, ZINOVIEV (A.), *L'Avenir radieux*, Paris, 1978.

3. MARX (K.), *Le Capital*, t. III.

4. *Programma Kommunistitcheskoi Partii Sovetskogo Soiuza*, proekt, Moscou, 1961.

5. Cf. ch. VII, art. 39 à 69 de la Constitution de 1977.

6. Art. 13 à 16 de la Constitution de 1977.

7. Le décret du 20-09-1965 *(Vedomosti Verkhovnogo soveta R.S.F.S.R. — n° 38, art. 932, p. 737)* définissait le *parasitisme*. Depuis 1975, ce n'est plus toujours un délit mais une attitude antisociale, cf. *Komsomolskaia Pravda* 10-08-1977.

8. *Le Manifeste communiste*, Paris, éd. Costes, 1934, p. 91-92.

9. *Literaturnaia Gazeta*, 22 janvier 1934, p. 1.

10. LÉNINE, *Polnoe Sobranie Sotchinenii*, vol. 45 (Moscou, 1964), p. 378-389, admet que la tâche de la révolution est de s'adapter momentanément à la pesanteur des mentalités.

11. Art. 52 de la Constitution de 1977, p. 22.

12. *Deti i religia*, Minsk, 1970. *Nauka i religiia*, 19 juin 1979, p. 14-15.

13. Document n° 45 du *Groupe moscovite pour la surveillance des accords d'Helsinki*, avril 1978, Samizdat.

14. KERBLAY (B.), *La Société soviétique contemporaine*, Paris, 1977, p. 149-151.

15. *Ibid.*, p. 156.

16. *Bol'chaia Sovetskaia Entsiklopedia*, vol. VIII, p. 1 523, et DIMOV, *Les Hommes doubles*, Paris, 1980, p. 39-40.

17. BREJNEV, *Leninskim Kursom*, vol. V, 1976, p. 545.

18. Les journaux des organisations de jeunesse en sont l'un des intruments privilégiés. Ce sont *Pionerskaia Pravda* et *Komsomol'skaia Pravda*.

19. NENACHEV, *Ratsional'naia organizatsiia ideologitcheskoi raboty*, Moscou, 1976.

20. *Partiinaia Jizn'*, 10-1976, p. 23.

21. *Spravotchnik partiinogo rabotnika*, 16 - 1976.

22. *Partiinaia Jizn'*, 21-1977, p. 41.

23. *Partiinaia Jizn'*, 13-1978, p. 305.

24. *Pravda*, 4 avril 1978, et *Partiinaia Jizn'*, 7-1978, p. 3.

25. *Pravda*, 2 septembre 1978.

26. *Partiinaia Jizn'*, 7-1978, p. 3.

27. *Ob ideologitcheskoi rabote KPSS, Sbornik Dokumentov*, Moscou, 1977, p. 436 sqq.

28. *Partiinaia Jizn'*, 10-1976, p. 23 et 21-1977, p. 42.

29. *Ibid.*

30. *Partiinaia Jizn'*, 21 (novembre) 1977, p. 43, indique pour 1975 1 316 900 propagandistes. Ils se répartissent ainsi :
    — 93 500 fonctionnaires du Parti, du gouvernement, des syndicats et du Komsomol;
    — 202 900 responsables d'entreprises industrielles, de construction et rurales;
    — 662 300 professionnels (ingénieurs, économistes, médecins, agronomes, etc.);
    — 257 700 professeurs et chercheurs.

31. *Partiinaia Jizn'*, 10-1976.

32. *Pravda*, 11 janvier 1978. PETROVITCH (éd.), *Partiinoe stroitel'stvo*, Moscou, 1976, p. 307 sqq.

33. *Partiinoe Stroitel'stvo, op. cit.*, p. 313.

34. *Partiinaia Jizn'*, 10-1976, p. 23.

35. Sur cette politique, cf. STRUVE, *Les Chrétiens en U.R.S.S.*, Paris, 1963, 429 p.

36. Cf. les 16 Posters : *Razum protiv religii*, Moscou, 1977.

37. Article *Znanie, Bolchaia Sovetskaia Entsiklopediia, Ejegodnik* 1979.

38. La presse du Parti s'en inquiète constamment, *Partiinaia Jizn'*, 23-1979, p. 59 sqq. et *Literaturnaia gazeta* 28-5-1975

39. KERBLAY (B.), *La Société soviétique contemporaine*, Paris, 1977, p. 140.

40. *Pravda*, 21 février 1978.

41. FRUNZE (M.V.), *Izbrannye proizvedenia*, Moscou, 1934, p. 180 sqq.

42. *Voennye Akademii i Utchilichtchie*, Moscou, 1974, p. 100 sqq.

43. L'armée n'en continue pas moins à proclamer qu'elle doit améliorer sans cesse la qualité de ses cadres et les rendre plus perméables au monde de l'intelligence, *Krasnaia Zvezda*, 11 mars 1972.

44. *Ibid.*, 29 novembre 1972.

45. Loi du 12 octobre 1967 publiée dans la *Pravda*, 13 octobre 1967.

46. L'article 13 de la loi du 12 octobre 1967 stipule que le service est de : deux ans pour les troupes terrestres, l'aéronavale et les gardes frontières, trois ans pour la marine et les unités navales garde-frontières. Un an seulement pour les diplômés de l'enseignement supérieur.

47. Décret du 25 février 1977, *Vedomosti Verkhovnogo Soveta SSSR*, Moscou, n° 9 (1875), 2 mars 1977, qui modifie la durée du service des diplômés de l'enseignement supérieur porté à un an et demi pour les troupes terrestres et deux ans pour la marine.

48. *Krasnaia Zvezda*, 3 février 1972, article de Sapunov; *Kommunist Voorujennikh sil*, 25 juillet 1975, p. 20.

49. Art. 17 de la loi du 12 octobre 1967, *Pravda*, 13 octobre 1967.

50. *Krasnaia Zvezda*, 3 février 1972.

51. Les ressources de la D.O.S.A.A.F. viennent de quatre origines :
    — cotisations des membres,
    — donations par des institutions,
    — revenus des entreprises appartenant à la D.O.S.A.A.F.,
    — loteries organisées par la D.O.S.A.A.F.,
    — enfin, dons de l'État en équipements militaires.

52. *Sovetskii Patriot*, 3 décembre 1972.

53. *Sovetskii Patriot*, 9 septembre 1973.

54. La réorganisation de 1961 met sur pied un système national de défense civile confié officiellement en 1964 au maréchal Chouikov.

55. A.T. Altunin, né le 14 août 1921, est général d'armée et a été nommé à la défense civile en juillet 1972. Élu membre plein du C.C. au XXV' Congrès. Son prédécesseur le maréchal Chouikov était depuis 1961 membre plein du C.C.

56. Sur leurs organisations, cf. *Krasnaia Zvezda*, 4 octobre 1972, 17 mars 1973, 24 novembre 1973.

57. *Krasnaia Zvezda*, 8 juillet 1973.

58. Art. 62 de la Constitution de 1977. L'art. 63 stipule que le service militaire est un « devoir d'honneur ».

59. *Partiinaia Jizn'*, 19-1977, p. 8.

60. ULEDOV (A.K.), *Obchtchestvennoe mnenie Sovetskogo Obchtchestva*, Moscou, 1963, p. 323.

61. *Komsomol'skaia Pravda*, 21 juin 1961 et 22 juillet 1961; et GRUCHIN (B.A.), SIKIN (V.V.), *Ispoved Pokoleniia*, Moscou, 1962.

62. GRUCHIN, *op. cit.*, p. 90-93.

63. Cf. SAKHAROV, « Lettre des trois savants », *Saturday Review*, 6 juin 1970; pour la création d'un Institut de recherche sociologique.

64. Enquêtes citées par WHITE (S.), *Political culture and Soviet Politics*, Londres, 1979, p. 124.

65. *Ibid.*

66. *Usloviia povycheniia obchtchstvennoi raboty*, Volgograd, 1973, p. 101.

67. Cité par WHITE (S.), *op. cit.*

68. *Ibid.*, p. 129.

69. *Ibid.*

70. *Pravda*, 28 juin 1979, p. 2.

71. *Kommunist*, 4-1977, p. 33.

72. *Pravda*, 28 novembre 1978, p. 2.

73. Cité par KERBLAY, *op. cit.*, p. 220.

74. CONNOR (W.D.), *Socialism Politics and Equality*, New York, 1979, tableau, p. 270.

75. *Ibid.*, p. 269 sqq. Cf. aussi LEPECHKIN (V.) in *Kommunist Bielorussii*, 7-1975, p. 35.

76. *Ibid.*, p. 317. *Izvestia*, 10 avril 1973, souligne la nécessité de modifier les finalités proposées par l'enseignement à la jeunesse pour valoriser les métiers manuels.

77. *Izvestia*, 31 août 1979.

78. Ex. : *Kommunist* : 995 000 à 945 000; *Partiinaia Jizn'* : 1 127 500 à 1 060 000; *Agitator* : 1 646 000 à 1 600 000; *Molodoi Kommunist* : 995 000 à 890 000; *Sovetskie Profsoiuzy* : 664 145 à 599 630.

79. *Sotsiologitcheskie issledovaniia*, 3 - 1975, p. 59.

80. Cité par HOLLANDER (G.), *Soviet Political Indoctrination*, p. 168 à 183.

81. KERBLAY, *op. cit.*, p. 140 et IOVTCHUK (M.T.), KOGAN (LN.) (eds), *Dukhovnyi Mir Sovetskogo rabotchego*, Moscou, 1972, p. 376 sqq.

82. KERBLAY, *op cit.*, p. 140.

CHAPITRE VII

1. Texte russe, cité ci-dessus, p. 4. Présentation française de Lesage (M.), *La Constitution de l'U.R.S.S.*, 7 octobre 1977, Paris, Documentation française, 1978, 142 p.

2. Sur ces problèmes, cf. COLLIGNON (J.G.), *La théorie de l'État du Peuple tout entier en Union soviétique,* Paris, 1967, VIII, 116 p.

VARCHUKH (V.V.), RAZIN (V.I.), in *Voprosy Filosofii,* n° 4, avril 1967, font une bibliographie des travaux soviétiques sur ce problème.

3. Cf. SUKHANOV (N.N.), *Zapiski o revoliutsii,* Berlin, Mouscou, 1922-1923, 7 vol.; édition française condensée : *La révolution russe 1917,* Paris, 1965, 371 p.

4. Art. 96 de la Constitution de 1977, p. 35, le système électoral fait l'objet du chapitre XIII de la Constitution, p. 34-36.

5. Les mandats étaient jusqu'en 1977 de 4 et 2 ans. L'article 90 prévoit leur allongement. Cf. intervention de BREJNEV pour présenter la Constitution, *Kommunist,* 15 (octobre) 1977, p. 5 à 20.

6. Avant 1977, les trois élections étaient séparées.

7. *Pravda* et *Izvestia* publient les discours des membres titulaires du Politburo à raison d'un par numéro. Ceux des autres à raison de 2 par numéro. Les discours de BREJNEV et KOSSYGUINE figurent en 1re page, les autres en 2e page. Cf. *Pravda, Izvestia* du 5 février 1980 (Grichine) au 23 février 1980 (Brejnev). Il est intéressant de comparer le discours de BREJNEV de 1980 à celui de 1979 (*Pravda,* 8 mars 1979).

8. *Radio Moscou,* 14 février 1979, Ivan KAPITONOV : « La composition du corps des candidats à la députation témoigne que les plus éminents représentants de notre peuple, les meilleurs fils et filles de notre patrie ont été désignés. »

9. Discours électoral de BREJNEV du 22 février 1980. Cf. *Pravda,* 23 février 1980.

10. Loi électorale du 6 juillet 1978, article 9, *Pravda,* 8 juillet 1978.

11. KOTOK (V.F.), *Sovetskaia predstavitel'naia sistema,* Moscou, 1963, p. 36.

12. GRIGORIEV, *Vybory v mestnye sovety deputatov trudiachtchikhsia,* Moscou, 1969, p. 37.

13. Sur les votes *contre* les candidats. Cf. résultats électoraux de 1979, *Pravda,* 6 et 7 mars 1979.

14. *Ibid.*

15. *Izvestia,* 14 janvier 1969.

16. *Pravda,* 7 mars 1979.

17. *Verkhovnyi Sovet, Statistitcheskii Sbornik,* Moscou, 1970, p. 48.

18. *Pravda,* 6 mars 1979.

19. *Izvestia,* 16 mars 1979.

20. *Pravda,* 24 janvier 1979, sur la composition des commissions électorales du Soviet suprême et *Pravda,* 20 décembre 1979, pour l'organisation des élections de 1980.

21. *Izvestia,* 16 mars 1979.

22. *Pravda,* 6 et 7 mars 1979 et rapport I. Kapitonov, *Radio Moscou,* 6 mars 1979.

23. Les témoins de Jehovah par exemple ont appelé en 1972 leurs adeptes à boycotter les élections, *Sovetskaia Kirghizia,* 12 janvier 1972.

24. Rapport KAPITONOV cité ci-dessus. *Izvestia,* 15 juin 1975.

25. « Lettre ouverte aux électeurs pour expliquer pourquoi je ne vote pas pour KOSSYGUINE », document du *Samizdat.*

26. *Pravda,* 5 mars 1980.

27. Rapport d'I. KAPITONOV devant la Commission électorale centrale, *Radio Moscou,* 14 février 1979.

28. « Lettre ouverte aux commissions électorales ». *Tass,* 26 janvier 1979.

29. *Radio Moscou,* 13 février 1979.

30. *Programma Kommunistitcheskoi Partii Sovetskogo Soiuza,* Moscou, 1968, p. 104.

31. *Sovetskoe Gosudarstvo i Pravo,* n° 6, juin 1963, p. 25.

32. *Pravda,* 5 octobre 1977.

33. *Pravda,* 5 juin 1977.
34. JUVILER (P.H.), MORTON (H.W.), eds., *Soviet policy making,* p. 29-60.
35. *Vedomosti verkhovnogo Soveta SSSR,* Moscou, n° 10, 1980.
36. *Izvestia,* 28 février 1980.
37. *Vedomosti, op. cit.*
38. *Pravda,* 20 avril 1979.
39. *Itogi Vyborov mestnykh sovetov deputatov trudiachtchikhsia,* Moscou, 1971, p. 90 sqq.
40. FRIEDGUT (T.H.), *Political participation in U.S.S.R.,* Princeton, 1979, p. 172.
41. *Izvestia,* 13 janvier 1967.
42. VASILIEV, *Rabota deputata sel'skogo poselkogo soveta,* Moscou, 1969, p. 40.
43. *Pravda,* 20 avril 1979.
44. PODGORNY a donné au XXIII⁰ Congrès des indications chiffrées sur les rappels des députés en 1965. *XXIII S'ezd KPSS,* Moscou, 1966, vol. I, p. 242.
45. *Sovetskoe Gosudarstvo i Pravo,* octobre 1961, p. 33.
46. *Bolchaia Sovetskaia Entsiklopedia,* vol. VIII, p. 1523, donne pour 1970 5 millions de membres. Pour 1975. Cf. texte indiqué ci-dessous, note 51, p. 42.
47. Sur le système. Cf. BERMAN (H.J.), *Justice in the U.S.S.R.,* New York, 1963, p. 288-289.
48. *Izvestia,* 23 octobre 1959.
49. FRIEDGUT, *op. cit.,* p. 250.
50. *Spravotchnik partiinogo rabotnika,* 1961, p. 577 sqq.
51. Sur leur statut, *Izvestia,* 4 juin 1974 et « Dobrovol'nye narodnye drujiny v okhrane obchtchestvennogo poriadka », *Znanie,* Moscou, 1975, p. 42 à 54.
52. *Ibid.,* p. 53.
53. HOUGH (J.), *The soviet union and social science theory,* Harvard. Un. Press 1977, p. 123-124, porte un jugement positif sur la participation en U.R.S.S.
54. ALMOND (G.), VERBA (S.), *The civic culture,* Boston, 1965, p. 168.
55. STALIN (J.), *Sotchineniia,* vol. V, Moscou, 1953, p. 260.
56. Cf. la résolution du C.C. du P.C.U.S. de janvier 1957 sur la réanimation des soviets et les moyens matériels mis à leur disposition, *Spravotchnik partiinogo rabotnika,* 1957, p. 451-454. — *Partiinaiajizn',* 9, 1977, p. 3-8.
57. Dans *Pravda,* 16 avril 1974, PODGORNY fait le procès des soviets locaux dont les citoyens dénoncent au Soviet suprême l'incurie. Cf. aussi *Pravda,* 7 juillet 1974.
58. *Vestnik Statistiki.* février 1980.
59. *Sovestkaia Kirgizia,* 22 janvier 1980, *Zaria Vostoka,* 13 octobre 1979 et 28 octobre 1979.
60. ANTONIAN (Ju.M.) in *Sovetskoe Gosudarstvo i Pravo,* n° 8 (août 1978), p. 78-85, qui souligne que la délinquance rurale est essentiellement concentrée sur le vol (volailles, bétail, boutiques) et que ces vols ne représentent que 15 % des vols en U.R.S.S.

CHAPITRE VIII

1. Sur le concept d'intelligentsia, cf. MARKIEWICZ-LAGNEAU (J.), « La fin de l'intelligentsia? Formation et transformation de l'intelligentsia soviétique », *Revue d'études comparatives Est-Ouest,* vol. VII, 1976, n° 4, p. 7-73.
2. PIPES (R.), *Russia under the old Regime,* Londres, 1974, p. 90-91.
3. Le titre russe de l'ouvrage est *Sophie Petrovna* publié en Samizdat; en France sous le titre *La Maison Déserte,* Paris, Albin Michel.
4. TCHOUKOVSKAIA (L.), *Les chemins de l'exclusion,* Paris, 1980, 222 p.
5. *Ibid.,* p. 105 et 133.
6. ETKIND (E.), *Dissident malgré lui,* Paris, Albin Michel, 1977, 315 p.

7. Cf. le texte du poème in MANDELSTAM (N.), *Contre tout espoir. Souvenirs* (T. I), Gallimard, 1972, p. 415.

8. KHROUCHTCHEV, in *Pravda,* 24 mai 1959.

9. POMERANTSEV, in *Novyi Mir,* n° 12, 1953, p. 218-245.

10. *Pravda,* 1-8-1946. *Partiinaia jizni,* n° 1-1946 editorial.

11. *Pravda,* 26 décembre 1979.

12. TCHOUKOVSKAIA (L.), *Les chemins de l'exclusion, op. cit.,* p. 186.

13. Édition française, *Métropole,* Gallimard, 1980.

14. *Literaturnaia gazeta,* 16 mai 1979 et 19 septembre 1979.

15. L'Union des écrivains de Moscou a exclu Erofeev et Popov en mai 1979.

16. Lettre de démission de G. VLADIMOV in TCHOUKOVSKAIA, *Les chemins de l'exclusion, op. cit.,* p. 207-208.

17. Sur la répression récente, *Dépêche Reuter,* 12 octobre 1979.

18. Cf. l'article du général TSVIGUN, premier vice-président du K.G.B. in *Kommunist,* n° 4, 1980.

19. Décret in *Pravda,* 7 mai 1979. Les décrets idéologiques des dernières années sont ceux des : 4 juin 1976, 12 octobre 1976, 18 janvier 1977, 1er février 1977, 15 août 1977. Cf. *Spravotchnik Partiinogo rabotnika,* éd. de 1977 et 1978 et *Pravda,* 5 mars 1978, *Partiinaia jizn',* n° 7, 1978 et discours de BREJNEV au C.C. du 27 novembre 1978 in *Pravda,* 28 novembre 1978.

20. BAUER (R.A.), INKELES (A), *The soviet citizen,* Cambridge, Mass. 1959, p. 254 sqq.

21. TCHERDAKOF (V.N.) et al. (ed.), *Ateizm, religiia, sovremennost',* Moscou, 1975, p. 128 sqq.

22. *Skolotaju Avize,* 7 avril 1976, p. 3. *Materialy mejvuzovskoi Nautchnoi Konferentsii po probleme vozrastaniia aktivnosti obtchtchestvennovo soznania v period stroitel'stva Kommunizma,* Koursk, 1968, p. 360 sqq.

23. LISAVETS (E.I.), *Religia v borbe idei,* Moscou, 1976.

24. *Ibid.,* p. 60.

25. *Ibid.,* p. 42.

26. *Nauka i religiia,* avril 1976, p. 4.

27. *Zaria Vostoka,* 27 octobre 1976.

28. *Radyanska osvita,* 7 mars 1979.

29. *Radyanska Ukraina,* 8 juin 1979.

30. BEESON (T) *Discretion and valour,* Fontana books, 1974, p. 78.

31. CARRÈRE D'ENCAUSSE (H.), *L'Empire éclaté,* Paris, 1978, p. 226-233.

32. Cf. in STRUVE (N.), *Les chrétiens en U.R.S.S.,* Paris, 1963, 374 p. Le problème des diverses sectes *in Religion in Communist lands,* n° 2, Summer 1977, p. 89.

33. *Nauka i religiia,* décembre 1976, p. 31-35.

34. *Nauka i religiia,* avril 1977, p. 55-58.

35. *Pionerskaia Pravda,* 7 juillet 1979, 7 septembre 1979. *Sel'skaia zizn',* 15 août 1979. *Komsomol'skaia Pravda,* 23 août 1979. *Sovetskaia Rossiia,* 25 juin 1980.

36. *Sovet Turkmenistani,* 27 janvier 1980.

37. *Kommunizm Tughi,* 7 décembre 1978.

38. Le patriarcat a été aboli par Pierre le Grand en 1721 et rétabli en 1918. Sur les cérémonies, cf. *Izvestia,* 1er juin 1978.

39. *Sovetskaia Rossiia,* 25 juin 1980.

40. *Sovetskaia Kirgizia,* 12 septembre 1979.

41. *Izvestia,* 31 janvier 1976.

42. N° 38 de *La Chronique des catholiques de Lituanie,* novembre 1979.

43. *Literaturnaia gazeta,* 13 avril 1977.

44. Alexandre OGORODNIKOV arrêté le 21 septembre 1978 a été un des pionniers des *séminaires chrétiens,* créés à Moscou, mais qui ont ensuite essaimé dans diverses villes. Son journal *Obchtchina* a connu une assez large diffusion.

45. 20 000 demandes de visas de sortie ont été présentées par des pentecôtistes depuis 1960. *Sovestkaia Litva,* 22 décembre 1978.

46. Cf. sur leurs activités, *Pravda Vostoka,* 15 mars 1979.

47. FLETCHER (W.C.), *The Russian Orthodox Church Underground 1917-1970,* Oxford, U. Press, 1971, p. 200 sqq.

48. Cf. le cas du père Dudko dont les sermons et « questions-réponses » ont été un élément important de la crise de conscience des chrétiens actifs. Il est arrêté en janvier 1980 et contraint à des aveux publics, télévisés à l'été 1980.

49. *Izvestia,* 1ᵉʳ juin 1978, souligne cet aspect. *Vestnik Moskovskogo Patriarkhata* donne une idée précise de ces contacts. Cf. principalement cet organe depuis 1976.

50. *L'Empire éclaté, op. cit.,* p. 225-255.

51. IUSUPOV (A.A.), *Natsional'nyi sostav naseleniia S.S.S.R.,* Moscou, 1964, p. 9.

52. Sur la différence des deux concepts, cf. BREJNEV (L.), *Leninskim kursom. Retchi i stat'i,* vol. VI, Moscou, 1978, p. 525.

53. Cf. l'article de P.M. FEDOSSEEV, vice-président de l'Académie des sciences de l'U.R.S.S. dans *Kommunist Ukrainy,* juin 1980, p. 26-36 et *Kommunist,* n° 1, 1980, p. 57-70.

54. Ce point de vue ne fait d'ailleurs pas l'unanimité. Cf. KULITCHENKO (M.I.), in *Voprosy istorii,* avril 1979, p. 323, qui se tient prudemment à mi-chemin des deux concepts.

55. ABUZIAROV (R.A.), in *Russkii iazyk v natsional'noi chkole,* n° 4, 1978, p. 64-69.

56. *Ibid.*

57. Saubanova in *Russkii iazyk v natsional'noi chkole,* n° 4, 1978, p. 54-55.

58. Sur la sous-représentation de certaines nations dans le corps des officiers, cf. par exemple *Bakinskii Rabotchi,* 29 janvier 1976.

59. *Kommunist Voorujennykh sil,* avril 1973, p. 93 et *Krasnaia zvezda,* 20 janvier 1973.

60. *Utchitel'skaia gazeta,* 23 octobre 1975 et *Russkii iazyk v natsional'noi chkole,* janvier 1976, p. 79-82, pour les recommandations de la conférence.

61. *Utchitel'skaia gazeta,* 24, 26 et 29 mai 1979.

62. *Russkii iazyk v natsional'noi chkole,* n° 1, 1979, p. 2.

63. *Narodnoe Obrazovanie,* mars 1979, p. 94-95, décrit l'application des dispositions en Ukraine.

64. *Naseleniie S.S.S.R. po dannym vsesoiuznoi perepisi naseleniia 1979 goda,* Moscou 1980 et *Ekonomitcheskaia gazeta,* n° 7, février 1980.

65. *Naselenie S.S.S.R. Op. cit.*

66. *Sovetskaia Kirgizia,* 11 août 1979.

67. *Ibid.*

68. *Russkii iazyk v natsional'noi chkole,* n° 6, 1979, p. 8.

69. *Narodnoe obrazovanie,* n° 9, 1979, p. 41, et *Russkii iazyk v natsional'noi chkole,* n° 6, 1979, p. 9.

70. *Visnyk Akademii Nauk Ukrainskoi S.S.R.,* n° 7, 1979, p. 30.

71. I. K. BILODID in *Radyanska Ukraina,* 10 février 1980. Bilodid est le directeur de l'Institut de linguistique de l'Académie des sciences d'Ukraine et partisan fervent de la progression du russe. Il se fait d'ailleurs appeler Beloded (forme russifiée de son nom).

72. Cf. dans *Pravda,* 28 juin 1980, les déclarations de l'Aktiv du P.C. de Géorgie réuni le 26 juin 1980 sur « l'amitié des peuples russe et géorgien » sur la langue russe; allocution de CHEVARNADZE à l'association de l'Union des écrivains de Géorgie in *Zaria Vostoka,* 3 avril 1980.

73. *Zaria Vostoka,* 4 novembre 1976, 24 avril 1979, 19 janvier 1980.

74. *Zaria Vostoka,* 12 février 1980, 2 avril 1980, 19 juillet 1980.

75. Cf. *Zaria Vostoka,* 8 avril 1978, sur l'incapacité du procureur de Géorgie

à porter en justice les pratiques frauduleuses de plusieurs grandes entreprises.

76. Discours de CHEVARNADZE devant l'Aktiv du P.C. géorgien, *Zaria Vostoka*, 9 juillet 1980.

77. Sur les objectifs de l'économie géorgienne. *Ibid.*

78. *Kommunisti*, 13 avril 1979.

79. *Zaria Vostoka*, 3 avril 1980.

80. *Pravda*, 28 juin 1980.

81. *Zaria Vostoka*, 31 octobre 1979.

82. *Zaria Vostoka*, 22 janvier 1980.

83. NURSAKHAT BAIRAMSAKHATOV. *Novyi byt i islam*, Moscou, 1979, p. 26-195.

84. *Ibid.*, p. 38.

85. *The Washington Post*, 18 janvier 1979.

86. *Turkmenskaia Iskra*, 15 juin 1980.

87. Gapurov avait déjà avancé cette idée en 1979, in *Turkmenskaia Iskra*, 21 juillet 1979; *Partiinaia jizn'*, n° 12, 1979, p. 8-10, accuse carrément certaines organisations du P.C. Turkmene de connivence avec le clergé.

88. KERBLAY (B.), *La société soviétique*, p. 188.

89. *Literaturnaia gazeta*, mars 1979, p. 10.

90. *Narodnoe Khoziaistvo S.S.S.R. v 1978*, p. 371, 372, 373. Cf. aussi les salaires compilés dans *Panorama de l'U.R.S.S.*, Paris, Documentation française, février-mars 1979.

91. *Financial Times*, 15 novembre 1973.

92. LAVIGNE (M.), *Le Monde diplomatique*, septembre 1979, p. 3.

93. *Pravda*, 12 janvier 1980.

94. *Sovetskaia Moldavia*, 27 février 1979.

95. Ces propos sont tirés d'un article de K. TCHERNENKO in *Voprosy Istorii K.P.S.S.*, n° 9, 1979, p. 1 à 18 et consacrés à expliquer ce qu'est l'approche léniniste de l'éducation ouvrière.

96. « Lettre ouverte » du 30 janvier 1978 adressée aux autorités soviétiques.

97. *Krasnaia zvezda*, 8 septembre 1978.

98. Cité par S. WHITE, *Political culture and soviet Politics*, Londres 1979, p. 159.

99. IAROCHEVSKI (T.), MANSUROV (N.S.), éd. *Aktivnost' litchnosti v sotsialistitcheskom obchtchestve*, Moscou, 1976, p. 163.

100. SAPOJNIKOV (N.M.), *Struktura politchitcheskogo soznaniia*, Minsk, 1969, p. 136.

101. Je remercie Marie Lavigne, professeur de science économique à l'Université de Paris I d'avoir attiré mon attention sur cet aspect de la réforme. Sur la méthode ZLOBIN, cf. LAVIGNE, *Les économies socialiste soviétique et européenne*, Paris 1979, p. 105.

102. *Pravda*, 28, 29 et 30 novembre 1979 et 1ᵉʳ décembre 1979.

103. Cf. Les exemples cités par TCHOUKOVSKAIA, *Les chemins de l'exclusion, op. cit.*, p. 217-218.

104. *Directory of Soviet Officials, vol. II, R.S.F.S.R. organizations* CIA, Washington, juillet 1980, p. 63.

105. De *Tolkat'* : pousser, le *tolkatch* est celui qui « fait avancer les affaires ».

106. Sur la nouvelle respectabilité des *tolkatchi*. Cf. *Ekonomitcheskaia gazeta*, n° 10, 1979, p. 13 et *Pravda*, 30 juin 1979 et 20 juin 1980.

107. DIMOV (A.), *Les Hommes doubles*, Paris, 1980, 310 p.

CONCLUSION

1. Interview donné aux journalistes occidentaux le 15 juin 1973, U.P.I., 15 juin 1973.

2. *Pravda,* 14 mai 1957.

3. Discours de RIABOV au XXV⁰ Congrès, *Pravda,* 27 février 1976.

4. Sur le rôle personnel de Brejnev, *Pravda,* 28 février 1976.

5. NOVE (A.), *The Soviet Economic System,* Londres, 1977, p. 147-148.

6. *Ekonomika Sel'skogo Khoziaistva,* 1 (janvier) 1980, p. 62-69.

7. *Tselina,* cité par *Sel'skaia Jizn',* 18 février 1979, p. 1.

8. KERBLAY, *op. cit.,* p. 98.

9. WEBER (M.), *The Theory of social and economic organization,* New York, 1947, p. 328. M. WEBER souligne que ces légitimités ne se rencontrent jamais à l'état pur.

10. Le K.G.B. a une double fonction. Il est un organe de sécurité intérieure et en même temps l'organe chargé des problèmes dits « de sécurité extérieure ». Il est l'équivalent du F.B.I. et de la C.I.A. Ses ramifications internationales et ses activités devraient trouver une place centrale dans un ouvrage traitant de la politique extérieure de l'U.R.S.S.

ORIENTATIONS BIBLIOGRAPHIQUES

Cette bibliographie ne reprend pas tous les titres cités en référence, mais renvoie simplement à un certain nombre d'ouvrages, qui, pour des raisons linguistiques, sont accessibles au lecteur occidental.

ARMSTRONG (J.A.), *The European Administrative elite*, Princeton, 1973, 406 p.

BARRON (J.), *K.G.B., le travail occulte des agents secrets soviétiques*, Paris, Bruxelles, 1975, 400 p.

BETTELHEIM (C.), *Les luttes de classes en U.R.S.S.*, Paris, t. I, 1974, 523 p., t. II, 1977, 604 p.

BLACK (C.), *The Transformation of Russian Society*, Cambridge, Mass., 1967, 695 p.

BLACK (C.), *The Modernization of Japan and Russia : a Comparative Study*, New York, Londres, 1975, 386 p.

BOURDEAUX (M.), *Livre blanc sur les restrictions religieuses en U.R.S.S.*, Bruxelles, 1978, 72 p.

BROWN (A.), GRAY (J.) (ed.), *Political Culture and Political Change in Communist States*, Londres, 1977, 286 p.

BROWN (A.), KASER (M.), *The Soviet Union Since the Fall of Khrushchev*, Londres, 1978, 351 p.

BRUS (W.), *Socialist Ownership and Political Systems*, Londres, 1975, 224 p.

BRZEZINSKI (Z.K), *The Permanent Burge, Politics in Soviet Totalitarianism*, Cambridge, Mass. 1956, 256 p.

CHAMBRE (H.), *L'évolution du marxisme soviétique*, Paris, 1974, 475 p.

CHAPMAN (J.), *Real Wages in Soviet Russia since 1928*, Cambridge, Mass., 1963, 395 p.

CHURCHWARD (L.G.), *Contemporary Soviet Government*, Londres, 1975, 2ᵉ ed., 368 p.

COCKS (P.), DANIELS (R.V.), WHITTIER HEER (N.) (eds.), *The Dynamics of Soviet Politics*, Cambridge, Mass., 1976, 427 p.

COLLIGNON (J.G.), *La théorie de l'État du peuple tout entier en Union Soviétique*, Paris, 1967, 116 p.

FAINSOD (M.), *Comment l'U.R.S.S. est gouvernée*, Paris, 1957, 503 p.

GERSCHENKRON (A.), *Economic Backwardness in Historical Perspective*, Cambridge, Mass., 1962, 456 p.

HOUGH (J.F.), *The Soviet Prefects: The Local party Organs in Industrial Decision-Making*, Cambridge, Mass., 1969, 418 p.

HOUGH (J.F.), *The Soviet Union and Social Science Theory*, Cambridge, Mass. 1977, 275 p.

HOUGH (J.F.), FAINSOD (M.), *How the Soviet union is Governed?* Cambridge, Mass., 1979, 679 p.

IONESCU (G.), *Comparative Communist Politics*, Londres, 1972, 64 p.

KERBLAY (B.), *Les marchés paysans en U.R.S.S.*, Paris, 1968, 519 p.

KERBLAY (B.), *La société soviétique contemporaine*, Paris, 1977, 304 p.

LANE (D.), *Politics and society in the U.S.S.R.*, Londres, 1972, 616 p.

LAVIGNE (M.), *Les économies socialiste soviétique et européenne*, Paris, 1979, 3ᵉ éd. 437 p.

LEITES (N.), *The Operational Code of the Politburo*, New York, 1951, 100 p.

LESAGE (M.), *Les régimes politiques de l'U.R.S.S. et de l'Europe de l'Est*, Paris, 1971, 367 p.

LESAGE (M.), *Les institutions soviétiques*, Paris, 1975, 128 p.

LINDEN (C.), *Khrushchev and the Soviet Leadership, 1957-1964*, Baltimore, 1966, 273 p.

MATTHEWS (M.), *Class and Society, in Soviet Russia*, Londres, 1972, 366 p.

MATTHEWS (M.), *Privilege in the Soviet Union*, Londres, 1978, 197 p.

MOROZOW (M.), *L'Establishment soviétique*, Paris, 1974, 253 p.

MOSES (J.C.), *Regional Party Leadership and Policy-making in the U.S.S.R.*, New York, Washington, Londres, 1974, 263 p.

NOVE (A.), *Stalinism and after*, Londres, 1975, 205 p.

POWELL (D.E.), *Antireligious Propaganda in the Soviet Union. A study of mass persuasion*, Cambridge, Mass., Londres, 1975, 206 p.

RIGBY (T.H.), *Communist Party Membership in the U.S.S.R., 1917-1967*, Princeton, 1968, 573 p.

RIGBY (T.H.), « *Soviet Communist Party Membership under Brezhnev* », *Soviet Studies*, nᵒ 3, juillet 1976, p. 317-338.

SEMYONOVA (O.), HAYNES (V.), *Syndicalisme et libertés en Union Soviétique*, Paris, 1979, 205 p.

SETON-WATSON (H.), *The Imperialist Revolutionaries: Trends in World Communism in the 1960s and 1970s*, Stanford, 1978, 157 p.

SKILLING (G.H.), GRIFFITH (F.) (eds.), *Interest groups in Soviet Politics*, Princeton, 1971, 432 p.

SOKOLOFF (G.), *L'Économie obéissante, décisions politiques et vie économique, en U.R.S.S.*, Paris, 1976, 346 p.

TATU (M.), *Le pouvoir en URSS de Khrouchtchev à la direction collective*, Paris, 1967, 608 p.

VANNEMAN (P.), *The Supreme Soviet: Politics and the legislative process in the Soviet Political System*, Durham, 1977, 253 p.

WHITE (S.), *Political Culture and Soviet Politics*, Londres, 1979, 234 p.

ZALESKI (E.), *Stalinist Planning for Economic growth, 1933-1952*, Chapel-Hill, 1980, 788 p.

ZEMTSOV (I.), *La corruption en Union Soviétique*, Paris, 1976, 189 p.

TABLE DES MATIÈRES

LA COMPOSITION ET L'IMPRESSION DE CE LIVRE
ONT ÉTÉ EFFECTUÉES PAR FIRMIN-DIDOT S.A.
POUR LE COMPTE DE LA LIBRAIRIE ERNEST FLAMMARION
ACHEVÉ D'IMPRIMER LE 4 OCTOBRE 1980